AUSGEWÄHLTE
KINDER- UND HAUSMÄRCHEN

GESAMMELT DURCH DIE
BRÜDER GRIMM

MIT ZEHN BILDERN VON
LUDWIG RICHTER

D0037111

MIT EINEM NACHWORT VON
HERMANN GERSTNER

PHILIPP RECLAM JUN. STUTTGART

Universal-Bibliothek Nr. 3179/80/80a
Gesetzt in Petit Garamond-Antiqua. Printed in Germany 1974
Herstellung: Reclam Stuttgart
ISBN 3-15-003179-6

Inhalt

Der Froschkönig oder der eiserne Heinrich

In den alten Zeiten, wo das Wünschen noch geholfen hat, lebte ein König, dessen Töchter waren alle schön, aber die jüngste war so schön, daß die Sonne selber, die doch so vieles gesehen hat, sich verwunderte, sooft sie ihr ins Gesicht schien. Nahe bei dem Schlosse des Königs lag ein großer dunkler Wald, und in dem Walde unter einer alten Linde war ein Brunnen: wenn nun der Tag recht heiß war, so ging das Königskind hinaus in den Wald und setzte sich an den Rand des kühlen Brunnens: und wenn sie Langeweile hatte, so nahm sie eine goldene Kugel, warf sie in die Höhe und fing sie wieder; und das war ihr liebstes Spielwerk.

Nun trug es sich einmal zu, daß die goldene Kugel der Königstochter nicht in ihr Händchen fiel, das sie in die Höhe gehalten hatte, sondern vorbei auf die Erde schlug und geradezu ins Wasser hineinrollte. Die Königstochter folgte ihr mit den Augen nach, aber die Kugel verschwand, und der Brunnen war tief, so tief, daß man keinen Grund sah. Da fing sie an zu weinen und weinte immer lauter und konnte sich gar nicht trösten. Und wie sie so klagte, rief ihr jemand zu: „Was hast du vor, Königstochter? Du schreist ja, daß sich ein Stein erbarmen möchte." Sie sah sich um, woher die Stimme käme, da erblickte sie einen Frosch, der seinen dicken häßlichen Kopf aus dem Wasser streckte. „Ach, du bist's, alter Wasserpatscher", sagte sie, „ich weine über meine goldene Kugel, die mir in den Brunnen hinabgefallen ist." — „Sei still und weine nicht", antwortete der Frosch, „ich kann wohl Rat schaffen, aber was gibst du mir, wenn ich dein Spielwerk wieder heraufhole?" — „Was du haben willst, lieber Frosch", sagte sie, „meine Kleider, meine Perlen und Edelsteine, auch noch die goldene

Krone, die ich trage." Der Frosch antwortete: „Deine
Kleider, deine Perlen und Edelsteine und deine goldene
Krone, die mag ich nicht; aber wenn du mich liebhaben
willst, und ich soll dein Geselle und Spielkamerad sein,
an deinem Tischlein neben dir sitzen, von deinem goldenen Tellerlein essen, aus deinem Becherlein trinken, in
deinem Bettlein schlafen: wenn du mir das versprichst,
so will ich hinuntersteigen und dir die goldene Kugel
wieder heraufholen." — „Ach ja", sagte sie, „ich ver-
spreche dir alles, was du willst, wenn du mir nur die
Kugel wiederbringst." Sie dachte aber: „Was der ein-
fältige Frosch schwätzt, der sitzt im Wasser bei seines-
gleichen und quakt und kann keines Menschen Geselle
sein."

Der Frosch, als er die Zusage erhalten hatte, tauchte
seinen Kopf unter, sank hinab und über ein Weilchen
kam er wieder heraufgerudert, hatte die Kugel im Maul
und warf sie ins Gras. Die Königstochter war voll
Freude, als sie ihr schönes Spielwerk wieder erblickte,
hob es auf und sprang damit fort. „Warte, warte", rief
der Frosch, „nimm mich mit, ich kann nicht so laufen wie
du." Aber was half ihm, daß er ihr sein Quak quak so
laut nachschrie, als er konnte! Sie hörte nicht darauf,
eilte nach Haus und hatte bald den armen Frosch vergessen, der wieder in seinen Brunnen hinabsteigen mußte.

Am andern Tage, als sie mit dem König und allen
Hofleuten sich zur Tafel gesetzt hatte und von ihrem
goldenen Tellerlein aß, da kam, plitsch platsch, plitsch
platsch, etwas die Marmortreppe heraufgekrochen, und
als es oben angelangt war, klopfte es an der Tür und
rief: „Königstochter, jüngste, mach mir auf." Sie lief und
wollte sehen, wer draußen wäre, als sie aber aufmachte,
so saß der Frosch davor. Da warf sie die Tür hastig zu,
setzte sich wieder an den Tisch, und war ihr ganz angst.
Der König sah wohl, daß ihr das Herz gewaltig klopfte,

und sprach: „Mein Kind, was fürchtest du dich; steht
etwa ein Riese vor der Tür und will dich holen?" —
„Ach nein", antwortete sie, „es ist kein Riese, sondern
ein garstiger Frosch." — „Was will der Frosch von dir?"
— „Ach, lieber Vater, als ich gestern im Wald bei dem
Brunnen saß und spielte, da fiel meine goldene Kugel
ins Wasser. Und weil ich so weinte, hat sie der Frosch
wieder heraufgeholt, und weil er es durchaus verlangte,
so versprach ich ihm, er sollte mein Geselle werden, ich
dachte aber nimmermehr, daß er aus seinem Wasser heraus könnte. Nun ist er draußen und will zu mir herein."
Indem klopfte es zum zweitenmal und rief:

> „Königstochter, jüngste,
> Mach mir auf,
> Weißt du nicht, was gestern
> Du zu mir gesagt
> Bei dem kühlen Brunnenwasser?
> Königstochter, jüngste,
> Mach mir auf."

Da sagte der König: „Was du versprochen hast, das mußt
du auch halten; geh nur und mach ihm auf." Sie ging
und öffnete die Tür, da hüpfte der Frosch herein, ihr
immer auf dem Fuße nach, bis zu ihrem Stuhl. Da saß
er und rief: „Heb mich herauf zu dir." Sie zauderte, bis
es endlich der König befahl. Als der Frosch erst auf dem
Stuhl war, wollte er auf den Tisch, und als er da saß,
sprach er: „Nun schieb mir dein goldenes Tellerlein
näher, damit wir zusammen essen." Das tat sie zwar,
aber man sah wohl, daß sie's nicht gerne tat. Der Frosch
ließ sich's gut schmecken, aber ihr blieb fast jedes Bißlein
im Halse. Endlich sprach er: „Ich habe mich satt gegessen
und bin müde, nun trag mich in dein Kämmerlein und
mach dein seiden Bettlein zurecht, da wollen wir uns

schlafen legen." Die Königstochter fing an zu weinen
und fürchtete sich vor dem kalten Frosch, den sie nicht
anzurühren getraute und der nun in ihrem schönen
reinen Bettlein schlafen sollte. Der König aber ward
zornig und sprach: „Wer dir geholfen hat, als du in der
Not warst, den sollst du hernach nicht verachten." Da
packte sie ihn mit zwei Fingern, trug ihn hinauf und
setzte ihn in eine Ecke. Als sie aber im Bette lag, kam
er gekrochen und sprach: „Ich bin müde, ich will schlafen
so gut wie du: heb mich herauf, oder ich sag's deinem
Vater." Da ward sie erst bitterböse, holte ihn herauf und
warf ihn aus allen Kräften wider die Wand: „Nun wirst
du Ruhe haben, du garstiger Frosch."

Als er aber herabfiel, war er kein Frosch, sondern ein
Königssohn mit schönen und freundlichen Augen. Der war
nun nach ihres Vaters Willen ihr lieber Geselle und Gemahl. Da erzählte er ihr, er wäre von einer bösen Hexe
verwünscht worden, und niemand hätte ihn aus dem
Brunnen erlösen können als sie allein, und morgen
wollten sie zusammen in sein Reich gehen. Dann schliefen
sie ein, und am andern Morgen, als die Sonne sie aufweckte, kam ein Wagen herangefahren, mit acht weißen
Pferden bespannt, die hatten weiße Straußfedern auf
dem Kopf und gingen in goldenen Ketten, und hinten
stand der Diener des jungen Königs, das war der treue
Heinrich. Der treue Heinrich hatte sich so betrübt, als
sein Herr war in einen Frosch verwandelt worden, daß
er drei eiserne Bande hatte um sein Herz legen lassen,
damit es ihm nicht vor Weh und Traurigkeit zerspränge.
Der Wagen aber sollte den jungen König in sein Reich
abholen; der treue Heinrich hob beide hinein, stellte sich
wieder hinten auf und war voller Freude über die Er-
lösung. Und als sie ein Stück Wegs gefahren waren,
hörte der Königssohn, daß es hinter ihm krachte, als
wäre etwas zerbrochen. Da drehte er sich um und rief:

„Heinrich, der Wagen bricht." —
„Nein, Herr, der Wagen nicht,
Es ist ein Band von meinem Herzen,
Das da lag in großen Schmerzen,
Als Ihr in dem Brunnen saßt,
Als Ihr eine Fretsche (Frosch) wast (wart)."

Noch einmal und noch einmal krachte es auf dem Weg, und der Königssohn meinte immer, der Wagen bräche, und es waren doch nur die Bande, die vom Herzen des treuen Heinrich absprangen, weil sein Herr erlöst und glücklich war.

Marienkind

Vor einem großen Walde lebte ein Holzhacker mit seiner Frau, der hatte nur ein einziges Kind, das war ein Mädchen von drei Jahren. Sie waren aber so arm, daß sie nicht mehr das tägliche Brot hatten und nicht wußten, was sie ihm sollten zu essen geben. Eines Morgens ging der Holzhacker voller Sorgen hinaus in den Wald an seine Arbeit, und wie er da Holz hackte, stand auf einmal eine schöne große Frau vor ihm, die hatte eine Krone von leuchtenden Sternen auf dem Haupt und sprach zu ihm: „Ich bin die Jungfrau Maria, die Mutter des Christkindleins: du bist arm und dürftig, bring mir dein Kind, ich will es mit mir nehmen, seine Mutter sein und für es sorgen." Der Holzhacker gehorchte, holte sein Kind und übergab es der Jungfrau Maria, die nahm es mit sich hinauf in den Himmel. Da ging es ihm wohl, es aß Zuckerbrot und trank süße Milch, und seine Kleider waren von Gold, und die Englein spielten mit ihm. Als es nun vierzehn Jahre alt geworden war, rief es einmal

die Jungfrau Maria zu sich und sprach: „Liebes Kind,
ich habe eine große Reise vor, da nimm die Schlüssel zu
den dreizehn Türen des Himmelreichs in Verwahrung:
zwölf davon darfst du aufschließen und die Herrlich-
keiten darin betrachten, aber die dreizehnte, wozu dieser
kleine Schlüssel gehört, die ist dir verboten; hüte dich,
daß du sie nicht aufschließest, sonst wirst du unglücklich." Das Mädchen versprach gehorsam zu sein, und als
nun die Jungfrau Maria weg war, fing sie an und besah
die Wohnungen des Himmelreichs: jeden Tag schloß es
eine auf, bis die zwölfe herum waren. In jeder aber saß
ein Apostel und war von großem Glanz umgeben, und
es freute sich über all die Pracht und Herrlichkeit, und
die Englein, die es immer begleiteten, freuten sich mit
ihm. Nun war die verbotene Tür allein noch übrig, da
empfand es eine große Lust, zu wissen, was dahinter
verborgen wäre, und sprach zu den Englein: „Ganz aufmachen will ich sie nicht und will auch nicht hineingehen,
aber ich will sie aufschließen, damit wir ein wenig durch
den Ritz sehen." — „Ach nein", sagten die Englein, „das
wäre Sünde: die Jungfrau Maria hat's verboten, und es
könnte leicht dein Unglück werden." Da schwieg es still,
aber die Begierde in seinem Herzen schwieg nicht still,
sondern nagte und pickte ordentlich daran und ließ ihm
keine Ruhe. Und als die Englein einmal alle hinaus-
gegangen waren, dachte es: „Nun bin ich ganz allein und
könnte hineingucken, es weiß es ja niemand, wenn ich's
tue." Es suchte den Schlüssel heraus, und als es ihn in der
Hand hielt, steckte es ihn auch in das Schloß, und als es
ihn hineingesteckt hatte, drehte es ihn auch um. Da
sprang die Tür auf, und es sah die Dreieinigkeit im Feuer
und Glanz sitzen. Es blieb ein Weilchen stehen und betrachtete alles mit Erstaunen, dann rührte es ein wenig
mit dem Finger an den Glanz, da ward der Finger ganz
golden. Alsbald empfand es eine gewaltige Angst, schlug

die Türe heftig zu und lief fort. Die Angst wollte auch nicht wieder weichen, es mochte anfangen, was es wollte, und das Herz klopfte in einem fort und wollte nicht ruhig werden; auch das Gold blieb an dem Finger und ging nicht ab, es mochte waschen und reiben, soviel es wollte.

Gar nicht lange, so kam die Jungfrau Maria von ihrer Reise zurück. Sie rief das Mädchen zu sich und forderte ihm die Himmelsschlüssel wieder ab. Als es den Bund hinreichte, blickte ihm die Jungfrau in die Augen und sprach: „Hast du auch nicht die dreizehnte Tür geöffnet?" — „Nein", antwortete es. Da legte sie ihre Hand auf sein Herz, fühlte, wie es klopfte und klopfte, und merkte wohl, daß es ihr Gebot übertreten und die Tür aufgeschlossen hatte. Da sprach sie noch einmal: „Hast du es gewiß nicht getan?" — „Nein", sagte das Mädchen zum zweitenmal. Da erblickte sie den Finger, der von der Berührung des himmlischen Feuers golden geworden war, sah wohl, daß es gesündigt hatte, und sprach zum drittenmal: „Hast du es nicht getan?" — „Nein", sagte das Mädchen zum drittenmal. Da sprach die Jungfrau Maria: „Du hast mir nicht gehorcht und hast noch dazu gelogen, du bist nicht mehr würdig, im Himmel zu sein."

Da versank das Mädchen in einen tiefen Schlaf, und als es erwachte, lag es unten auf der Erde, mitten in einer Wildnis. Es wollte rufen, aber es konnte keinen Laut hervorbringen. Es sprang auf und wollte fortlaufen, aber wo es sich hinwendete, immer ward es von dichten Dornhecken zurückgehalten, die es nicht durchbrechen konnte. In der Einöde, in welche es eingeschlossen war, stand ein alter hohler Baum, das mußte seine Wohnung sein. Da kroch es hinein, wenn die Nacht kam, und schlief darin, und wenn es stürmte und regnete, fand es darin Schutz; aber es war ein jämmerliches Leben, und wenn es daran dachte, wie es im Himmel so schön

gewesen war, und die Engel mit ihm gespielt hatten, so
weinte es bitterlich. Wurzeln und Waldbeeren waren
seine einzige Nahrung, die suchte es sich, so weit es kommen konnte. Im Herbst sammelte es die herabgefallenen
Nüsse und Blätter und trug sie in die Höhle, die Nüsse
waren im Winter seine Speise, und wenn Schnee und Eis
kam, so kroch es wie ein armes Tierchen in die Blätter,
daß es nicht fror. Nicht lange, so zerrissen seine Kleider
und fiel ein Stück nach dem andern vom Leibe herab.
Sobald dann die Sonne wieder warm schien, ging es heraus und setzte sich vor den Baum, und seine langen Haare
bedeckten es von allen Seiten wie ein Mantel. So saß es
ein Jahr nach dem andern und fühlte den Jammer und
das Elend der Welt.

Einmal, als die Bäume wieder in frischem Grün standen, jagte der König des Landes in dem Wald und ver-
folgte ein Reh, und weil es in das Gebüsch geflohen war,
das den Waldplatz einschloß, stieg er vom Pferd, riß
das Gestrüpp auseinander und hieb sich mit seinem
Schwert einen Weg. Als er endlich hindurchgedrungen
war, sah er unter dem Baum ein wunderschönes Mädchen
sitzen, das saß da und war von seinem goldenen Haar
bis zu den Fußzehen bedeckt. Er stand still und betrachtete es voll Erstaunen, dann redete er es an und
sprach: „Wer bist du? Warum sitzest du hier in der Einöde?“ Es gab aber keine Antwort, denn es konnte seinen
Mund nicht auftun. Der König sprach weiter: „Willst
du mit mir auf mein Schloß gehen?“ Da nickte es nur
ein wenig mit dem Kopf. Der König nahm es auf seinen
Arm, trug es auf sein Pferd und ritt mit ihm heim, und
als er auf das königliche Schloß kam, ließ er ihm schöne
Kleider anziehen und gab ihm alles im Überfluß. Und ob
es gleich nicht sprechen konnte, so war es doch schön und
holdselig, daß er es von Herzen liebgewann, und es
dauerte nicht lange, da vermählte er sich mit ihm.

Als etwa ein Jahr verflossen war, brachte die Königin einen Sohn zur Welt. Darauf in der Nacht, wo sie allein in ihrem Bett lag, erschien ihr die Jungfrau Maria und sprach: „Willst du die Wahrheit sagen und gestehen, daß du die verbotene Tür aufgeschlossen hast, so will ich deinen Mund öffnen und dir die Sprache wiedergeben: verharrst du aber in der Sünde und leugnest hartnäckig, so nehm' ich dein neugeborenes Kind mit mir." Da war der Königin verliehen zu antworten, sie blieb aber verstockt und sprach: „Nein, ich habe die verbotene Tür nicht aufgemacht", und die Jungfrau Maria nahm das neugeborene Kind ihr aus den Armen und verschwand damit. Am andern Morgen, als das Kind nicht zu finden war, ging ein Gemurmel unter den Leuten, die Königin wäre eine Menschenfresserin und hätte ihr eigenes Kind umgebracht. Sie hörte alles und konnte nichts dagegen sagen, der König aber wollte es nicht glauben, weil er sie so lieb hatte.

Nach einem Jahr gebar die Königin wieder einen Sohn. In der Nacht trat auch wieder die Jungfrau Maria zu ihr herein und sprach: „Willst du gestehen, daß du die verbotene Tür geöffnet hast, so will ich dir dein Kind wiedergeben und deine Zunge lösen; verharrst du aber in der Sünde und leugnest, so nehme ich auch dieses Neugeborene mit mir." Da sprach die Königin wiederum: „Nein, ich habe die verbotene Tür nicht geöffnet", und die Jungfrau nahm ihr das Kind aus den Armen weg und mit sich in den Himmel. Am Morgen, als das Kind abermals verschwunden war, sagten die Leute ganz laut, die Königin hätte es verschlungen, und des Königs Räte verlangten, daß sie sollte gerichtet werden. Der König aber hatte sie so lieb, daß er es nicht glauben wollte und befahl den Räten bei Leibes- und Lebensstrafe, nichts mehr darüber zu sprechen.

Im nächsten Jahre gebar die Königin ein schönes

Töchterlein, da erschien ihr zum drittenmal nachts die Jungfrau Maria und sprach: „Folge mir." Sie nahm sie bei der Hand und führte sie in den Himmel, und zeigte ihr da ihre beiden ältesten Kinder, die lachten sie an und spielten mit der Weltkugel. Als sich die Königin darüber freute, sprach die Jungfrau Maria: „Ist dein Herz noch nicht erweicht? Wenn du eingestehst, daß du die verbotene Tür geöffnet hast, so will ich dir deine beiden Söhnlein zurückgeben." Aber die Königin antwortete zum drittenmal: „Nein, ich habe die verbotene Tür nicht geöffnet." Da ließ sie die Jungfrau wieder zur Erde herabsinken und nahm ihr auch das dritte Kind.

Am andern Morgen, als es ruchbar ward, riefen alle Leute laut: „Die Königin ist eine Menschenfresserin, sie muß verurteilt werden", und der König konnte seine Räte nicht mehr zurückweisen. Es ward ein Gericht über sie gehalten, und weil sie nicht antworten und sich nicht verteidigen konnte, ward sie verurteilt, auf dem Scheiterhaufen zu sterben. Das Holz wurde zusammengetragen, und als sie an einen Pfahl festgebunden war und das Feuer ringsumher zu brennen anfing, da schmolz das harte Eis des Stolzes und ihr Herz ward von Reue bewegt und sie dachte: „Könnt' ich nur noch vor meinem Tode gestehen, daß ich die Tür geöffnet habe", da kam ihr die Stimme, daß sie laut ausrief: „Ja, Maria, ich habe es getan!" Und alsbald fing der Himmel an zu regnen und löschte die Feuerflammen, und über ihr brach ein Licht hervor, und die Jungfrau Maria kam herab und hatte die beiden Söhnlein zu ihren Seiten und das neugeborene Töchterlein auf dem Arm. Sie sprach freundlich zu ihr: „Wer seine Sünde bereut und eingesteht, dem ist sie vergeben", und reichte ihr die drei Kinder, löste ihr die Zunge und gab ihr Glück für das ganze Leben.

Märchen von einem, der auszog, das Fürchten zu lernen

Ein Vater hatte zwei Söhne, davon war der älteste klug und gescheit und wußte sich in alles wohl zu schicken, der jüngste aber war dumm, konnte nichts begreifen und lernen, und wenn ihn die Leute sahen, sprachen sie: „Mit dem wird der Vater noch seine Last haben!" Wenn nun etwas zu tun war, so mußte es der älteste allzeit ausrichten; hieß ihn aber der Vater noch spät oder gar in der Nacht etwas holen, und der Weg ging dabei über den Kirchhof oder sonst einen schaurigen Ort, so antwortete er wohl: „Ach nein, Vater, ich gehe nicht dahin, es gruselt mir", denn er fürchtete sich. Oder wenn abends beim Feuer Geschichten erzählt wurden, wobei einem die Haut schaudert, so sprachen die Zuhörer manchmal: „Ach, es gruselt mir!" Der jüngste saß in einer Ecke, hörte das mit an, und konnte nicht begreifen, was es heißen sollte. „Immer sagen sie, ,es gruselt mir! es gruselt mir!' Mir gruselt's nicht; das wird wohl eine Kunst sein, von der ich auch nichts verstehe."

Nun geschah es, daß der Vater einmal zu ihm sprach: „Hör du, in der Ecke dort, du wirst groß und stark, du mußt auch etwas lernen, womit du dein Brot verdienst. Siehst du, wie dein Bruder sich Mühe gibt, aber an dir ist Hopfen und Malz verloren." — „Ei, Vater", antwortete er, „ich will gerne was lernen; ja, wenn's anginge, so möchte ich lernen, daß mir's gruselte; davon verstehe ich noch gar nichts." Der älteste lachte, als er das hörte und dachte bei sich: „Du lieber Gott, was ist mein Bruder ein Dummbart, aus dem wird sein Lebtag nichts: was ein Häkchen werden will, muß sich beizeiten krümmen." Der Vater seufzte und antwortete ihm: „Das Gruseln, das sollst du schon lernen, aber dein Brot wirst du damit nicht verdienen."

Bald danach kam der Küster zum Besuch ins Haus, da klagte ihm der Vater seine Not und erzählte, wie sein jüngster Sohn in allen Dingen so schlecht beschlagen wäre, er wüßte nichts und lernte nichts. „Denkt Euch, als ich ihn fragte, womit er sein Brot verdienen wollte, hat er gar verlangt, das Gruseln zu lernen." — „Wenn's weiter nichts ist", antwortete der Küster, „das kann er bei mir lernen; tut ihn nur zu mir, ich will ihn schon abhobeln." Der Vater war es zufrieden, weil er dachte: „Der Junge wird doch ein wenig zugestutzt." Der Küster nahm ihn also ins Haus, und er mußte die Glocke läuten. Nach ein paar Tagen weckte er ihn um Mitternacht, hieß ihn aufstehen, in den Kirchturm steigen und läuten. „Du sollst schon lernen, was Gruseln ist", dachte er, ging heimlich voraus, und als der Junge oben war und sich umdrehte und das Glockenseil fassen wollte, so sah er auf der Treppe, dem Schalloch gegenüber, eine weiße Gestalt stehen. „Wer da?" rief er, aber die Gestalt gab keine Antwort, regte und bewegte sich nicht. „Gib Antwort", rief der Junge, „oder mache, daß du fortkommst, du hast hier in der Nacht nichts zu schaffen." Der Küster aber blieb unbeweglich stehen, damit der Junge glauben sollte, es wäre ein Gespenst. Der Junge rief zum zweitenmal: „Was willst du hier? Sprich, wenn du ein ehrlicher Kerl bist, oder ich werfe dich die Treppe hinab." Der Küster dachte: „Das wird so schlimm nicht gemeint sein", gab keinen Laut von sich und stand, als wenn er von Stein wäre. Da rief ihn der Junge zum drittenmal an, und als das auch vergeblich war, nahm er einen Anlauf und stieß das Gespenst die Treppe hinab, daß es zehn Stufen hinabfiel und in einer Ecke liegenblieb. Darauf läutete er die Glocke, ging heim, legte sich, ohne ein Wort zu sagen, ins Bett und schlief fort. Die Küstersfrau wartete lange Zeit auf ihren Mann, aber er wollte nicht wiederkommen. Da ward ihr endlich angst, sie weckte

den Jungen und fragte: „Weißt du nicht, wo mein Mann
geblieben ist? Er ist vor dir auf den Turm gestiegen." —
„Nein", antwortete der Junge, „aber da hat einer dem
Schalloch gegenüber auf der Treppe gestanden, und weil
er keine Antwort geben und auch nicht weggehen wollte,
so habe ich ihn für einen Spitzbuben gehalten und hin-
untergestoßen. Geht nur hin, so werdet Ihr sehen, ob er's
gewesen ist, es sollte mir leid tun." Die Frau sprang fort
und fand ihren Mann, der in einer Ecke lag und jammerte und ein Bein gebrochen hatte.

Sie trug ihn herab und eilte dann mit lautem Geschrei
zu dem Vater des Jungen. „Euer Junge", rief sie, „hat
ein großes Unglück angerichtet, meinen Mann hat er die
Treppe hinabgeworfen, daß er ein Bein gebrochen hat;
schafft den Taugenichts aus unserm Haus." Der Vater
erschrak, kam herbeigelaufen und schalt den Jungen aus.
„Was sind das für gottlose Streiche, die muß dir der Böse
eingegeben haben." — „Vater", antwortete er, „hört nur
an, ich bin ganz unschuldig: er stand da in der Nacht, wie
einer, der Böses im Sinne hat. Ich wußte nicht, wer's
war, und habe ihn dreimal ermahnt zu reden oder weg-
zugehen." — „Ach", sprach der Vater, „mit dir erleb' ich
nur Unglück, geh mir aus den Augen, ich will dich nicht
mehr ansehen." — „Ja, Vater, recht gerne, wartet nur,
bis Tag ist, da will ich ausgehen und das Gruseln lernen,
so versteh' ich doch eine Kunst, die mich ernähren kann."
— „Lerne, was du willst", sprach der Vater, „mir ist
alles einerlei. Da hast du fünfzig Taler, damit geh in die
weite Welt und sage keinem Menschen, wo du her bist
und wer dein Vater ist, denn ich muß mich deiner schämen." — „Ja, Vater, wie Ihr's haben wollt, wenn Ihr
nicht mehr verlangt, das kann ich leicht in acht behalten."

Als nun der Tag anbrach, steckte der Junge seine
fünfzig Taler in die Tasche, ging hinaus auf die große
Landstraße und sprach immer vor sich hin: „Wenn mir's

nur gruselte, wenn mir's nur gruselte!" Da kam ein Mann
heran, der hörte das Gespräch, das der Junge mit sich
selber führte, und als sie ein Stück weiter waren, daß
man den Galgen sehen konnte, sagte der Mann zu ihm:
„Siehst du, dort ist der Baum, wo siebene mit des Seilers
Tochter Hochzeit gehalten haben und jetzt das Fliegen
lernen: setz dich darunter und warte, bis die Nacht
kommt, so wirst du schon das Gruseln lernen." — „Wenn
weiter nichts dazu gehört", antwortete der Junge, „das
ist leicht getan; lerne ich aber so geschwind das Gruseln,
so sollst du meine fünfzig Taler haben: komm nur morgen früh wieder zu mir." Da ging der Junge zu dem
Galgen, setzte sich darunter und wartete, bis der Abend
kam. Und weil ihn fror, machte er sich ein Feuer an;
aber um Mitternacht ging der Wind so kalt, daß er trotz
des Feuers nicht warm werden wollte. Und als der Wind
die Gehenkten gegeneinander stieß, daß sie sich hin und
her bewegten, so dachte er: „Du frierst unten bei dem
Feuer, was mögen die da oben erst frieren und zappeln."
Und weil er mitleidig war, legte er die Leiter an, stieg
hinauf, knüpfte einen nach dem andern los und holte
sie alle siebene herab. Darauf schürte er das Feuer, blies
es an und setzte sie ringsherum, daß sie sich wärmen
sollten. Aber sie saßen da und regten sich nicht, und das
Feuer ergriff ihre Kleider. Da sprach er: „Nehmt euch
in acht, sonst häng ich euch wieder hinauf." Die Toten
aber hörten nicht, schwiegen und ließen ihre Lumpen
fortbrennen. Da ward er bös und sprach: „Wenn ihr
nicht achtgeben wollt, so kann ich euch nicht helfen, ich
will nicht mit euch verbrennen", und hing sie nach der
Reihe wieder hinauf. Nun setzte er sich zu seinem
Feuer und schlief ein, und am andern Morgen, da kam
der Mann zu ihm, wollte die fünfzig Taler haben und
sprach: „Nun, weißt du, was Gruseln ist?" — „Nein",
antwortete er, „woher sollte ich's wissen? Die da droben

haben das Maul nicht aufgetan und waren so dumm, daß
sie die paar alten Lappen, die sie am Leibe haben, brennen ließen." Da sah der Mann, daß er die fünfzig Taler
heute nicht davontragen würde, ging fort und sprach:
„So einer ist mir noch nicht vorgekommen."

Der Junge ging auch seines Weges und fing wieder an
vor sich hinzureden: „Ach, wenn mir's nur gruselte! ach,
wenn mir's nur gruselte!" Das hörte ein Fuhrmann, der
hinter ihm herschritt, und fragte: „Wer bist du?" — „Ich
weiß nicht", antwortete der Junge. Der Fuhrmann fragte
weiter: „Wo bist du her?" — „Ich weiß nicht." — „Wer
ist dein Vater?" — „Das darf ich nicht sagen." — „Was
brummst du beständig in den Bart hinein?" — „Ei", antwortete der Junge, „ich wollte, daß mir's gruselte, aber
niemand kann mir's lehren." — „Laß dein dummes Ge-
schwätz", sprach der Fuhrmann, „komm, geh mit mir,
ich will sehen, daß ich dich unterbringe." Der Junge ging
mit dem Fuhrmann, und abends gelangten sie zu einem
Wirtshaus, wo sie übernachten wollten. Da sprach er
beim Eintritt in die Stube wieder ganz laut: „Wenn
mir's nur gruselte! wenn mir's nur gruselte!" Der Wirt,
der das hörte, lachte und sprach: „Wenn dich danach
lüstet, dazu sollte hier wohl Gelegenheit sein." — „Ach,
schweig still", sprach die Wirtsfrau, „so mancher Vor-
witzige hat schon sein Leben eingebüßt, es wäre Jammer
und Schade um die schönen Augen, wenn die das Tageslicht nicht wiedersehen sollten." Der Junge aber sagte:
„Wenn's noch so schwer wäre, ich will's einmal lernen,
deshalb bin ich ja ausgezogen." Er ließ dem Wirt auch
keine Ruhe, bis dieser erzählte, nicht weit davon stände
ein verwünschtes Schloß, wo einer wohl lernen könnte,
was Gruseln wäre, wenn er nur drei Nächte darin wachen
wollte. Der König hätte dem, der's wagen wollte, seine
Tochter zur Frau versprochen, und die wäre die schönste
Jungfrau, welche die Sonne beschien; in dem Schlosse

steckten auch große Schätze, von bösen Geistern bewacht, die würden dann frei und könnten einen Armen reich genug machen. Schon viele wären wohl hinein, aber noch keiner wieder herausgekommen. Da ging der Junge am andern Morgen vor den König und sprach: „Wenn's erlaubt wäre, so wollte ich wohl drei Nächte in dem verwünschten Schlosse wachen." Der König sah ihn an, und weil er ihm gefiel, sprach er: „Du darfst dir noch dreierlei ausbitten, aber es müssen leblose Dinge sein, und das darfst du mit ins Schloß nehmen." Da antwortete er: „So bitt ich um ein Feuer, eine Drehbank und eine Schnitzbank mit dem Messer."

Der König ließ ihm das alles bei Tage in das Schloß tragen. Als es Nacht werden wollte, ging der Junge hinauf, machte sich in einer Kammer ein helles Feuer an, stellte die Schnitzbank mit dem Messer daneben und setzte sich auf die Drehbank. „Ach, wenn mir's nur gruselte!" sprach er, „aber hier werde ich's auch nicht lernen." Gegen Mitternacht wollte er sich sein Feuer einmal aufschüren; wie er so hineinblies, da schrie's plötzlich aus einer Ecke: „Au, miau! was uns friert!" — „Ihr Narren", rief er, „was schreit ihr? wenn euch friert, kommt, setzt euch ans Feuer und wärmt euch." Und wie er das gesagt hatte, kamen zwei große schwarze Katzen in einem gewaltigen Sprunge herbei, setzten sich ihm zu beiden Seiten und sahen ihn mit ihren feurigen Augen ganz wild an. Über ein Weilchen, als sie sich gewärmt hatten, sprachen sie: „Kamerad, wollen wir eins in der Karte spielen?" — „Warum nicht?" antwortete er, „aber zeigt einmal eure Pfoten her." Da streckten sie die Krallen aus. „Ei", sagte er, „was habt ihr lange Nägel! wartet, die muß ich euch erst abschneiden." Damit packte er sie beim Kragen, hob sie auf die Schnitzbank und schraubte ihnen die Pfoten fest. „Euch habe ich auf die Finger gesehen", sprach er, „da vergeht mir die Lust zum Kartenspiel", schlug sie

tot und warf sie hinaus ins Wasser. Als er aber die zwei
zur Ruhe gebracht hatte und sich wieder zu seinem Feuer
setzen wollte, da kamen aus allen Ecken und Enden
schwarze Katzen und schwarze Hunde an glühenden
Ketten, immer mehr und mehr, daß er sich nicht mehr
bergen konnte; die schrien greulich, traten ihm auf sein
Feuer, zerrten es auseinander und wollten es ausmachen.
Das sah er ein Weilchen ruhig mit an, als es ihm aber zu arg
ward, faßte er sein Schnitzmesser und rief: „Fort mit dir,
du Gesindel", und haute auf sie los. Ein Teil sprang weg,
die andern schlug er tot und warf sie hinaus in den Teich.
Als er wiedergekommen war, blies er aus den Funken
sein Feuer frisch an und wärmte sich. Und als er so saß,
wollten ihm die Augen nicht länger offen bleiben und er
bekam Lust zu schlafen. Da blickte er um sich und sah in
der Ecke ein großes Bett. „Das ist mir eben recht", sprach
er und legte sich hinein. Als er aber die Augen zutun
wollte, so fing das Bett von selbst an zu fahren und fuhr
im ganzen Schloß herum. „Recht so", sprach er, „nur besser zu." Da rollte das Bett fort, als wären sechs Pferde
vorgespannt, über Schwellen und Treppen, auf und ab:
auf einmal hopp! hopp! warf es um, das Unterste zu
oberst, daß es wie ein Berg auf ihm lag. Aber er schleu-
derte Decken und Kissen in die Höhe, stieg heraus und
sagte: „Nun mag fahren, wer Lust hat", legte sich an
sein Feuer und schlief, bis es Tag war. Am Morgen kam
der König, und als er ihn da auf der Erde liegen sah,
meinte er, die Gespenster hätten ihn umgebracht und er
wäre tot. Da sprach er: „Es ist doch schade um den schönen Menschen." Das hörte der Junge, richtete sich auf
und sprach: „So weit ist's noch nicht!" Da verwunderte
sich der König, freute sich aber und fragte, wie es ihm gegangen wäre. „Recht gut", antwortete er, „eine Nacht
wäre herum, die zwei andern werden auch herumgehen."
Als er zum Wirt kam, da machte der große Augen. „Ich

dachte nicht", sprach er, „daß ich dich wieder lebendig
sehen würde; hast du nun gelernt, was Gruseln ist?" —
„Nein", sagte er, „es ist alles vergeblich: wenn mir's nur
einer sagen könnte!"

Die zweite Nacht ging er abermals hinauf ins alte
Schloß, setzte sich zum Feuer und fing sein altes Lied
wieder an: „Wenn's mir nur gruselte!" Wie Mitternacht
herankam, ließ sich ein Lärm und Gepolter hören, erst
sachte, dann immer stärker, dann war's ein bißchen still,
endlich kam mit lautem Geschrei ein halber Mensch den
Schornstein herab und fiel vor ihn hin. „Heda!" rief er,
„noch ein halber gehört dazu, das ist zu wenig." Da ging
der Lärm von frischem an, es tobte und heulte, und fiel
die andere Hälfte auch herab. „Wart", sprach er, „ich
will dir erst das Feuer ein wenig anblasen." Wie er das
getan hatte und sich wieder umsah, da waren die beiden
Stücke zusammengefahren, und saß da ein greulicher Mann
auf seinem Platz. „So haben wir nicht gewettet", sprach
der Junge, „die Bank ist mein." Der Mann wollte ihn
wegdrängen, aber der Junge ließ sich's nicht gefallen,
schob ihn mit Gewalt weg und setzte sich wieder auf seinen Platz. Da fielen noch mehr Männer herab, einer nach
dem andern, die holten neun Totenbeine und zwei Totenköpfe, setzten auf und spielten Kegel. Der Junge bekam
auch Lust und fragte: „Hört ihr, kann ich mit sein?" —
„Ja, wenn du Geld hast." — „Geld genug", antwortete
er, „aber eure Kugeln sind nicht recht rund." Da nahm
er die Totenköpfe, setzte sie in die Drehbank und drehte
sie rund. „So, jetzt werden sie besser schüppeln", sprach
er, „heida! nun geht's lustig!" Er spielte mit und verlor
etwas von seinem Geld, als es aber zwölf Uhr schlug, war
alles vor seinen Augen verschwunden. Er legte sich nieder
und schlief ruhig ein. Am andern Morgen kam der König
und wollte sich erkundigen. „Wie ist dir's diesmal ergangen?" fragte er. — „Ich habe gekegelt", antwortete er,

„und ein paar Heller verloren." „Hat dir denn nicht ge-
gruselt?" — „Ei was", sprach er, „lustig hab ich mich gemacht. Wenn ich nur wüßte, was Gruseln wäre!"

In der dritten Nacht setzte er sich wieder auf seine
Bank und sprach ganz verdrießlich: „Wenn es mir nur
gruselte." Als es spät ward, kamen sechs große Männer
und brachten eine Totenlade hereingetragen. Da sprach
er: „Ha ha, das ist gewiß mein Vetterchen, das erst vor
ein paar Tagen gestorben ist", winkte mit dem Finger und
rief: „Komm, Vetterchen, komm!" Sie stellten den
Sarg auf die Erde, er aber ging hinzu und nahm den
Deckel ab: da lag ein toter Mann darin. Er fühlte ihm
ans Gesicht, aber es war kalt wie Eis. „Wart", sprach er,
„ich will dich ein bißchen wärmen", ging ans Feuer,
wärmte seine Hand und legte sie ihm aufs Gesicht, aber
der Tote blieb kalt. Nun nahm er ihn heraus, setzte sich
ans Feuer und legte ihn auf seinen Schoß und rieb ihm die
Arme, damit das Blut wieder in Bewegung kommen
sollte. Als auch das nichts helfen wollte, fiel ihm ein:
„Wenn zwei zusammen im Bett liegen, so wärmen sie
sich", brachte ihn ins Bett, deckte ihn zu und legte sich
neben ihn. Über ein Weilchen ward auch der Tote warm
und fing an sich zu regen. Da sprach der Junge: „Siehst
du, Vetterchen, hätt' ich dich nicht gewärmt!" Der Tote
aber hub an und rief: „Jetzt will ich dich erwürgen." —
„Was", sagte er, „ist das mein Dank? gleich sollst du wieder in deinen Sarg", hub ihn auf, warf ihn hinein und
machte den Deckel zu; da kamen die sechs Männer und
trugen ihn wieder fort. „Es will mir nicht gruseln", sagte
er, „hier lerne ich's mein Lebtag nicht."

Da trat ein Mann herein, der war größer als alle anderen und sah fürchterlich aus; er war aber alt und hatte
einen langen weißen Bart. „O du Wicht", rief er, „nun sollst
du bald lernen, was Gruseln ist, denn du sollst sterben."
— „Nicht so schnell", antwortete der Junge, „soll ich

sterben, so muß ich auch dabei sein." — "Dich will ich
schon packen", sprach der Unhold. "Sachte, sachte, mach'
dich nicht so breit; so stark wie du bin ich auch, und wohl
noch stärker." — "Das wollen wir sehn", sprach der Alte,
"bist du stärker als ich, so will ich dich gehn lassen;
komm, wir wollen's versuchen." Da führte er ihn durch
dunkle Gänge zu einem Schmiedefeuer, nahm eine Axt
und schlug den einen Amboß mit einem Schlag in die
Erde. "Das kann ich noch besser", sprach der Junge, und
ging zu dem andern Amboß; der Alte stellte sich neben
ihn und wollte zusehen, und sein weißer Bart hing herab.
Da faßte der Junge die Axt, spaltete den Amboß auf
einen Hieb und klemmte den Bart des Alten mit hinein.
"Nun hab' ich dich", sprach der Junge, "jetzt ist das
Sterben an dir." Dann faßte er eine Eisenstange und
schlug auf den Alten los, bis er wimmerte und bat, er
möchte aufhören, er wollte ihm große Reichtümer geben.
Der Junge zog die Axt raus und ließ ihn los. Der Alte
führte ihn wieder ins Schloß zurück und zeigte ihm in
einem Keller drei Kasten voll Gold. "Davon", sprach er,
"ist ein Teil den Armen, der andere dem König, der
dritte dein." Indem schlug es zwölfe, und der Geist verschwand, also daß der Junge im Finstern stand. "Ich
werde mir doch heraushelfen können", sprach er, tappte
herum, fand den Weg in die Kammer und schlief dort bei
seinem Feuer ein. Am andern Morgen kam der König
und sagte: "Nun wirst du gelernt haben, was Gruseln
ist?" — "Nein", antwortete er, "was ist's nur? mein toter
Vetter war da und ein bärtiger Mann ist gekommen, der
hat mir da unten viel Geld gezeigt, aber was Gruseln ist,
hat mir keiner gesagt." Da sprach der König: "Du hast
das Schloß erlöst und sollst meine Tochter heiraten." —
"Das ist alles recht gut", antwortete er, "aber ich weiß
noch immer nicht, was Gruseln ist."

Da ward das Gold heraufgebracht und die Hochzeit

gefeiert, aber der junge König, so lieb er seine Gemahlin hatte und so vergnügt er war, sagte doch immer: „Wenn mir nur gruselte, wenn mir nur gruselte." Das verdroß sie endlich. Ihr Kammermädchen sprach: „Ich will Hilfe schaffen, das Gruseln soll er schon lernen." Sie ging hinaus zum Bach, der durch den Garten floß, und ließ sich einen ganzen Eimer voll Gründlinge holen. Nachts, als der junge König schlief, mußte seine Gemahlin ihm die Decke wegziehen und den Eimer voll kalt Wasser mit den Gründlingen über ihn herschütten, daß die kleinen Fische um ihn herumzappelten. Da wachte er auf und rief: „Ach, was gruselt mir, was gruselt mir, liebe Frau! Ja, nun weiß ich, was Gruseln ist."

Der Wolf und die sieben jungen Geißlein

Es war einmal eine alte Geiß, die hatte sieben junge Geißlein, und hatte sie lieb, wie eine Mutter ihre Kinder liebhat. Eines Tages wollte sie in den Wald gehen und Futter holen, da rief sie alle sieben herbei und sprach: „Liebe Kinder, ich will hinaus in den Wald, seid auf eurer Hut vor dem Wolf, wenn er hereinkommt, so frißt er euch alle mit Haut und Haar. Der Bösewicht verstellt sich oft, aber an seiner rauhen Stimme und an seinen schwarzen Füßen werdet ihr ihn gleich erkennen." Die Geißlein sagten: „Liebe Mutter, wir wollen uns schon in acht nehmen, Ihr könnt ohne Sorge fortgehen." Da meckerte die Alte und machte sich getrost auf den Weg.

Es dauerte nicht lange, so klopfte jemand an die Haustür und rief: „Macht auf, ihr lieben Kinder, eure Mutter ist da und hat jedem von euch etwas mitgebracht." Aber die Geißerchen hörten an der rauhen Stimme, daß es der Wolf war. „Wir machen nicht auf", riefen sie, „du bist unsere Mutter nicht, die hat eine feine und liebliche Stimme, aber deine Stimme ist rauh; du bist der Wolf." Da ging der Wolf fort zu einem Krämer und kaufte sich ein großes Stück Kreide: die aß er und machte damit seine Stimme fein. Dann kam er zurück, klopfte an die Haustür und rief: „Macht auf, ihr lieben Kinder, eure Mutter ist da und hat jedem von euch etwas mitgebracht." Aber der Wolf hatte seine schwarze Pfote in das Fenster gelegt, das sahen die Kinder und riefen: „Wir machen nicht auf, unsere Mutter hat keinen schwarzen Fuß wie du: du bist der Wolf." Da lief der Wolf zu einem Bäcker und sprach: „Ich habe mich an den Fuß gestoßen, streich mir Teig darüber." Und als ihm der Bäcker die Pfote bestrichen hatte, so lief er zum Müller und sprach: „Streu mir weißes Mehl auf meine Pfote." Der Müller dachte: „Der Wolf will einen betrügen", und weigerte sich, aber der Wolf sprach: „Wenn du es nicht tust, so fresse ich dich." Da fürchtete sich der Müller und machte ihm die Pfote weiß. Ja, so sind die Menschen.

Nun ging der Bösewicht zum drittenmal zu der Haustür, klopfte an und sprach: „Macht mir auf, Kinder, euer liebes Mütterchen ist heimgekommen und hat jedem von euch etwas aus dem Walde mitgebracht." Die Geißerchen riefen: „Zeig uns erst deine Pfote, damit wir wissen, daß du unser liebes Mütterchen bist. Da legte er die Pfote ins Fenster, und als sie sahen, daß sie weiß war, so glaubten sie, es wäre alles wahr, was er sagte, und machten die Türe auf. Wer aber hereinkam, das war der Wolf. Sie erschraken und wollten sich verstecken. Das eine sprang unter den Tisch, das zweite ins Bett, das dritte in den Ofen, das vierte in die Küche, das fünfte in den Schrank, das sechste unter die Waschschüssel, das siebente in den Kasten der Wanduhr. Aber der Wolf fand sie alle und machte nicht langes Federlesen: eins nach dem andern schluckte er in seinen Rachen; nur das Jüngste in dem

Uhrkasten, das fand er nicht. Als der Wolf seine Lust ge-
büßt hatte, trollte er sich fort, legte sich draußen auf der
grünen Wiese unter einen Baum und fing an zu schlafen.

Nicht lange danach kam die alte Geiß aus dem Walde
wieder heim. Ach, was mußte sie da erblicken! Die Haustüre stand sperrweit auf: Tisch, Stühle und Bänke waren
umgeworfen, die Waschschüssel lag in Scherben, Decke
und Kissen waren aus dem Bett gezogen. Sie suchte ihre
Kinder, aber nirgends waren sie zu finden. Sie rief sie
nacheinander bei Namen, aber niemand antwortete. Endlich als sie an das Jüngste kam, da rief eine feine Stimme:
„Liebe Mutter, ich stecke im Uhrkasten." Sie holte es
heraus, und es erzählte ihr, daß der Wolf gekommen
wäre und die andern alle gefressen hätte. Da könnt ihr
denken, wie sie über ihre armen Kinder geweint hat.

Endlich ging sie in ihrem Jammer hinaus und das
jüngste Geißlein lief mit. Als sie auf die Wiese kam, so
lag da der Wolf an dem Baum und schnarchte, daß die
Äste zitterten. Sie betrachtete ihn von allen Seiten und
sah, daß in seinem angefüllten Bauch sich etwas regte
und zappelte. „Ach Gott", dachte sie, „sollten meine armen Kinder, die er zum Abendbrot hinuntergewürgt hat,
noch am Leben sein?" Da mußte das Geißlein nach Haus
laufen und Schere, Nadel und Zwirn holen. Dann schnitt
sie dem Ungetüm den Wanst auf, und kaum hatte sie
einen Schnitt getan, so streckte schon ein Geißlein den
Kopf heraus, und als sie weiter schnitt, so sprangen nacheinander alle sechse heraus, und waren noch alle am
Leben und hatten nicht einmal Schaden gelitten, denn
das Ungetüm hatte sie in der Gier ganz hinunterge-
schluckt. Das war eine Freude! Da herzten sie ihre liebe
Mutter und hüpften wie ein Schneider, der Hochzeit
hält. Die Alte aber sagte: „Jetzt geht und sucht Wackersteine, damit wollen wir dem gottlosen Tiere den Bauch
füllen, solange es noch im Schlafe liegt." Da schleppten

die sieben Geißerchen in aller Eile die Steine herbei und steckten sie ihm in den Bauch, so viel sie hineinbringen konnten. Dann nähte ihn die Alte in aller Geschwindigkeit wieder zu, daß er nichts merkte und sich nicht einmal regte.

Als der Wolf endlich ausgeschlafen hatte, machte er sich auf die Beine, und weil ihm die Steine im Magen so großen Durst erregten, so wollte er zu einem Brunnen gehen und trinken. Als er aber anfing zu gehen und sich hin und her zu bewegen, so stießen die Steine in seinem Bauch aneinander und rappelten. Da rief er:

> „Was rumpelt und pumpelt
> In meinem Bauch herum?
> Ich meinte, es wären sechs Geißlein,
> So sind's lauter Wackerstein."

Und als er an den Brunnen kam und sich über das Wasser bückte und trinken wollte, da zogen ihn die schweren Steine hinein, und er mußte jämmerlich ersaufen. Als die sieben Geißlein das sahen, da kamen sie herbeigelaufen, riefen laut: „Der Wolf ist tot! der Wolf ist tot!" und tanzten mit ihrer Mutter vor Freude um den Brunnen herum.

Der treue Johannes

Es war einmal ein alter König, der war krank und dachte: „Es wird wohl das Totenbett sein, auf dem ich liege." Da sprach er: „Laßt mir den getreuen Johannes kommen." Der getreue Johannes war sein liebster Diener, und hieß so, weil er ihm sein lebelang so treu gewesen war. Als er nun vor das Bett kam, sprach der König zu ihm: „Getreuester Johannes, ich fühle, daß mein Ende herannaht, und da habe ich keine andere Sorge als um meinen Sohn: er ist noch in jungen Jahren, wo er sich nicht immer zu raten weiß, und wenn du mir nicht versprichst, ihn zu unterrichten in allem, was er wissen muß, und sein Pflegevater zu sein, so kann ich meine Augen nicht in Ruhe schließen." Da antwortete der getreue Johannes: „Ich will ihn nicht verlassen, und will ihm mit Treue dienen, wenn's auch mein Leben kostet." Da sagte der alte König: „So sterb' ich getrost und in Frieden." Und sprach dann weiter: „Nach meinem Tode sollst du ihm das ganze Schloß zeigen, alle Kammern, Säle und Gewölbe, und alle Schätze, die darin liegen; aber die letzte Kammer in dem langen Gange sollst du ihm nicht zeigen, worin das Bild der Königstochter vom goldenen Dache verborgen steht. Wenn er das Bild erblickt, wird er eine heftige Liebe zu ihr empfinden und wird in Ohnmacht niederfallen und wird ihretwegen in große Gefahren geraten; davor sollst du ihn hüten." Und als der treue Johannes nochmals dem alten König die Hand darauf gegeben hatte, ward dieser still, legte sein Haupt auf das Kissen und starb.

Als der alte König zu Grabe getragen war, da erzählte der treue Johannes dem jungen König, was er seinem Vater auf dem Sterbelager versprochen hatte, und sagte: „Das will ich gewißlich halten, und will dir treu sein, wie ich ihm gewesen bin, und sollte es mein Leben kosten."

Die Trauer ging vorüber, da sprach der treue Johannes
zu ihm: „Es ist nun Zeit, daß du dein Erbe siehst: ich
will dir dein väterliches Schloß zeigen." Da führte er ihn
überall herum, auf und ab, und ließ ihn alle die Reichtümer und prächtigen Kammern sehen; nur die eine
Kammer öffnete er nicht, worin das gefährliche Bild
stand. Das Bild war aber so gestellt, daß, wenn die Tür
aufging, man gerade darauf sah, und war so herrlich gemacht, daß man meinte, es leibte und lebte, und es gäbe
nichts Lieblicheres und Schöneres auf der ganzen Welt.
Der junge König aber merkte wohl, daß der getreue Johannes immer an einer Tür vorüberging, und sprach:
„Warum schließest du mir diese niemals auf?" — „Es ist
etwas darin", antwortete er, „vor dem du erschrickst."
Aber der König antwortete: „Ich habe das ganze Schloß
gesehen, so will ich auch wissen, was darin ist", ging und
wollte die Tür mit Gewalt öffnen. Da hielt ihn der getreue Johannes zurück und sagte: „Ich hab es deinem Vater vor seinem Tode versprochen, daß du nicht sehen sollst,
was in der Kammer steht: es könnte dir und mir zu großem Unglück ausschlagen." — „Ach nein", antwortete der
junge König, „wenn ich nicht hineinkomme, so ist's mein
sicheres Verderben; ich würde Tag und Nacht keine Ruhe
haben, bis ich's mit meinen Augen gesehen hätte. Nun gehe
ich nicht von der Stelle, bis du aufgeschlossen hast."

Da sah der getreue Johannes, daß es nicht mehr zu än-
dern war, und suchte mit schwerem Herzen und vielem
Seufzen aus dem großen Bund den Schlüssel heraus. Als
er die Tür geöffnet hatte, trat er zuerst hinein und dachte,
er wolle das Bildnis bedecken, daß es der König vor ihm
nicht sähe; aber was half das? der König stellte sich auf
die Fußspitzen und sah ihm über die Schulter. Und als er
das Bildnis der Jungfrau erblickte, das so herrlich war
und von Gold und Edelsteinen glänzte, da fiel er ohnmächtig zur Erde nieder. Der getreue Johannes hob ihn

auf, trug ihn in sein Bett und dachte voll Sorgen: „Das Unglück ist geschehen, Herr Gott, was will daraus werden!" dann stärkte er ihn mit Wein, bis er wieder zu sich selbst kam. Das erste Wort, das er sprach, war: „Ach! wer ist das schöne Bild?" — „Das ist die Königstochter vom goldenen Dache", antwortete der treue Johannes. Da sprach der König weiter: „Meine Liebe zu ihr ist so groß, wenn alle Blätter an den Bäumen Zungen wären, sie könnten's nicht aussagen; mein Leben setze ich daran, daß ich sie erlange. Du bist mein getreuster Johannes, du mußt mir beistehen."

Der treue Diener besann sich lange, wie die Sache anzufangen wäre, denn es hielt schwer, nur vor das Angesicht der Königstochter zu kommen. Endlich hatte er ein Mittel ausgedacht und sprach zu dem König: „Alles, was sie um sich hat, ist von Gold, Tische, Stühle, Schüsseln, Becher, Näpfe und alles Hausgerät; in deinem Schatze liegen fünf Tonnen Goldes, laß eine von den Goldschmieden des Reichs verarbeiten zu allerhand Gefäßen und Gerätschaften, zu allerhand Vögeln, Gewild und wunderbaren Tieren, das wird ihr gefallen, wir wollen damit hinfahren und unser Glück versuchen." Der König hieß alle Goldschmiede herbeiholen, die mußten Tag und Nacht arbeiten, bis endlich die herrlichsten Dinge fertig waren. Als alles auf ein Schiff geladen war, zog der getreue Johannes Kaufmannskleider an, und der König mußte ein Gleiches tun, um sich ganz unkenntlich zu machen. Dann fuhren sie über das Meer, und fuhren so lange, bis sie zu der Stadt kamen, worin die Königstochter vom goldenen Dache wohnte.

Der treue Johannes hieß den König auf dem Schiffe zurückbleiben und auf ihn warten. „Vielleicht", sprach er, „bring' ich die Königstochter mit, darum sorgt, daß alles in Ordnung ist, laßt die Goldgefäße aufstellen und das ganze Schiff ausschmücken." Darauf suchte er sich in

sein Schürzchen allerlei von den Goldsachen zusammen,
stieg ans Land und ging gerade nach dem königlichen
Schloß. Als er in den Schloßhof kam, stand da beim
Brunnen ein schönes Mädchen, das hatte zwei goldene
Eimer in der Hand und schöpfte damit. Und als es das
blinkende Wasser forttragen wollte und sich umdrehte,
sah es den fremden Mann und fragte, wer er wäre? Da
antwortete er: „Ich bin ein Kaufmann", und öffnete sein
Schürzchen und ließ sie hineinschauen. Da rief sie: „Ei,
was für schönes Goldzeug!" setzte die Eimer nieder und
betrachtete eins nach dem andern. Da sprach das Mädchen: „Das muß die Königstochter sehen, die hat so große
Freude an den Goldsachen, daß sie Euch alles abkauft."
Es nahm ihn bei der Hand und führte ihn hinauf, denn
es war die Kammerjungfer. Als die Königstochter die
Ware sah, war sie ganz vergnügt und sprach: „Es ist so
schön gearbeitet, daß ich dir alles abkaufen will." Aber
der getreue Johannes sprach: „Ich bin nur der Diener
von einem reichen Kaufmann; was ich hier habe, ist nichts
gegen das, was mein Herr auf seinem Schiffe stehen hat,
und das ist das Künstlichste und Köstlichste, was je in
Gold ist gearbeitet worden." Sie wollte alles herauf gebracht haben, aber er sprach: „Dazu gehören viele Tage,
so groß ist die Menge, und so viele Säle, um es aufzustel-
len, daß Euer Haus nicht Raum dafür hat." Da ward ihre
Neugierde und Lust immer mehr angeregt, so daß sie
endlich sagte: „Führe mich hin zu dem Schiff, ich will
selbst hingehen und deines Herrn Schätze betrachten."

Da führte sie der getreue Johannes zu dem Schiffe hin
und war ganz freudig, und der König, als er sie erblickte,
sah, daß ihre Schönheit noch größer war, als das Bild sie
dargestellt hatte, und meinte nicht anders, als das Herz
wollte ihm zerspringen. Nun stieg sie in das Schiff, und
der König führte sie hinein; der getreue Johannes aber
blieb zurück bei dem Steuermann und hieß das Schiff ab-

stoßen: „Spannt alle Segel auf, daß es fliegt wie ein Vogel in der Luft." Der König aber zeigte ihr drinnen das
goldene Geschirr, jedes einzeln, die Schüsseln, Becher,
Näpfe, die Vögel, das Gewild und die wunderbaren
Tiere. Viele Stunden gingen herum, während sie alles
besah, und in ihrer Freude merkte sie nicht, daß das Schiff
dahinfuhr. Nachdem sie das Letzte betrachtet hatte,
dankte sie dem Kaufmann und wollte heim, als sie aber
an des Schiffes Rand kam, sah sie, daß es fern vom Land
auf hohem Meere ging und mit vollen Segeln forteilte.
„Ach", rief sie erschrocken, „ich bin betrogen, ich bin entführt und in die Gewalt eines Kaufmannes geraten; lieber wollt' ich sterben!" Der König aber faßte sie bei der
Hand und sprach: „Ein Kaufmann bin ich nicht, ich bin
ein König und nicht geringer an Geburt, als du bist: aber
daß ich dich mit List entführt habe, das ist aus übergro-
ßer Liebe geschehen. Das erstemal, als ich dein Bildnis gesehen habe, bin ich ohnmächtig zur Erde gefallen." Als
die Königstochter vom goldenen Dache das hörte, ward
sie getröstet, und ihr Herz ward ihm geneigt, so daß sie
gerne einwilligte, seine Gemahlin zu werden.

Es trug sich aber zu, während sie auf dem hohen Meere
dahinfuhren, daß der getreue Johannes, als er vorn auf
dem Schiffe saß und Musik machte, in der Luft drei Raben erblickte, die dahergeflogen kamen. Da hörte er auf
zu spielen und horchte, was sie miteinander sprachen,
denn er verstand das wohl. Die eine rief: „Ei, da führt er
die Königstochter vom goldenen Dache heim." — „Ja",
antwortete die zweite, „er hat sie noch nicht." Sprach die
dritte: „Er hat sie doch, sie sitzt bei ihm im Schiffe." Da
fing die erste wieder an und rief: „Was hilft ihm das!
wenn sie ans Land kommen, wird ihm ein fuchsrotes
Pferd entgegenspringen: da wird er sich aufschwingen
wollen, und tut er das, so sprengt es mit ihm fort und in
die Luft hinein, daß er nimmermehr seine Jungfrau wie-

dersieht." Sprach die zweite: „Ist gar keine Rettung?" —
„O ja, wenn ein anderer schnell aufsitzt, das Feuer-
gewehr, das in den Halftern stecken muß, herausnimmt
und das Pferd damit totschießt, so ist der junge König
gerettet. Aber wer weiß das! und wer's weiß und sagt's
ihm, der wird zu Stein von den Fußzehen bis zum Knie."
Da sprach die zweite: „Ich weiß noch mehr, wenn das
Pferd auch getötet wird, so behält der junge König doch
nicht seine Braut; wenn sie zusammen ins Schloß kommen, so liegt dort ein gemachtes Brauthemd in einer
Schüssel und sieht aus, als wär's von Gold und Silber ge-
webt, ist aber nichts als Schwefel und Pech: wenn er's
antut, verbrennt es ihn bis auf Mark und Knochen."
Sprach die dritte: „Ist da gar keine Rettung?" — „O ja",
antwortete die zweite, „wenn einer mit Handschuhen
das Hemd packt und wirft es ins Feuer, daß es verbrennt,
so ist der junge König gerettet. Aber was hilft's! wer's
weiß und es ihm sagt, der wird halbes Leibes Stein vom
Knie bis zum Herzen." Da sprach die dritte: „Ich weiß
noch mehr, wird das Brauthemd auch verbrannt, so hat
der junge König seine Braut doch noch nicht: wenn nach
der Hochzeit der Tanz anhebt, und die junge Königin
tanzt, wird sie plötzlich erbleichen und wie tot hinfallen,
und hebt sie nicht einer auf und zieht aus ihrer rechten
Brust drei Tropfen Blut und speit sie wieder aus, so
stirbt sie. Aber verrät das einer, der es weiß, so wird er
ganzen Leibes zu Stein, vom Wirbel bis zur Fußzehe."
Als die Raben das miteinander gesprochen hatten, flogen
sie weiter, und der getreue Johannes hatte alles wohl verstanden, aber von der Zeit an war er still und traurig;
denn verschwieg er seinem Herrn, was er gehört hatte, so
war dieser unglücklich, entdeckte er es ihm, so mußte er
selbst sein Leben hingeben. Endlich aber sprach er bei
sich: „Meinen Herrn will ich retten, und sollt' ich selbst
darüber zugrunde gehen."

Als sie nun ans Land kamen, da geschah es, wie die
Raben vorhergesagt hatten, und es sprengte ein prächtiger fuchsroter Gaul daher. „Wohlan", sprach der König,
„der soll mich in mein Schloß tragen", und wollte sich
aufsetzen, doch der treue Johannes kam ihm zuvor,
schwang sich schnell darauf, zog das Gewehr aus den
Halftern und schoß den Gaul nieder. Da riefen die andern Diener des Königs, die dem treuen Johannes doch
nicht gut waren: „Wie schändlich, das schöne Tier zu töten, das den König in sein Schloß tragen sollte!" Aber der
König sprach: „Schweigt und laßt ihn gehen, es ist mein
getreuester Johannes, wer weiß, wozu das gut ist!" Nun
gingen sie ins Schloß und da stand im Saal eine Schüssel,
und das gemachte Brauthemd lag darin und sah aus nicht
anders, als wäre es von Gold und Silber. Der junge König ging darauf zu und wollte es ergreifen, aber der treue
Johannes schob ihn weg, packte es mit Handschuhen an,
trug es schnell ins Feuer und ließ es verbrennen. Die andern Diener fingen wieder an zu murren und sagten:
„Seht, nun verbrennt er gar des Königs Brauthemd."
Aber der junge König sprach: „Wer weiß, wozu es gut
ist, laßt ihn gehen, es ist mein getreuester Johannes."
Nun ward die Hochzeit gefeiert: der Tanz hub an, und
die Braut trat auch hinein, da hatte der treue Johannes
acht und schaute ihr ins Antlitz; auf einmal erbleichte sie
und fiel wie tot zur Erde. Da sprang er eilends hinzu,
hob sie auf und trug sie in eine Kammer, da legte er sie
nieder, kniete und sog die drei Blutstropfen aus ihrer
rechten Brust und speite sie aus. Alsbald atmete sie wieder und erholte sich, aber der junge König hatte es mit
angesehen und wußte nicht, warum es der getreue Johannes getan hatte, ward zornig darüber und rief: „Werft
ihn ins Gefängnis." Am andern Morgen ward der getreue
Johannes verurteilt und zum Galgen geführt, und als er
oben stand und gerichtet werden sollte, sprach er: „Jeder,

der sterben soll, darf vor seinem Ende noch einmal reden, soll ich das Recht auch haben?" — „Ja", antwortete
der König, „es soll dir vergönnt sein." Da sprach der
treue Johannes: „Ich bin mit Unrecht verurteilt und bin
dir immer treu gewesen", und erzählte, wie er auf dem
Meere das Gespräch der Raben gehört, und wie er, um
seinen Herrn zu retten, das alles hätte tun müssen. Da
rief der König: „Oh, mein treuester Johannes, Gnade!
Gnade! führt ihn herunter." Aber der treue Johannes
war bei dem letzten Wort, das er geredet hatte, leblos
herabgefallen und war ein Stein.

Darüber trug nun der König und die Königin großes
Leid, und der König sprach: „Ach, was hab' ich große
Treue so übel belohnt!" und ließ das steinerne Bild auf-
heben und in seine Schlafkammer neben sein Bett stellen.
Sooft er es ansah, weinte er und sprach: „Ach, könnt' ich
dich wieder lebendig machen, mein getreuester Johannes."
Es ging eine Zeit herum, da gebar die Königin Zwillinge,
zwei Söhnlein, die wuchsen heran und waren ihre Freude.
Einmal, als die Königin in der Kirche war und die zwei
Kinder bei dem Vater saßen und spielten, sah dieser wieder das steinerne Bildnis voll Trauer an, seufzte und rief:
„Ach, könnt' ich dich wieder lebendig machen, mein getreuester Johannes." Da fing der Stein an zu reden und
sprach: „Ja, du kannst mich wieder lebendig machen,
wenn du dein Liebstes daran wenden willst." Da rief der
König: „Alles, was ich auf der Welt habe, will ich für
dich hingeben." Sprach der Stein weiter: „Wenn du mit
deiner eigenen Hand deinen beiden Kindern den Kopf
abhaust und mich mit ihrem Blute bestreichst, so erhalte
ich das Leben wieder." Der König erschrak, als er hörte,
daß er seine liebsten Kinder selbst töten sollte, doch
dachte er an die große Treue, und daß der getreue Johannes für ihn gestorben war, zog sein Schwert und hieb mit
eigener Hand den Kindern den Kopf ab. Und als er mit

ihrem Blute den Stein bestrichen hatte, so kehrte das Leben zurück, und der getreue Johannes stand wieder frisch und gesund vor ihm. Er sprach zum König: „Deine Treue soll nicht unbelohnt bleiben", und nahm die Häupter der Kinder, setzte sie auf und bestrich die Wunde mit ihrem Blut, davon wurden sie im Augenblick wieder heil, sprangen herum und spielten fort, als wär' ihnen nichts geschehen. Nun war der König voll Freude, und als er die Königin kommen sah, versteckte er den getreuen Johannes und die beiden Kinder in einen großen Schrank. Wie sie hereintrat, sprach er zu ihr: „Hast du gebetet in der Kirche?" -- „Ja", antwortete sie, „aber ich habe beständig an den treuen Johannes gedacht, daß er so unglücklich durch uns geworden ist." Da sprach er: „Liebe Frau, wir können ihm das Leben wiedergeben, aber es kostet uns unsere beiden Söhnlein, die müssen wir opfern." Die Königin ward bleich und erschrak im Herzen, doch sprach sie: „Wir sind's ihm schuldig wegen seiner großen Treue." Da freute er sich, daß sie dachte wie er gedacht hatte, ging hin und schloß den Schrank auf, holte die Kinder und den treuen Johannes heraus und sprach: „Gott sei gelobt, er ist erlöst, und unsere Söhnlein haben wir auch wieder", und erzählte ihr, wie sich alles zugetragen hatte. Da lebten sie zusammen in Glückseligkeit bis an ihr Ende.

Die zwölf Brüder

Es war einmal ein König und eine Königin, die lebten in Frieden miteinander und hatten zwölf Kinder, das waren aber lauter Buben. Nun sprach der König zu seiner Frau: „Wenn das dreizehnte Kind, was du zur Welt bringst, ein Mädchen ist, so sollen die zwölf Buben sterben, damit sein Reichtum groß wird und das König-

reich ihm allein zufällt." Er ließ auch zwölf Särge
machen, die waren schon mit Hobelspänen gefüllt, und
in jedem lag das Totenkißchen, und ließ sie in eine ver-
schlossene Stube bringen, dann gab er der Königin den
Schlüssel und gebot ihr, niemand etwas davon zu sagen.

Die Mutter aber saß nun den ganzen Tag und trauerte,
so daß der kleinste Sohn, der immer bei ihr war und den
sie nach der Bibel Benjamin nannte, zu ihr sprach: „Liebe
Mutter, warum bist du so traurig?" — „Liebstes Kind",
antwortete sie, „ich darf dir's nicht sagen." Er ließ ihr
aber keine Ruhe, bis sie ging und die Stube aufschloß
und ihm die zwölf mit Hobelspänen schon gefüllten
Totenladen zeigte. Darauf sprach sie: „Mein liebster Benjamin, diese Särge hat dein Vater für dich und deine elf
Brüder machen lassen, denn wenn ich ein Mädchen zur
Welt bringe, so sollt ihr allesamt getötet und darin begraben werden." Und als sie weinte, während sie das
sprach, so tröstete sie der Sohn und sagte: „Weine nicht,
liebe Mutter, wir wollen uns schon helfen und wollen
fortgehen." Sie aber sprach: „Geh mit deinen elf Brüdern
hinaus in den Wald, und einer setze sich immer auf den
höchsten Baum, der zu finden ist, und halte Wacht und
schaue nach dem Turm hier im Schloß. Gebär ich ein
Söhnlein, so will ich eine weiße Fahne aufstecken, und
dann dürft ihr wiederkommen; gebär ich ein Töchterlein,
so will ich eine rote Fahne aufstecken, und dann flieht
fort, so schnell ihr könnt, und der liebe Gott behüte euch.
Alle Nacht will ich aufstehen und für euch beten, im
Winter, daß ihr an einem Feuer euch wärmen könnt,
im Sommer, daß ihr nicht in der Hitze schmachtet."

Nachdem sie also ihre Söhne gesegnet hatte, gingen sie
hinaus in den Wald. Einer hielt um den andern Wacht,
saß auf der höchsten Eiche und schauete nach dem Turm.
Als elf Tage herum waren und die Reihe an Benjamin
kam, da sah er, wie eine Fahne aufgesteckt wurde: es

war aber nicht die weiße, sondern die rote Blutfahne,
die verkündigte, daß sie alle sterben sollten. Wie die
Brüder das hörten, wurden sie zornig und sprachen:
„Sollten wir um eines Mädchens willen den Tod leiden?
Wir schwören, daß wir uns rächen wollen: wo wir ein
Mädchen finden, soll sein rotes Blut fließen."

Darauf gingen sie tiefer in den Wald hinein, und mitten drein, wo er am dunkelsten war, fanden sie ein
kleines verwünschtes Häuschen, das leer stand. Da sprachen sie: „Hier wollen wir wohnen, und du, Benjamin,
du bist der Jüngste und Schwächste, du sollst daheim
bleiben und haushalten, wir andern wollen ausgehen und
Essen holen." Nun zogen sie in den Wald und schossen
Hasen, wilde Rehe, Vögel und Täuberchen und was zu
essen stand: das brachten sie dem Benjamin, der mußte
es ihnen zurechtmachen, damit sie ihren Hunger stillen
konnten. In dem Häuschen lebten sie zehn Jahre zusammen, und die Zeit ward ihnen nicht lang.

Das Töchterchen, das ihre Mutter, die Königin, geboren hatte, war nun herangewachsen, war gut von
Herzen und schön von Angesicht und hatte einen goldenen Stern auf der Stirne. Einmal, als große Wäsche
war, sah es darunter zwölf Mannshemden und fragte
seine Mutter: „Wem gehören diese zwölf Hemden, für
den Vater sind sie doch viel zu klein?" Da antwortete
sie mit schwerem Herzen: „Liebes Kind, die gehören
deinen zwölf Brüdern." Sprach das Mädchen: „Wo sind
meine zwölf Brüder? Ich habe noch niemals von ihnen
gehört." Sie antwortete: „Das weiß Gott, wo sie sind:
sie irren in der Welt herum." Da nahm sie das Mädchen
und schloß ihm das Zimmer auf und zeigte ihm die zwölf
Särge mit den Hobelspänen und den Totenkißchen.
„Diese Särge", sprach sie, „waren für deine Brüder bestimmt, aber sie sind heimlich fortgegangen, eh' du geboren warst", und erzählte ihm, wie sich alles zugetragen

hatte. Da sagte das Mädchen: „Liebe Mutter, weine
nicht, ich will gehen und meine Brüder suchen."

Nun nahm es die zwölf Hemden und ging fort und
geradezu in den großen Wald hinein. Es ging den ganzen
Tag, und am Abend kam es zu dem verwünschten Häuschen. Da trat es hinein und fand einen jungen Knaben,
der fragte: „Wo kommst du her und wo willst du hin?"
und erstaunte, daß sie so schön war, königliche Kleider
trug und einen Stern auf der Stirn hatte. Da antwortete
sie: „Ich bin eine Königstochter und suche meine zwölf
Brüder und will gehen, so weit der Himmel blau ist, bis
ich sie finde." Sie zeigte ihm auch die zwölf Hemden, die
ihnen gehörten. Da sah Benjamin, daß es seine Schwester
war, und sprach: „Ich bin Benjamin, dein jüngster Bruder." Und sie fing an zu weinen vor Freude, und Benjamin auch, und sie küßten und herzten einander vor
großer Liebe. Hernach sprach er: „Liebe Schwester, es
ist noch ein Vorbehalt da, wir hatten verabredet, daß
ein jedes Mädchen, das uns begegnete, sterben sollte, weil
wir um ein Mädchen unser Königreich verlassen mußten."
Da sagte sie: „Ich will gerne sterben, wenn ich damit
meine zwölf Brüder erlösen kann." — „Nein", antwortete
er, „du sollst nicht sterben, setze dich unter diese Bütte,
bis die elf Brüder kommen, dann will ich schon einig mit
ihnen werden." Also tat sie; und wie es Nacht ward,
kamen die andern von der Jagd, und die Mahlzeit war
bereit. Und als sie am Tische saßen und aßen, fragten
sie: „Was gibt's Neues?" Sprach Benjamin: „Wißt ihr
nichts?" — „Nein", antworteten sie. Sprach er weiter:
„Ihr seid im Walde gewesen, und ich bin daheim geblieben, und weiß doch mehr als ihr." — „So erzähle uns",
riefen sie. Antwortete er: „Versprecht ihr mir auch, daß
das erste Mädchen, das uns begegnet, nicht soll getötet
werden?" — „Ja", riefen sie alle, „das soll Gnade haben,
erzähl uns nur." Da sprach er: „Unsere Schwester ist

da", und hub die Bütte auf, und die Königstochter kam
hervor in ihren königlichen Kleidern mit dem goldenen
Stern auf der Stirne und war so schön, zart und fein. Da
freuten sie sich alle, fielen ihr um den Hals und küßten
sie und hatten sie von Herzen lieb.

Nun blieb sie bei Benjamin zu Haus und half ihm in
der Arbeit. Die elfe zogen in den Wald, fingen Gewild,
Rehe, Vögel und Täuberchen, damit sie zu essen hatten,
und die Schwester und Benjamin sorgten, daß es zu-
bereitet wurde. Sie suchte das Holz zum Kochen und die
Kräuter zum Gemüs und stellte die Töpfe ans Feuer,
also daß die Mahlzeit immer fertig war, wenn die elfe
kamen. Sie hielt auch sonst Ordnung im Häuschen und
deckte die Bettlein hübsch weiß und rein, und die Brüder
waren immer zufrieden und lebten in großer Einigkeit
mit ihr.

Auf eine Zeit hatten die beiden daheim eine schöne
Kost zurechtgemacht, und wie sie nun alle beisammen
waren, setzten sie sich, aßen und tranken und waren
voller Freude. Es war aber ein kleines Gärtchen an dem
verwünschten Häuschen, darin standen zwölf Lilien-
blumen, die man auch Studenten heißt; nun wollte sie
ihren Brüdern ein Vergnügen machen, brach die zwölf
Blumen ab und dachte jedem aufs Essen eine zu schenken.
Wie sie aber die Blumen abgebrochen hatte, in demselben
Augenblick waren die zwölf Brüder in zwölf Raben verwandelt und flogen über den Wald hin fort, und das
Haus mit dem Garten war auch verschwunden. Da war
nun das arme Mädchen allein in dem wilden Wald, und
wie es sich umsah, so stand eine alte Frau neben ihm, die
sprach: „Mein Kind, was hast du angefangen? Warum
hast du die zwölf weißen Blumen nicht stehen lassen?
Das waren deine Brüder, die sind nun auf immer in
Raben verwandelt." Das Mädchen sprach weinend: „Ist
denn kein Mittel, sie zu erlösen?" — „Nein", sagte die

Alte, „es ist keins auf der ganzen Welt als eins, das ist
aber so schwer, daß du sie damit nicht befreien wirst,
denn du mußt sieben Jahre stumm sein, darfst nicht
sprechen und nicht lachen, und sprichst du ein einziges
Wort und es fehlt nur eine Stunde an den sieben Jahren,
so ist alles umsonst, und deine Brüder werden von dem
einen Wort getötet."

Da sprach das Mädchen in seinem Herzen: „Ich weiß
gewiß, daß ich meine Brüder erlöse", und ging und suchte
einen hohen Baum, setzte sich darauf und spann, und
sprach nicht und lachte nicht. Nun trug's sich zu, daß ein
König in dem Wald jagte, der hatte einen großen Wind-
hund, der lief zu dem Baum, wo das Mädchen drauf
saß, sprang herum, schrie und bellte hinauf. Da kam der
König herbei und sah die schöne Königstochter mit dem
goldenen Stern auf der Stirne und war so entzückt über
ihre Schönheit, daß er ihr zurief, ob sie seine Gemahlin
werden wollte. Sie gab keine Antwort, nickte aber ein
wenig mit dem Kopf. Da stieg er selbst auf den Baum,
trug sie herab, setzte sie auf sein Pferd und führte sie
heim. Da ward die Hochzeit mit großer Pracht und
Freude gefeiert; aber die Braut sprach nicht und lachte
nicht. Als sie ein paar Jahre miteinander vergnügt gelebt
hatten, fing die Mutter des Königs, die eine böse Frau
war, an, die junge Königin zu verleumden, und sprach
zum König: „Es ist ein gemeines Bettelmädchen, das du
dir mitgebracht hast, wer weiß, was für gottlose Streiche
sie heimlich treibt. Wenn sie stumm ist und nicht sprechen
kann, so könnte sie doch einmal lachen, aber wer nicht
lacht, der hat ein böses Gewissen." Der König wollte
zuerst nicht daran glauben, aber die Alte trieb es so lange
und beschuldigte sie so viel böser Dinge, daß der König
sich endlich überreden ließ und sie zum Tod verurteilte.

Nun ward im Hof ein großes Feuer angezündet, darin
sollte sie verbrannt werden: und der König stand oben

am Fenster und sah mit weinenden Augen zu, weil er sie
noch immer so lieb hatte. Und als sie schon an den Pfahl
festgebunden war, und das Feuer an ihren Kleidern mit
roten Zungen leckte, da war eben der letzte Augenblick
von den sieben Jahren verflossen. Da ließ sich in der Luft
ein Geschwirr hören, und zwölf Raben kamen hergezogen
und senkten sich nieder; und wie sie die Erde berührten,
waren es ihre zwölf Brüder, die sie erlöst hatte. Sie rissen
das Feuer auseinander, löschten die Flammen, machten
ihre liebe Schwester frei und küßten und herzten sie. Nun
aber, da sie ihren Mund auftun und reden durfte, erzählte sie dem Könige, warum sie stumm gewesen wäre
und niemals gelacht hätte. Der König freute sich, als er
hörte, daß sie unschuldig war, und sie lebten nun alle
zusammen in Einigkeit bis an ihren Tod. Die böse Stiefmutter ward vor Gericht gestellt und in ein Faß gesteckt,
das mit siedendem Öl und giftigen Schlangen angefüllt
war, und starb eines bösen Todes.

Das Lumpengesindel

Hähnchen sprach zum Hühnchen: „Jetzt ist die Zeit, wo
die Nüsse reif werden, da wollen wir zusammen auf den
Berg gehen und uns einmal recht satt essen, ehe sie das
Eichhorn alle wegholt." — „Ja", antwortete das Hühnchen, „komm, wir wollen uns eine Lust miteinander
machen." Da gingen sie zusammen fort auf den Berg, und
weil es ein heller Tag war, blieben sie bis zum Abend.
Nun weiß ich nicht, ob sie sich so dick gegessen hatten
oder ob sie übermütig geworden waren, kurz, sie wollten
nicht zu Fuß nach Haus gehen, und das Hähnchen mußte
einen kleinen Wagen von Nußschalen bauen. Als er fertig
war, setzte sich Hühnchen hinein und sagte zum Hähn-

chen: „Du kannst dich nur immer vorspannen." — „Du
kommst mir recht", sagte das Hähnchen, „lieber geh' ich
zu Fuß nach Haus, als daß ich mich vorspannen lasse;
nein, so haben wir nicht gewettet. Kutscher will ich wohl
sein und auf dem Bock sitzen, aber selbst ziehn, das tu'
ich nicht."

Wie sie so stritten, schnatterte eine Ente daher: „Ihr
Diebsvolk, wer hat euch geheißen in meinen Nußberg
gehen? Wartet, das soll euch schlecht bekommen!" ging
also mit aufgesperrtem Schnabel auf das Hähnchen los.
Aber Hähnchen war auch nicht faul und stieg der Ente
tüchtig zu Leib, endlich hackte es mit seinen Sporen so
gewaltig auf sie los, daß sie um Gnade bat und sich gern
zur Strafe vor den Wagen spannen ließ. Hähnchen setzte
sich nun auf den Bock und war Kutscher, und darauf
ging es fort in einem Jagen: „Ente, lauf zu, was du
kannst!" Als sie ein Stück Weges gefahren waren, begeg-
neten sie zwei Fußgängern, einer Stecknadel und einer
Nähnadel. Sie riefen: „Halt! halt!" und sagten, es würde
gleich stichdunkel werden, da könnten sie keinen Schritt
weiter, auch wäre es so schmutzig auf der Straße, ob sie
nicht ein wenig einsitzen könnten; sie wären auf der
Schneiderherberge vor dem Tor gewesen und hätten sich
beim Bier verspätet. Hähnchen, da es magere Leute
waren, die nicht viel Platz einnahmen, ließ sie beide
einsteigen, doch mußten sie versprechen, ihm und seinem
Hühnchen nicht auf die Füße zu treten. Spät abends kamen sie zu einem Wirtshaus, und weil sie die Nacht
nicht weiterfahren wollten, die Ente auch nicht gut zu
Fuß war und von einer Seite auf die andere fiel, so
kehrten sie ein. Der Wirt machte anfangs viel Einwen-
dungen, sein Haus wäre schon voll, gedachte auch wohl,
es möchte keine vornehme Herrschaft sein, endlich aber,
da sie süße Reden führten, er sollte das Ei haben, welches
das Hühnchen unterwegs gelegt hatte, auch die Ente

behalten, die alle Tage eins legte, so sagte er endlich, sie
möchten die Nacht über bleiben. Nun ließen sie wieder
frisch auftragen und lebten in Saus und Braus. Frühmorgens, als es dämmerte und noch alles schlief, weckte
Hähnchen das Hühnchen, holte das Ei, pickte es auf, und
sie verzehrten es zusammen; die Schalen aber warfen sie
auf den Feuerherd. Dann gingen sie zu der Nähnadel,
die noch schlief, packten sie beim Kopf und steckten sie
in das Sesselkissen des Wirts, die Stecknadel aber in sein
Handtuch, endlich flogen sie, mir nichts dir nichts, über
die Heide davon. Die Ente, die gern unter freiem Himmel schlief und im Hof geblieben war, hörte sie fort-
schnurren, machte sich munter und fand einen Bach, auf
dem sie hinabschwamm; und das ging geschwinder, als
vor dem Wagen. Ein paar Stunden später machte sich
erst der Wirt aus den Federn, wusch sich und wollte sich
am Handtuch abtrocknen, da fuhr ihm die Stecknadel
über das Gesicht und machte ihm einen roten Strich von
einem Ohr zum andern; dann ging er in die Küche und
wollte sich eine Pfeife anstecken, wie er aber an den
Herd kam, sprangen ihm die Eierschalen in die Augen.
„Heute morgen will mir alles an meinen Kopf", sagte
er, und ließ sich verdrießlich auf seinen Großvaterstuhl
nieder; aber geschwind fuhr er wieder in die Höhe und
schrie: „Auweh!", denn die Nähnadel hatte ihn noch
schlimmer und nicht in den Kopf gestochen. Nun war er
vollends böse und hatte Verdacht auf die Gäste, die so
spät gestern abend gekommen waren; und wie er ging
und sich nach ihnen umsah, waren sie fort. Da tat er
einen Schwur, kein Lumpengesindel mehr in sein Haus
zu nehmen, das viel verzehrt, nichts bezahlt, und zum
Dank noch obendrein Schabernack treibt.

Brüderchen und Schwesterchen

Brüderchen nahm sein Schwesterchen an der Hand und sprach: „Seit die Mutter tot ist, haben wir keine gute Stunde mehr; die Stiefmutter schlägt uns alle Tage, und wenn wir zu ihr kommen, stößt sie uns mit den Füßen fort. Die harten Brotkrusten, die übrigbleiben, sind unsere Speise, und dem Hündlein unter dem Tisch geht's besser: dem wirft sie doch manchmal einen guten Bissen zu. Daß Gott erbarm, wenn das unsere Mutter wüßte! Komm, wir wollen miteinander in die weite Welt gehen." Sie gingen den ganzen Tag über Wiesen, Felder und Steine, und wenn es regnete, sprach das Schwesterchen: „Gott und unsere Herzen, die weinen zusammen!" Abends kamen sie in einen großen Wald und waren so müde von Jammer, Hunger und dem langen Weg, daß sie sich in einen hohlen Baum setzten und einschliefen.

Am andern Morgen, als sie aufwachten, stand die Sonne schon hoch am Himmel und schien heiß in den Baum hinein. Da sprach das Brüderchen: „Schwesterchen, mich dürstet, wenn ich ein Brünnlein wüßte, ich ging und tränk einmal; ich mein', ich hört eins rauschen." Brüderchen stand auf, nahm Schwesterchen an der Hand, und sie wollten das Brünnlein suchen. Die böse Stiefmutter aber war eine Hexe und hatte wohl gesehen, wie die beiden Kinder fortgegangen waren, war ihnen nachgeschlichen, heimlich, wie die Hexen schleichen, und hatte alle Brunnen im Walde verwünscht. Als sie nun ein Brünnlein fanden, das so glitzrig über die Steine sprang, wollte das Brüderchen daraus trinken, aber das Schwesterchen hörte, wie es im Rauschen sprach: „Wer aus mir trinkt, wird ein Tiger, wer aus mir trinkt, wird ein Tiger." Da rief das Schwesterchen: „Ich bitte dich, Brüderchen, trink nicht, sonst wirst du ein wildes Tier und zerreißest mich." Das Brüderchen trank nicht, ob es gleich so großen Durst hatte, und sprach: „Ich will warten bis zur nächsten Quelle." Als sie zum zweiten Brünnlein kamen, hörte das Schwesterchen, wie auch dieses sprach: „Wer aus mir trinkt, wird ein Wolf, wer aus mir trinkt, wird ein Wolf." Da rief das Schwesterchen: „Brüderchen, ich bitte dich, trink nicht, sonst wirst du ein Wolf und frissest mich." Das Brüderchen trank nicht und sprach: „Ich will warten, bis wir zur nächsten Quelle kommen, aber dann muß ich trinken, du magst sagen, was du willst; mein Durst ist gar zu groß." Und als sie zum dritten Brünnlein kamen, hörte das Schwesterlein, wie es im Rauschen sprach: „Wer aus mir trinkt, wird ein Reh, wer aus mir trinkt, wird ein Reh." Das Schwesterchen sprach: „Ach, Brüderchen, ich bitte dich, trink nicht, sonst wirst du ein Reh und läufst mir fort." Aber das Brüderchen hatte sich gleich beim Brünnlein niedergekniet, hinabgebeugt und von dem Wasser getrunken, und wie die ersten Tropfen auf seine Lippen gekommen waren, lag es da als ein Rehkälbchen.

Nun weinte das Schwesterchen über das arme verwünschte Brüderchen, und das Rehchen weinte auch und saß so traurig neben ihm. Da sprach das Mädchen endlich: „Sei still, liebes Rehchen, ich will dich ja nimmermehr verlassen." Dann band es sein goldenes Strumpfband ab und tat es dem Rehchen um den Hals, und rupfte Binsen und flocht ein weiches Seil daraus. Daran band es das Tierchen und führte es weiter und ging immer tiefer in den Wald hinein. Und als sie lange, lange gegangen waren, kamen sie endlich an ein kleines Haus, und das Mädchen schaute hinein, und weil es leer war, dachte es: „Hier können wir bleiben und wohnen." Da suchte es dem Rehchen Laub und Moos zu einem weichen Lager, und jeden Morgen ging es aus und sammelte sich Wurzeln, Beeren und Nüsse, und für das Rehchen brachte es zartes Gras mit, das fraß es ihm aus der Hand, war

vergnügt und spielte vor ihm herum. Abends, wenn
Schwesterchen müde war und sein Gebet gesagt hatte,
legte es seinen Kopf auf den Rücken des Rehkälbchens,
das war sein Kissen, darauf es sanft einschlief. Und
hätte das Brüderchen nur seine menschliche Gestalt gehabt, es wäre ein herrliches Leben gewesen.

Das dauerte eine Zeitlang, daß sie so allein in der
Wildnis waren. Es trug sich aber zu, daß der König des
Landes eine große Jagd in dem Wald hielt. Da schallte
das Hörnerblasen, Hundegebell und das lustige Geschrei
der Jäger durch die Bäume, und das Rehlein hörte es
und wäre gar zu gerne dabeigewesen. „Ach", sprach es
zum Schwesterchen, „laß mich hinaus in die Jagd, ich
kann's nicht länger mehr aushalten", und bat so lange,
bis es einwilligte. „Aber", sprach es zu ihm, „komm mir
ja abends wieder, vor den wilden Jägern schließ ich mein
Türlein; und damit ich dich kenne, so klopf und sprich:
‚Mein Schwesterlein, laß mich herein', und wenn du nicht
so sprichst, so schließ ich mein Türlein nicht auf." Da
sprang das Rehchen hinaus und war ihm so wohl und
war so lustig in freier Luft. Der König und seine Jäger
sahen das schöne Tier und setzten ihm nach, aber sie
konnten es nicht einholen, und wenn sie meinten, sie
hätten es gewiß, da sprang es über das Gebüsch weg und
war verschwunden. Als es dunkel ward, lief es zu dem
Häuschen, klopfte und sprach: „Mein Schwesterlein, laß
mich herein." Da ward ihm die kleine Tür aufgetan, es
sprang hinein und ruhte sich die ganze Nacht auf seinem
weichen Lager auf. Am andern Morgen ging die Jagd
von neuem an, und als das Rehlein wieder das Hifthorn
hörte und das „Ho, ho!" der Jäger, da hatte es keine
Ruhe und sprach: „Schwesterlein, mach mir auf, ich muß
hinaus." Das Schwesterlein öffnete ihm die Türe und
sprach: „Aber zu Abend mußt du wieder da sein und dein
Sprüchlein sagen." Als der König und seine Jäger das

Rehlein mit dem goldenen Halsband wiedersahen, jagten sie ihm alle nach, aber es war ihnen zu schnell und behend. Das währte den ganzen Tag, endlich aber hatten es die Jäger abends umzingelt, und einer verwundete es ein wenig am Fuß, so daß es hinken mußte und langsam fortlief. Da schlich ihm ein Jäger nach bis zu dem Häuschen und hörte, wie es rief: „Mein Schwesterlein, laß mich herein", und sah, daß die Tür ihm aufgetan und alsbald wieder zugeschlossen ward. Der Jäger behielt das alles wohl im Sinn, ging zum König und erzählte ihm, was er gesehen und gehört hatte. Da sprach der König: „Morgen soll noch einmal gejagt werden."

Das Schwesterchen aber erschrak gewaltig, als es sah, daß sein Rehkälbchen verwundet war. Es wusch ihm das Blut ab, legte Kräuter auf und sprach: „Geh auf dein Lager, lieb Rehchen, daß du wieder heil wirst." Die Wunde aber war so gering, daß das Rehchen am Morgen nichts mehr davon spürte. Und als es die Jagdlust wieder draußen hörte, sprach es: „Ich kann's nicht aushalten, ich muß dabei sein; so bald soll mich keiner kriegen." Das Schwesterchen weinte und sprach: „Nun werden sie dich töten, und ich bin hier allein im Wald und bin verlassen von aller Welt; ich laß dich nicht hinaus." — „So sterb' ich hier vor Betrübnis", antwortete das Rehchen, „wenn ich das Hifthorn höre, so mein' ich, ich müßt' aus den Schuhen springen!" Da konnte das Schwesterchen nicht anders und schloß ihm mit schwerem Herzen die Tür auf und das Rehchen sprang gesund und fröhlich in den Wald. Als es der König erblickte, sprach er zu seinen Jägern: „Nun jagt ihm nach den ganzen Tag bis in die Nacht, aber daß ihm keiner etwas zuleide tut." Sobald die Sonne untergegangen war, sprach der König zum Jäger: „Nun komm und zeige mir das Waldhäuschen." Und als er vor dem Türlein war, klopfte er an und rief: „Lieb Schwesterlein, laß mich herein." Da ging die Tür

auf und der König trat herein, und da stand ein Mädchen, das war so schön, wie er noch keins gesehen hatte.
Das Mädchen erschrak, als es sah, daß nicht sein Rehlein,
sondern ein Mann hereinkam, der eine goldene Krone
auf dem Haupte hatte. Aber der König sah es freundlich
an, reichte ihm die Hand und sprach: „Willst du mit mir
gehen auf mein Schloß und meine liebe Frau sein?" —
„Ach ja", antwortete das Mädchen, „aber das Rehchen
muß auch mit, das verlass' ich nicht." Sprach der König:
„Es soll bei dir bleiben, solange du lebst, und soll ihm
an nichts fehlen." Indem kam es hereingesprungen, da
band es das Schwesterchen wieder an das Binsenseil, nahm
es selbst in die Hand und ging mit ihm aus dem Waldhäuschen fort.

Der König nahm das schöne Mädchen auf sein Pferd
und führte es in sein Schloß, wo die Hochzeit mit großer
Pracht gefeiert wurde, und war es nun die Frau Königin,
und lebten sie lange Zeit vergnügt zusammen; das Rehlein ward gehegt und gepflegt und sprang in dem Schloß-
garten herum. Die böse Stiefmutter aber, um derent-
willen die Kinder in die Welt hineingegangen waren, die
meinte nicht anders, als Schwesterchen wäre von den
wilden Tieren im Walde zerrissen worden und Brüderchen als ein Rehkalb von den Jägern totgeschossen. Als
sie nun hörte, daß sie so glücklich waren, und es ihnen
so wohl ging, da wurden Neid und Mißgunst in ihrem
Herzen rege und ließen ihr keine Ruhe, und sie hatte
keinen andern Gedanken, als wie sie die beiden doch
noch ins Unglück bringen könnte. Ihre rechte Tochter,
die häßlich war wie die Nacht und nur ein Auge hatte,
die machte ihr Vorwürfe und sprach: „Eine Königin zu
werden, das Glück hätte mir gebührt." — „Sei nur still",
sagte die Alte und sprach sie zufrieden, „wenn's Zeit ist,
will ich schon bei der Hand sein." Als nun die Zeit
herangerückt war und die Königin ein schönes Knäblein

zur Welt gebracht hatte und der König gerade auf der Jagd war, nahm die alte Hexe die Gestalt der Kammerfrau an, trat in die Stube, wo die Königin lag, und sprach zu der Kranken: „Kommt, das Bad ist fertig, das wird Euch wohltun und frische Kräfte geben; geschwind, ehe es kalt wird." Ihre Tochter war auch bei der Hand, sie trugen die schwache Königin in die Badstube und legten sie in die Wanne; dann schlossen sie die Tür ab und liefen davon. In der Badstube aber hatten sie ein rechtes Höllenfeuer angemacht, daß die schöne junge Königin bald ersticken mußte.

Als das vollbracht war, nahm die Alte ihre Tochter, setzte ihr eine Haube auf und legte sie ins Bett an der Königin Stelle. Sie gab ihr auch die Gestalt und das Ansehen der Königin, nur das verlorene Auge konnte sie ihr nicht wiedergeben. Damit es aber der König nicht merkte, mußte sie sich auf *die* Seite legen, wo sie kein Auge hatte. Am Abend, als er heimkam und hörte, daß ihm ein Söhnlein geboren war, freute er sich herzlich und wollte ans Bett seiner lieben Frau gehen und sehen, was sie machte. Da rief die Alte geschwind: „Beileibe, laß die Vorhänge zu, die Königin darf noch nicht ins Licht sehen und muß Ruhe haben." Der König ging zurück und wußte nicht, daß eine falsche Königin im Bette lag.

Als es aber Mitternacht war und alles schlief, da sah die Kinderfrau, die in der Kinderstube neben der Wiege saß und allein noch wachte, wie die Tür aufging und die rechte Königin hereintrat. Sie nahm das Kind aus der Wiege, legte es in ihren Arm und gab ihm zu trinken. Dann schüttelte sie ihm sein Kißchen, legte es wieder hinein und deckte es mit dem Deckbettchen zu. Sie vergaß aber auch das Rehchen nicht, ging in die Ecke, wo es lag, und streichelte ihm über den Rücken. Darauf ging sie ganz stillschweigend wieder zur Türe hinaus, und die Kinderfrau fragte am andern Morgen die Wäch-

ter, ob jemand während der Nacht ins Schloß gegangen
wäre, aber sie antworteten: „Nein, wir haben niemand
gesehen." So kam sie viele Nächte und sprach niemals
ein Wort dabei; die Kinderfrau sah sie immer, aber sie
getraute sich nicht, jemand etwas davon zu sagen.

Als nun so eine Zeit verflossen war, da hub die Königin in der Nacht an zu reden und sprach:

„Was macht mein Kind? was macht mein Reh?
Nun komm' ich noch zweimal und dann nimmermehr."

Die Kinderfrau antwortete ihr nicht, aber als sie wieder
verschwunden war, ging sie zum König und erzählte ihm
alles. Sprach der König: Ach Gott, was ist das! Ich will
in der nächsten Nacht bei dem Kinde wachen." Abends
ging er in die Kinderstube, aber um Mitternacht erschien
die Königin wieder und sprach:

„Was macht mein Kind? was macht mein Reh?
Nun komm' ich noch einmal und dann nimmermehr."

Und pflegte dann des Kindes, wie sie gewöhnlich tat, ehe
sie verschwand. Der König getraute sich nicht, sie an-
zureden, aber er wachte auch in der folgenden Nacht.
Sie sprach abermals:

„Was macht mein Kind? was macht mein Reh?
Nun komm' ich noch diesmal und dann nimmermehr."

Da konnte sich der König nicht zurückhalten, sprang zu
ihr und sprach: „Du kannst niemand anders sein als
meine liebe Frau." Da antwortete sie: „Ja, ich bin deine
liebe Frau", und hatte in dem Augenblick durch Gottes
Gnade das Leben wieder erhalten, war frisch, rot und
gesund. Darauf erzählte sie dem König den Frevel, den
die böse Hexe und ihre Tochter an ihr verübt hatten.

Der König ließ beide vor Gericht führen, und es ward ihnen das Urteil gesprochen. Die Tochter ward in den Wald geführt, wo sie die wilden Tiere zerrissen, die Hexe aber ward ins Feuer gelegt und mußte jammervoll verbrennen. Und wie sie zu Asche verbrannt war, verwandelte sich das Rehkälbchen und erhielt seine menschliche Gestalt wieder; Schwesterchen und Brüderchen aber lebten glücklich zusammen bis an ihr Ende.

Hänsel und Gretel

Vor einem großen Walde wohnte ein armer Holzhacker mit seiner Frau und seinen zwei Kindern; das Bübchen hieß Hänsel und das Mädchen Gretel. Er hatte wenig zu beißen und zu brechen, und einmal, als große Teuerung ins Land kam, konnte er auch das tägliche Brot nicht mehr schaffen. Wie er sich nun abends im Bette Gedanken machte und sich vor Sorgen herumwälzte, seufzte er und sprach zu seiner Frau: „Was soll aus uns werden? Wie können wir unsere armen Kinder ernähren, da wir für uns selbst nichts mehr haben?" — „Weißt du was, Mann", antwortete die Frau, „wir wollen morgen in aller Frühe die Kinder hinaus in den Wald führen, wo er am dicksten ist; da machen wir ihnen ein Feuer an und geben jedem noch ein Stückchen Brot, dann gehen wir an unsere Arbeit und lassen sie allein. Sie finden den Weg nicht wieder nach Haus, und wir sind sie los." — „Nein, Frau", sagte der Mann, „das tue ich nicht; wie sollt' ich's übers Herz bringen, meine Kinder im Walde allein zu lassen, die wilden Tiere würden bald kommen und sie zerreißen." — „O du Narr", sagte sie, „dann müssen wir alle vier Hungers sterben, du kannst nur die Bretter für die Särge hobeln", und ließ ihm keine Ruhe,

bis er einwilligte. „Aber die armen Kinder dauern mich
doch", sagte der Mann.

Die zwei Kinder hatten vor Hunger auch nicht einschlafen können und hatten gehört, was die Stiefmutter
zum Vater gesagt hatte. Gretel weinte bittere Tränen
und sprach zu Hänsel: „Nun ist's um uns geschehen." —
„Still, Gretel", sprach Hänsel, „gräme dich nicht, ich will
uns schon helfen." Und als die Alten eingeschlafen waren, stand er auf, zog sein Röcklein an, machte die
Untertüre auf und schlich sich hinaus. Da schien der
Mond ganz helle, und die weißen Kieselsteine, die vor
dem Haus lagen, glänzten wie lauter Batzen Hänsel
bückte sich und steckte so viel in sein Rocktäschlein als
nur hinein wollten. Dann ging er wieder zurück, sprach
zu Gretel: „Sei getrost, liebes Schwesterchen und schlaf
nur ruhig ein, Gott wird uns nicht verlassen", und legte
sich wieder in sein Bett.

Als der Tag anbrach, noch ehe die Sonne aufgegangen
war, kam schon die Frau und weckte die beiden Kinder:
„Steht auf, ihr Faulenzer, wir wollen in den Wald gehen
und Holz holen." Dann gab sie jedem ein Stückchen Brot
und sprach: „Da habt ihr etwas für den Mittag, aber
eßt's nicht vorher auf, weiter kriegt ihr nichts." Gretel
nahm das Brot unter die Schürze, weil Hänsel die Steine
in der Tasche hatte. Danach machten sie sich alle zusammen auf den Weg nach dem Wald. Als sie ein Weilchen gegangen waren, stand Hänsel still und guckte nach
dem Haus zurück und tat das wieder und immer wieder.
Der Vater sprach: „Hänsel, was guckst du da und bleibst
zurück, hab acht und vergiß deine Beine nicht." — „Ach,
Vater", sagte Hänsel, „ich sehe nach meinem weißen
Kätzchen, das sitzt oben auf dem Dach und will mir Ade
sagen." Die Frau sprach: „Narr, das ist dein Kätzchen
nicht, das ist die Morgensonne, die auf den Schornstein
scheint." Hänsel aber hatte nicht nach dem Kätzchen

gesehen, sondern immer einen von den blanken Kieselsteinen aus seiner Tasche auf den Weg geworfen.

Als sie mitten in den Wald gekommen waren, sprach
der Vater: „Nun sammelt Holz, ihr Kinder, ich will ein
Feuer anmachen, damit ihr nicht friert." Hänsel und
Gretel trugen Reisig zusammen, einen kleinen Berg hoch.
Das Reisig ward angezündet, und als die Flamme recht
hoch brannte, sagte die Frau: „Nun legt euch ans Feuer,
ihr Kinder, und ruht euch aus, wir gehen in den Wald
und hauen Holz. Wenn wir fertig sind, kommen wir
wieder und holen euch ab."

Hänsel und Gretel saßen am Feuer, und als der Mittag
kam, aß jedes sein Stücklein Brot. Und weil sie die
Schläge der Holzaxt hörten, so glaubten sie, ihr Vater
wäre in der Nähe. Es war aber nicht die Holzaxt, es
war ein Ast, den er an einen dürren Baum gebunden
hatte und den der Wind hin und her schlug. Und als sie
so lange gesessen hatten, fielen ihnen die Augen vor
Müdigkeit zu und sie schliefen fest ein. Als sie endlich
erwachten, war es schon finstere Nacht. Gretel fing an zu
weinen und sprach: „Wie sollen wir nun aus dem Wald
kommen!" Hänsel aber tröstete sie: „Wart nur ein Weilchen, bis der Mond aufgegangen ist, dann wollen wir den
Weg schon finden." Und als der volle Mond aufgestiegen
war, so nahm Hänsel sein Schwesterchen an der Hand
und ging den Kieselsteinen nach, die schimmerten wie
neugeschlagene Batzen und zeigten ihnen den Weg. Sie
gingen die ganze Nacht hindurch und kamen bei an-
brechendem Tage wieder zu ihres Vaters Hause. Sie
klopften an die Tür, und als die Frau aufmachte und sah,
daß es Hänsel und Gretel war, sprach sie: „Ihr bösen
Kinder, was habt ihr so lange im Walde geschlafen, wir
haben geglaubt, ihr wolltet gar nicht wiederkommen."
Der Vater aber freute sich, denn es war ihm zu Herzen
gegangen, daß er sie so allein zurückgelassen hatte.

Nicht lange danach war wieder Not in allen Ecken
und die Kinder hörten, wie die Mutter nachts im Bette

Hänsel aber tröstete sie: „Wart nur ein Weilchen."

zu dem Vater sprach: „Alles ist wieder aufgezehrt, wir
haben noch einen halben Laib Brot, hernach hat das Lied
ein Ende. Die Kinder müssen fort, wir wollen sie tiefer
in den Wald hineinführen, damit sie den Weg nicht

wieder herausfinden; es ist sonst keine Rettung für uns."
Dem Manne fiel's schwer aufs Herz, und er dachte: „Es
wäre besser, daß du den letzten Bissen mit deinen Kindern teiltest." Aber die Frau hörte auf nichts, was er
sagte, schalt ihn und machte ihm Vorwürfe. Wer A sagt,
muß auch B sagen, und weil er das erstemal nachgegeben
hatte, so mußte er es auch zum zweitenmal.

Die Kinder waren aber noch wach gewesen und hatten
das Gespräch mit angehört. Als die Alten schliefen,
stand Hänsel wieder auf, wollte hinaus und Kieselsteine
auflesen wie das vorigemal, aber die Frau hatte die Tür
verschlossen und Hänsel konnte nicht heraus. Aber er
tröstete sein Schwesterchen und sprach: „Weine nicht,
Gretel, und schlaf nur ruhig, der liebe Gott wird uns
schon helfen."

Am frühen Morgen kam die Frau und holte die Kinder aus dem Bette. Sie erhielten ihr Stückchen Brot, das
war aber noch kleiner als das vorigemal. Auf dem Wege
nach dem Walde bröckelte es Hänsel in der Tasche, stand
oft still und warf ein Bröcklein auf die Erde. „Hänsel,
was stehst du und guckst dich um", sagte der Vater,
„geh deiner Wege." — „Ich sehe nach meinem Täubchen,
das sitzt auf dem Dache und will mir Ade sagen", antwortete Hänsel. „Narr", sagte die Frau, „das ist dein
Täubchen nicht, das ist die Morgensonne, die auf den
Schornstein oben scheint." Hänsel aber warf nach und
nach alle Bröcklein auf den Weg.

Die Frau führte die Kinder noch tiefer in den Wald,
wo sie ihr Lebtag noch nicht gewesen waren. Da ward
wieder ein großes Feuer angemacht, und die Mutter
sagte: „Bleibt nur da sitzen, ihr Kinder, und wenn ihr
müde seid, könnt ihr ein wenig schlafen; wir gehen in
den Wald und hauen Holz, und abends, wenn wir fertig
sind, kommen wir und holen euch ab." Als es Mittag
war, teilte Gretel ihr Brot mit Hänsel, der sein Stück

auf den Weg gestreut hatte. Dann schliefen sie ein und
der Abend verging, aber niemand kam zu den armen
Kindern. Sie erwachten erst in der finstern Nacht, und
Hänsel tröstete sein Schwesterchen und sagte: „Wart nur,
Gretel, bis der Mond aufgeht, dann werden wir die
Brotbröcklein sehen, die ich ausgestreut habe, die zeigen
uns den Weg nach Haus." Als der Mond kam, machten
sie sich auf, aber sie fanden kein Bröcklein mehr, denn
die viel tausend Vögel, die im Walde und im Felde
umherfliegen, die hatten sie weggepickt. Hänsel sagte zu
Gretel: „Wir werden den Weg schon finden", aber sie
fanden ihn nicht. Sie gingen die ganze Nacht und noch
einen Tag von Morgen bis Abend, aber sie kamen aus
dem Wald nicht heraus und waren so hungrig, denn sie
hatten nichts als die paar Beeren, die auf der Erde standen. Und weil sie so müde waren, daß die Beine sie nicht
mehr tragen wollten, so legten sie sich unter einen Baum
und schliefen ein.

Nun war's schon der dritte Morgen, daß sie ihres
Vaters Haus verlassen hatten. Sie fingen wieder an zu
gehen, aber sie gerieten immer tiefer in den Wald, und
wenn nicht bald Hilfe kam, so mußten sie verschmachten.
Als es Mittag war, sahen sie ein schönes schneeweißes
Vöglein auf einem Ast sitzen, das sang so schön, daß sie
stehenblieben und ihm zuhörten. Und als es fertig war,
schwang es seine Flügel und flog vor ihnen her, und sie
gingen ihm nach, bis sie zu einem Häuschen gelangten,
auf dessen Dach es sich setzte, und als sie ganz nah
herankamen, so sahen sie, daß das Häuslein aus Brot
gebaut war und mit Kuchen gedeckt; aber die Fenster
waren von hellem Zucker. „Da wollen wir uns dran-
machen", sprach Hänsel, „und eine gesegnete Mahlzeit
halten. Ich will ein Stück vom Dach essen, Gretel, du
kannst vom Fenster essen, das schmeckt süß." Hänsel
reichte in die Höhe und brach sich ein wenig vom Dach

ab, um zu versuchen, wie es schmeckte, und Gretel stellte
sich an die Scheiben und knupperte daran. Da rief eine
feine Stimme aus der Stube heraus:

„Knuper knuper, kneischen,
  Wer knupert an meinem Häuschen?"

die Kinder antworteten:

„Der Wind, der Wind,
  Das himmlische Kind",

und aßen weiter, ohne sich irremachen zu lassen. Hänsel,
dem das Dach sehr gut schmeckte, riß sich ein großes
Stück davon herunter, und Gretel stieß eine ganze runde
Fensterscheibe heraus, setzte sich nieder, und tat sich
wohl damit. Da ging auf einmal die Türe auf und eine
steinalte Frau, die sich auf eine Krücke stützte, kam her-

ausgeschlichen. Hänsel und Gretel erschraken so gewaltig,
daß sie fallen ließen, was sie in den Händen hielten. Die
Alte aber wackelte mit dem Kopfe und sprach: „Ei,
ihr lieben Kinder, wer hat euch hierhergebracht? Kommt
nur herein und bleibt bei mir, es geschieht euch kein
Leid." Sie faßte beide an der Hand und führte sie in ihr
Häuschen. Da ward gutes Essen aufgetragen, Milch und
Pfannekuchen mit Zucker, Äpfel und Nüsse. Hernach
wurden zwei schöne Bettlein weiß gedeckt und Hänsel
und Gretel legten sich hinein und meinten, sie wären im
Himmel.

Die Alte hatte sich nur so freundlich angestellt, sie war
aber eine böse Hexe, die den Kindern auflauerte, und
hatte das Brothäuslein bloß gebaut, um sie herbeizulok-
ken. Wenn eins in ihre Gewalt kam, so machte sie es tot,
kochte es und aß es, und das war ihr ein Festtag. Die Hexen haben rote Augen und können nicht weit sehen, aber
sie haben eine feine Witterung wie die Tiere und mer-
ken's, wenn Menschen herankommen. Als Hänsel und
Gretel in ihre Nähe kamen, da lachte sie boshaft und
sprach höhnisch: „Die habe ich, die sollen mir nicht wieder entwischen." Frühmorgens, ehe die Kinder erwacht
waren, stand sie schon auf, und als sie beide so lieblich
ruhen sah, mit den vollen roten Backen, so murmelte sie
vor sich hin: „Das wird ein guter Bissen werden." Da
packte sie Hänsel mit ihrer dürren Hand und trug ihn in
einen kleinen Stall und sperrte ihn mit einer Gittertüre
ein; er mochte schreien, wie er wollte, es half ihm nichts.
Dann ging sie zu Gretel, rüttelte sie wach und rief: „Steh
auf, Faulenzerin, trag Wasser und koch deinem Bruder
etwas Gutes, der sitzt draußen im Stall und soll fett werden. Wenn er fett ist, so will ich ihn essen." Gretel fing
an bitterlich zu weinen, aber es war alles vergeblich, sie
mußte tun, was die böse Hexe verlangte.

Nun ward dem armen Hänsel das beste Essen gekocht,

aber Gretel bekam nichts als Krebsschalen. Jeden Morgen
schlich die Alte zu dem Ställchen und rief: „Hänsel,
streck deine Finger heraus, damit ich fühle, ob du bald
fett bist." Hänsel streckte ihr aber ein Knöchlein heraus,
und die Alte, die trübe Augen hatte, konnte es nicht sehen, und meinte, es wären Hänsels Finger, und verwunderte sich, daß er gar nicht fett werden wollte. Als vier
Wochen herum waren und Hänsel immer mager blieb, da
übernahm sie die Ungeduld, und sie wollte nicht länger
warten. „Heda, Gretel", rief sie dem Mädchen zu, „sei
flink und trag Wasser; Hänsel mag fett oder mager sein,
morgen will ich ihn schlachten und kochen." Ach, wie
jammerte das arme Schwesterchen, als es das Wasser tragen mußte, und wie flossen ihm die Tränen über die
Backen herunter! „Lieber Gott, hilf uns doch", rief sie
aus, „hätten uns nur die wilden Tiere im Walde gefressen, so wären wir doch zusammen gestorben." — „Spar
nur dein Geplärre", sagte die Alte, „es hilft dir alles
nichts."

Frühmorgens mußte Gretel heraus, den Kessel mit
Wasser aufhängen und Feuer anzünden. „Erst wollen
wir backen", sagte die Alte, „ich habe den Backofen schon
eingeheizt und den Teig geknetet." Sie stieß das arme
Gretel hinaus zu dem Backofen, aus dem die Feuerflammen schon herausschlugen. „Kriech hinein", sagte die
Hexe, „und sieh zu, ob recht eingeheizt ist, damit wir das
Brot hineinschießen können:" Und wenn Gretel darin
war, wollte sie den Ofen zumachen, und Gretel sollte
darin braten, und dann wollte sie's auch aufessen. Aber
Gretel merkte, was sie im Sinn hatte, und sprach: „Ich
weiß nicht, wie ich's machen soll; wie komm' ich da hinein?" — „Dumme Gans", sagte die Alte, „die Öffnung ist
groß genug, siehst du wohl, ich könnte selbst hinein",
krabbelte heran und steckte den Kopf in den Backofen.
Da gab ihr Gretel einen Stoß, daß sie weit hineinfuhr,

machte die eiserne Tür zu und schob den Riegel vor. Hu!
da fing sie an zu heulen, ganz grauselig; aber Gretel lief
fort, und die gottlose Hexe mußte elendiglich verbrennen.

Gretel aber lief schnurstracks zum Hänsel, öffnete sein
Ställchen und rief: „Hänsel, wir sind erlöst, die alte
Hexe ist tot." Da sprang Hänsel heraus, wie ein Vogel
aus dem Käfig, wenn ihm die Türe aufgemacht wird. Wie
haben sie sich gefreut, sind sich um den Hals gefallen,
sind herumgesprungen und haben sich geküßt! Und weil
sie sich nicht mehr zu fürchten brauchten, so gingen sie in
das Haus der Hexe hinein, da standen in allen Ecken
Kasten mit Perlen und Edelsteinen. „Die sind noch besser
als Kieselsteine", sagte Hänsel und steckte in seine Taschen, was hinein wollte, und Gretel sagte: „Ich will auch
etwas mit nach Haus bringen" und füllte sich sein Schürzchen voll. „Aber jetzt wollen wir fort", sagte Hänsel,
„damit wir aus dem Hexenwald herauskommen." Als sie
aber ein paar Stunden gegangen waren, gelangten sie an
ein großes Wasser. „Wir können nicht hinüber", sprach
Hänsel, „ich seh' keinen Steg und keine Brücke." — „Hier
fährt auch kein Schiffchen", antwortete Gretel, „aber da
schwimmt eine weiße Ente, wenn ich die bitte, so hilft sie
uns hinüber." Da rief sie:

> „Entchen, Entchen,
>   Da steht Gretel und Hänsel.
>   Kein Steg und keine Brücke,
>   Nimm uns auf deinen weißen Rücken."

Das Entchen kam auch heran, und Hänsel setzte sich auf
und bat sein Schwesterchen, sich zu ihm zu setzen.
„Nein", antwortete Gretel, „es wird dem Entchen zu
schwer, es soll uns nacheinander hinüberbringen." Das tat
das gute Tierchen, und als sie glücklich drüben waren und
ein Weilchen fortgingen, da kam ihnen der Wald immer

bekannter und immer bekannter vor, und endlich erblickten sie von weitem ihres Vaters Haus. Da fingen sie an zu laufen, stürzten in die Stube hinein und fielen ihrem Vater um den Hals. Der Mann hatte keine frohe Stunde gehabt, seitdem er die Kinder im Walde gelassen hatte, die Frau aber war gestorben. Gretel schüttelte sein Schürzchen aus, daß die Perlen und Edelsteine in der Stube herumsprangen, und Hänsel warf eine Handvoll nach der andern aus seiner Tasche dazu. Da hatten alle Sorgen ein Ende, und sie lebten in lauter Freude zusammen. Mein Märchen ist aus, dort läuft eine Maus, wer sie fängt, darf sich eine große, große Pelzkappe daraus machen.

Von dem Fischer un syner Fru

Dar wöör maal eens een Fischer un syne Fru, de waanden tosamen in'n Pißputt, dicht an der See, un de Fischer güng alle Dage hen un angeld: un he angeld un angeld.

So seet he ook eens by de Angel un seeg jümmer in dat blanke Wasser henin: un he seet un seet.

Do güng de Angel to Grund, deep ünner, un as he se heruphaald, so haald he enen grooten Butt heruut. Do säd de Butt to em: „Hör mal, Fischer, ik bidd dy, laat my lewen, ik bün keen rechten Butt, ik bün'n verwünschten Prins. Wat helpt dy dat, dat du my doot maakst? Ik würr dy doch nich recht smecken; sett my wedder in dat Water un laat my swemmen." — „Nu", säd de Mann, „du bruukst nich so veel Wöörd to maken, eenen Butt, de spreken kann, hadd ik doch wol swemmen laten." Mit des sett't he em wedder in dat blanke Water, do güng de Butt to Grund un leet enen langen Strypen Bloot achter sik. Da stünn de Fischer up un güng na syne Fru in'n Pißputt.

„Mann", säd de Fru, „hest du hüüt niks fungen?"
„Ne", säd de Mann, „ik füng enen Butt, de säd, he wöör
een verwünschten Prins, do hebb ik em wedder swemmen
laten." — „Hest du dy denn niks wünschd?" säd de Fru.
„Ne", säd de Mann, „wat schull ik my wünschen?" —
„Ach", säd de Fru, „dat is doch äwel, hyr man jümmer
in'n Pißputt to waanen, dat stinkt un is so eeklig; du
haddst uns doch ene lüttje Hütt wünschen kunnt. Ga
noch hen un roop em: segg em, wy wählt 'ne lüttje Hütt
hebben, he dait dat gewiß." — „Ach", säd de Mann, „wat
schull ik door noch hengaan?" — „I", säd de Fru, „du
haddst em doch fungen, un hest em wedder swemmen laten, he dait dat gewiß. Ga glyk hen." De Mann wull
noch nich recht, wull awerst syn Fru ook nich toewed-
dern syn un güng hen na der See.

As he door köhm, wöör de See ganß grön un geel un
goor nich meer so blank. So güng he staan un säd:

> „Manntje, Manntje, Timpe Te,
> Buttje, Buttje in der See,
> Myne Fru, de Ilsebill,
> Will nich so, as ik wol will."

Do köhm de Butt answemmen un säd: „Na, wat will se
denn?" — „Ach", säd de Mann, „ik hebb dy doch fungen
hatt, nu säd myn Fru, ik hadd my doch wat wünschen
schullt. Se mag nich meer in'n Pißputt waanen, se wull
geern 'ne Hütt." — „Ga man hen", säd de Butt, „se hett
se all."

Do güng de Mann hen, un syne Fru seet nich meer in'n
Pißputt, dar stünn awerst ene lüttje Hütt, un syne Fru
seet vör de Döhr up ene Bänk. Do nöhm syne Fru em by
de Hand un säd to em: „Kumm man herin, süh, nu is
dat doch veel beter." Do güngen se henin, un in de Hütt
was een lüttjen Vörplatz un ene lüttje herrliche Stuw un

Kamer, wo jem eer Beed stünn, un Kääk un Spysekamer, allens up dat beste, mit Gerädschoppen, un up dat schönnste upgefleyt, Tinntüüg un Mischen (Messing), wat sik darin höört. Un achter was ook en lüttjen Hof mit Hönern un Aanten, un een lüttjen Goorn mit Grönigkeiten un Aaft (Obst). „Süh", säd de Fru, „is dat nich nett?" — „Ja", säd de Mann, „so schall't blywen, nu wähl wy recht vergnöögt lewen." — „Dat wähl wy uns bedenken", säd de Fru. Mit des eeten se wat un güngen to Bedd.

So güng dat wol 'n acht oder veertain Dag, do säd de Fru: „Hör, Mann, de Hütt is ook goor to eng, un de Hof un Goorn is so kleen: de Butt hadd uns ook wol een grötter Huus schenken kunnt. Ik much woll in enem grooten stenern Slott waanen: ga hen tom Butt, he schall uns een Slott schenken." — „Ach, Fru", säd de Mann, „de Hütt is jo god noog, wat wähl wy in'n Slott waanen." — „I wat", säd de Fru, „ga du man hen, de Butt kann dat jümmer doon." — „Ne, Fru", säd de Mann, „de Butt hett uns eerst de Hütt gewen, ik mag nu nich all wedder kamen, den Butt muchd et vördreten." — „Ga doch", säd de Fru, „he kann dat recht good un dait dat geern; ga du man hen." Dem Mann wöör syn Hart so swoor, un wull nich; he säd by sik sülwen: „Dat is nich recht", he güng awerst doch hen.

As he an de See köhm, wöör dat Water ganß vigelett un dunkelblau un grau un dick un goor nich meer so gröön un geel, doch wöör't noch still. Do güng he staan un säd:

> „Manntje, Manntje, Timpe Te,
> Buttje, Buttje in der See,
> Myne Fru, de Ilsebill,
> Will nich so, as ik wol will."

„Na, wat will se denn?" säd de Butt. „Ach", säd de Mann half bedrööft, „se will in'n groot stenern Slott waa-

nen." — „Ga man hen, se stait vör der Döhr", säd de
Butt.

Do güng de Mann hen un dachd, he wull na Huus
gaan, as he awerst daar köhm, so stünn door 'n grooten
stenern Pallast, un syne Fru stünn ewen up de Trepp un
wull henin gaan: do nöhm se em by de Hand un säd:
„Kumm man herin." Mit des güng he mit ehr henin, un
in dem Slott wöör ene grote Dehl mit marmelstenern
Asters (Estrich), un dar wören so veel Bedeenters, de re-
ten de grooten Döhren up, un de Wende wären all blank
un mit schöne Tapeten, un in de Zimmers luter gollne Stöhl
un Dischen, un kristallen Kroonlüchters hüngen an dem
Bähn, un so wöör dat all de Stuwen un Kamers mit Foot-
deken; un dat Äten un de allerbeste Wyn stünn up den
Dischen, as wenn se breken wullen. Un achter dem Huse
wöör ook'n grooten Hof mit Peerd- un Kohstell, un
Kutschwagens up dat allerbeste, ook was door een grooten herrlichen Goorn mit de schönnsten Blomen un fyne
Aaftbömer, un een Lustholt wol 'ne halwe Myl lang, door
wören Hirschen un Reh' un Hasen drin un allens, wat man
sik jümmer wünschen mag. „Na", säd de Fru, „is dat nu
nich schön?" — „Ach ja", säd de Mann, „so schall't ook
blywen, nu wähl wy ook in dat schöne Slott waanen un
wähln tofreden syn." — „Dat wähl wy uns bedenken",
säd de Fru, „un wählen't beslapen." Mit des güngen se to
Bedd.

Den annern Morgen waakd de Fru toeerst up, dat
was jüst Dag, un seeg uut jem ehr Bedd dat herrliche
Land vör sik liggen.De Mann reckd sik noch, do stödd se
em mit dem Ellbagen in de Syd un säd: „Mann, sta up un
kyk mal uut dem Fenster. Süh, kunnen wy nich König
warden äwer all düt Land? Ga hen tom Butt, wy wähl
König syn." -- „Ach, Fru", säd de Mann, „wat wähl wy
König syn! Ik mag nich König syn." — „Na", säd de Fru,
„wult du nich König syn, so will ik König syn. Ga hen

tom Butt, ik will König syn." — „Ach, Fru", säd de
Mann, „wat wullst du König syn? Dat mag ik em nich
seggen." — „Worüm nich?" säd de Fru, „ga stracks hen,
ik mutt König syn." Do güng de Mann hen un wöör ganß
bedrööft, dat syne Fru König warden wull. „Dat is nich
recht un is nich recht", dachd de Mann. He wull nich hengaan, güng awerst doch hen.

Un as he an de See köhm, do wöör de See ganß swart-
grau un swart un dick, un dat Water geerd so von ünnen
up un stünk ook ganß fuul. Do güng he staan un säd:

> „Manntje, Manntje, Timpe Te,
> Buttje, Buttje in der See,
> Myne Fru, de Ilsebill,
> Will nich so, as ik wol will."

„Na, wat will se denn?" säd de Butt. „Ach", säd de
Mann, „se will König warden." — „Ga man hen, se is't
all", säd de Butt.

Do güng de Mann hen, un as he na dem Pallast köhm,
so wöör dat Slott veel grötter worren, mit enem grooten
Toorn un herrlyken Zyraat doran; un de Schildwacht
stünn vör de Döhr, un dar wören so väle Soldaten un
Pauken un Trumpeten. Un as he in dat Huus köhm, so
wöör allens von purem Marmelsteen mit Gold, un samt-
ne Deken un groote gollne Quasten. Do güngen de Döhren
von dem Saal up, door de ganße Hofstaat wöör, un syne
Fru seet up enem hogen Throon von Gold un Demant un
hadd ene groote gollne Kroon up un den Zepter in der
Hand von purem Gold un Edelsteen, un up beyden Syden by ehr stünnen ses Jumfern in ene Reeg, jümmer
ene enen Kopps lüttjer as de annere. Do güng he staan un
säd: „Ach, Fru, büst du nu König?" — „Ja", säd de Fru,
„nu bün ik König." Do stünn he un seeg se an, un as he se
do een Flach (eine Zeitlang) so ansehn hadd, säd he:

„Ach, Fru, wat lett dat schöön, wenn du König büst! Nu
wähl wy ook niks meer wünschen." — „Ne, Mann", säd
de Fru un wöör ganß unruhig, „my waart de Tyd un
Wyl all lang, ik kann dat nich meer uuthollen. Ga hen tom
Butt, König bün ik, nu mutt ik ook Kaiser warden." —
„Ach, Fru", säd de Mann, „wat wullst du Kaiser warden?" — „Mann", säd se, „ga tom Butt, ik will Kaiser
syn." — „Ach, Fru", säd de Mann, „Kaiser kann he nich
maken, ik mag dem Butt dat nich seggen; Kaiser is man
eenmal im Reich; Kaiser kann de Butt jo nich maken, dat
kann un kann he nich." — „Wat", säd de Fru, „ük bün
König un du büst man myn Mann, wullt du glyk hengaan? Glyk ga hen, kann he König maken, kann he ook
Kaiser maken, ik will un will Kaiser syn; glyk ga hen."
Do mußd he hengaan. Do de Mann awer hengüng, wöör
em ganß bang, un as he so güng, dachd he by sik: „Düt
gait un gait nich good; Kaiser is to uutvörschaamt, de
Butt wart am Ende möd."

Mit des köhm he an de See, do wöör de See noch ganß
swart un dick un füng all so von ünnen up to geeren,
dat et so Blasen smet un et güng so en Keekwind äwer
hen, dat et sik so köhrd; un den Mann wurr groen
(grauen). Do güng he staan un säd:

>   „Manntje, Manntje, Timpe Te,
>   Buttje, Buttje in der See,
>   Myne Fru, de Ilsebill,
>   Will nich so, as ik wol will."

„Na, wat will se denn?" säd de Butt. „Ach, Butt", säd he,
„myn Fru will Kaiser warden." — „Ga man hen", säd de
Butt, „se is't all."

Do güng de Mann hen, un as he door köhm, so wöör
dat ganße Slott von poleertem Marmelsteen mit albaster-
nen Figuren un gollnen Zyraten. Vör de Döhr marscheer-

den de Soldaten un se blösen Trumpeten un slögen Pauken un Trummeln; awerst in dem Huse da güngen de Ba-
ronen un Grawen un Herzogen man so as Bedeenters her-
üm: do maakden se em de Döhren up, de von luter Gold
wören. Un as he herinköhm, door seet syne Fru up enem
Throon, de wöör von een Stück Gold un wöör wol twe
Myl hoog, un hadd ene groote gollne Kroon up, de wöör
dre Elen hoog un mit Briljanten un Karfunkelsteen be-
sett't; in de ene Hand hadde se den Zepter un in de annere Hand den Reichsappel, un up beyden Syden by eer
door stünnen de Trabanten so in twe Regen, jümmer een
lüttjer as de annere, von dem allergröttsten Rysen, de
wöör twe Myl hoog, bet to dem allerlüttjsten Dwaark,
de wöör man so groot as myn lüttje Finger. Un vör ehr
stünnen so vele Fürsten un Herzogen. Door güng de
Mann tüschen staan un säd: „Fru, büst du nu Kaiser?"
— „Ja," säd se, „ik bün Kaiser." Do güng he staan un be-
seeg se sik so recht, un as he se so'n Flach ansehn hadd,
so säd he: „Ach, Fru, wat lett dat schöön, wenn du Kaiser büst." — „Mann", säd se, „wat staist du door? Ik bün
nu Kaiser, nu will ik awerst ook Paabst warden, ga hen
tom Butt." — „Ach, Fru", säd de Mann, „wat wullst du
man nich? Paabst kannst du nich warden, Paabst is man
eenmal in der Christenhait, dat kann he doch nich maken."
— „Mann", säd se, „ik will Paabst warden, ga glyk hen,
ik mutt hüüt noch Paabst warden." — „Ne, Fru", säd de
Mann, „dat mag ik em nich seggen, dat gait nich good,
dat is to groff, tom Paabst kann de Butt nich maken." —
„Mann, wat Snak!" säd de Fru, „kann he Kaiser maken, kann he ook Paabst maken. Ga foorts hen, ik bünn
Kaiser un du büst man myn Mann, wult du wol hengaan?" Do wurr he bang un güng hen, em wöör awerst
ganß flau, un zitterd un beewd, un de Knee un de Waden
slakkerden em. Un dar streek so'n Wind äwer dat Land,
un de Wolken flögen, as dat düster wurr gegen Awend;

de Bläder waiden von den Bömern, un dat Water güng
un bruusd as kaakd dat, un platschd an dat Äver, un
von feern seeg he de Schepen, de schöten in der Noot un
danßden un sprüngen up den Bülgen. Doch wöör de
Himmel noch so'n bitten blau in de Midd, awerst an den
Syden door toog dat so recht rood up as een swohr Gewit-
ter. Do güng he recht vörzufft (verzagt) staan in de Angst
un säd:

> „Manntje, Manntje, Timpe Te,
> Buttje, Buttje in der See,
> Myne Fru, de Ilsebill,
> Will nich so, as ik wol will."

„Na, wat will se denn?" säd de Butt. „Ach", säd de
Mann, „se will Paabst warden." — „Ga man hen, se is't
all", säd de Butt.

Do güng he hen, un as he door köhm, so wöör dar as een
groote Kirch mit luter Pallastens ümgewen. Door drängd
he sik dorch dat Volk; inwendig was awer allens mit
dausend un dausend Lichtern erleuchtet, un syne Fru
wöör in luter Gold gekledet, un seet noch up enem veel
högeren Throon, un hadde dre groote gollne Kronen up,
un üm ehr dar wöör so veel von geistlykem Staat, un up
beyden Syden by ehr door stünnen twe Regen Lichter,
dat gröttste so dick un groot as de allergröttste Toorn,
bet to dem allerkleensten Käkenlicht; un alle de Kaisers
un de Königen, de legen vör ehr up de Knee un küßden
ehr den Tüffel. „Fru", säd de Mann un seeg se so recht an,
„büst du nu Paabst." „Ja", säd se, „ik bün Paabst." Do
güng he staan un seeg se recht an, un dat wöör, as wenn
he in de hell Sunn seeg. As he se do en Flach ansehn
hadd, so seggt he: „Ach, Fru, wat lett dat schöön, wenn
du Paabst büst!" Se seet awerst ganß styf as een Boom un
rüppeld un röhrd sik nich. Do säd he: „Fru, nu sy to-

freden, nu du Paabst büst, nu kannst du doch niks meer warden." — „Dat will ik mi bedenken", säd de Fru. Mit des güngen se beyde to Bedd, awerst se wöör nich tofreden, un de Girighait leet se nich slapen, se dachd jümmer, wat se noch warden wull.

De Mann sleep recht good un fast, he hadd den Dag veel lopen, de Fru awerst kunn goor nich inslapen, un smeet sik von een Syd to der annern de ganße Nacht un dachd man jümmer, wat se noch wol warden kunn, un kunn sik doch up niks meer besinnen. Mit des wull de Sünn upgaan, un as se dat Morgenrood seeg, richt'd se sik äwer End im Bedd un seeg door henin, un as se uut dem Fenster de Sünn so herupkamen seeg: „Ha", dachd se, „kunn ik nich ook de Sünn un de Maan upgaan laten?" — „Mann", säd se un stödd em mit dem Ellbagen in de Ribben, „waak up, ga hen tom Butt, ik will warden as de lewe Gott." De Mann was noch meist in'n Slaap, awerst he vörschrock sik so, dat he uut dem Bedd füll. He meend, he hadd sik vörhöörd, un reef sik die Ogen uut un säd: „Ach, Fru, wat säd'st du?" — „Mann", säd se, „wenn ik nich de Sünn un de Maan kan upgaan laten un mutt dat so ansehn, dat de Sünn un de Maan upgaan, ik kann dat nich uuthollen un hebb kene geruhige Stünd meer, dat ik se nich sülwst kann upgaan laten." Do seeg se em so recht gräsig an, dat em so'n Schudder äwerleep. „Glyk ga hen, ik will warden as de lewe Gott."— „Ach, Fru", säd de Mann un füll vör eer up de Knee, „dat kann de Butt nich. Kaiser un Paabst kann he maken, ik bidd dy, sla in dy un blyf Paabst." Do köhm se in de Booshait, de Hoor flögen ehr so wild üm den Kopp, do reet se sik dat Lyfken up un geef em eens mit dem Foot un schreed: „Ik holl dat nich uut un holl dat nich länger uut, wult du hengaan?" Do slööpd he sik de Büxen an un leep wech as unsinnig.

Buten awer güng de Storm un bruusde, dat he kuum

up deen Föten staan kunn; de Hüser un de Bömer waiden
um, un de Baarge beewden, un de Felsenstücken rullden
in de See, un de Himmel wöör ganß pickswart, un dat
dunnerd un blitzd, un de See güng in so hoge swarte
Bülgen as Kirchentöörn un as Baarge, un de hadden ba-
wen alle ene witte Kroon von Schuum up. Do schre he
un kun syn egen Woord nich hören:

>   „Manntje, Manntje, Timpe Te,
>   Buttje, Buttje in der See,
>   Myne Fru, de Ilsebill,
>   Will nich so, as ik wol will."

„Na, wat will se denn?" säd de Butt. „Ach", säd he, „se
will warden as de lewe Gott." — „Ga man hen, se sitt all
weder in'n Pißputt."
   Door sitten se noch bet up hüüt un düssen Dag.

Aschenputtel

Einem reichen Manne, dem wurde seine Frau krank, und
als sie fühlte, daß ihr Ende herankam, rief sie ihr einziges Töchterlein zu sich ans Bett und sprach: „Liebes Kind,
bleib fromm und gut, so wird dir der liebe Gott immer
beistehen, und ich will vom Himmel auf dich herabblik-
ken und will um dich sein." Darauf tat sie die Augen zu
und verschied. Das Mädchen ging jeden Tag hinaus zu
dem Grabe der Mutter und weinte und blieb fromm und
gut. Als der Winter kam, deckte der Schnee ein weißes
Tüchlein auf das Grab, und als die Sonne im Frühjahr es
wieder herabgezogen hatte, nahm sich der Mann eine andere Frau.
   Die Frau hatte zwei Töchter mit ins Haus gebracht, die

schön und weiß von Angesicht waren, aber garstig und
schwarz von Herzen. Da ging eine schlimme Zeit für das
arme Stiefkind an. „Soll die dumme Gans bei uns in der
Stube sitzen?" sprachen sie, „wer Brot essen will, muß es
verdienen; hinaus mit der Küchenmagd." Sie nahmen
ihm seine schönen Kleider weg, zogen ihm einen grauen
alten Kittel an und gaben ihm hölzerne Schuhe. „Seht
einmal die stolze Prinzessin, wie sie geputzt ist!" riefen
sie, lachten und führten es in die Küche. Da mußte es von
Morgen bis Abend schwere Arbeit tun, früh vor Tag auf-
stehn, Wasser tragen, Feuer anmachen, kochen und waschen. Obendrein taten ihm die Schwestern alles ersinn-
liche Herzeleid an, verspotteten es und schütteten ihm die
Erbsen und Linsen in die Asche, so daß es sitzen und sie
wieder auslesen mußte. Abends, wenn es sich müde gearbeitet hatte, kam es in kein Bett, sondern mußte sich
neben den Herd in die Asche legen. Und weil es darum
immer staubig und schmutzig aussah, nannten sie es
Aschenputtel.

Es trug sich zu, daß der Vater einmal in die Messe ziehen wollte, da fragte er die beiden Stieftöchter, was er
ihnen mitbringen sollte? „Schöne Kleider", sagte die eine,
„Perlen und Edelsteine" die zweite. „Aber du, Aschenputtel", sprach er, „was willst du haben?" — „Vater, das
erste Reis, das Euch auf Eurem Heimweg an den Hut
stößt, das brecht für mich ab." Er kaufte nun für die beiden Stiefschwestern schöne Kleider, Perlen und Edelsteine, und auf dem Rückweg, als er durch einen grünen
Busch ritt, streifte ihn ein Haselreis und stieß ihm den
Hut ab. Da brach er das Reis ab und nahm es mit. Als er
nach Haus kam, gab er den Stieftöchtern, was sie sich gewünscht hatten, und dem Aschenputtel gab er das Reis
von dem Haselbusch. Aschenputtel dankte ihm, ging zu
seiner Mutter Grab und pflanzte das Reis darauf, und
weinte so sehr, daß die Tränen darauf niederfielen und

es begossen. Es wuchs aber und ward ein schöner Baum.
Aschenputtel ging alle Tage dreimal darunter, weinte
und betete, und allemal kam ein weißes Vöglein auf den
Baum, und wenn es einen Wunsch aussprach, so warf ihm
das Vöglein herab, was es sich gewünscht hatte.

Es begab sich aber, daß der König ein Fest anstellte,
das drei Tage dauern sollte, und wozu alle schönen Jungfrauen im Lande eingeladen wurden, damit sich sein
Sohn eine Braut aussuchen möchte. Die zwei Stiefschwestern, als sie hörten, daß sie auch dabei erscheinen sollten,
waren guter Dinge, riefen Aschenputtel und sprachen:
„Kämm uns die Haare, bürste uns die Schuhe und mache
uns die Schnallen fest, wir gehen zur Hochzeit auf des
Königs Schloß.“ Aschenputtel gehorchte, weinte aber,
weil es auch gern zum Tanz mitgegangen wäre, und bat
die Stiefmutter, sie möchte es ihm erlauben. „Du Aschenputtel“, sprach sie, „bist voll Staub und Schmutz und
willst zur Hochzeit? Du hast keine Kleider und Schuhe
und willst tanzen?“ Als es aber mit Bitten anhielt, sprach
sie endlich: „Da habe ich dir eine Schüssel Linsen in die
Asche geschüttet, wenn du die Linsen in zwei Stunden
wieder ausgelesen hast, so sollst du mitgehen.“ Das Mädchen ging durch die Hintertür nach dem Garten und rief:
„Ihr zahmen Täubchen, ihr Turteltäubchen, all ihr Vöglein unter dem Himmel, kommt und helft mir lesen,

> Die guten ins Töpfchen,
> Die schlechten ins Kröpfchen.“

Da kamen zum Küchenfenster zwei weiße Täubchen herein, und danach die Turteltäubchen, und endlich schwirrten und schwärmten alle Vöglein unter dem Himmel herein und ließen sich um die Asche nieder. Und die Täubchen nickten mit den Köpfchen und fingen an pik, pik,
pik, pik, und da fingen die übrigen auch an pik, pik, pik,

pik und lasen alle guten Körnlein in die Schüssel. Kaum
war eine Stunde herum, so waren sie schon fertig und flogen alle wieder hinaus. Da brachte das Mädchen die
Schüssel der Stiefmutter, freute sich und glaubte, es
dürfte nun mit auf die Hochzeit gehen. Aber sie sprach:
„Nein, Aschenputtel, du hast keine Kleider und kannst
nicht tanzen: du wirst nur ausgelacht." Als es nun
weinte, sprach sie: „Wenn du mir zwei Schüsseln voll
Linsen in einer Stunde aus der Asche rein lesen kannst,
so sollst du mitgehen", und dachte: „Das kann es ja nimmermehr." Als sie die zwei Schüsseln Linsen in die Asche
geschüttet hatte, ging das Mädchen durch die Hintertür
nach dem Garten und rief: „Ihr zahmen Täubchen, ihr
Turteltäubchen, all ihr Vöglein unter dem Himmel,
kommt und helft mir lesen,

> Die guten ins Töpfchen,
> Die schlechten ins Kröpfchen."

Da kamen zum Küchenfenster zwei weiße Täubchen
herein und danach die Turteltäubchen, und endlich
schwirrten und schwärmten alle Vöglein unter dem Himmel herein und ließen sich um die Asche nieder. Und die
Täubchen nickten mit ihren Köpfchen und fingen an pik,
pik, pik, pik, und da fingen die übrigen auch an pik, pik,
pik, pik und lasen alle guten Körner in die Schüsseln.
Und eh' eine halbe Stunde herum war, waren sie schon
fertig und flogen alle wieder hinaus. Da trug das Mädchen die Schüsseln zu der Stiefmutter, freute sich und
glaubte, nun dürfte es mit auf die Hochzeit gehen. Aber
sie sprach: „Es hilft dir alles nichts: du kommst nicht mit,
denn du hast keine Kleider und kannst nicht tanzen; wir
müßten uns deiner schämen." Darauf kehrte sie ihm den
Rücken zu und eilte mit ihren zwei stolzen Töchtern
fort.

Als nun niemand mehr daheim war, ging Aschenputtel
zu seiner Mutter Grab unter den Haselbaum und rief:

> „Bäumchen, rüttel dich und schüttel dich,
> Wirf Gold und Silber über mich."

Da warf ihm der Vogel ein golden und silbern Kleid herunter und mit Seide und Silber ausgestickte Pantoffeln.
In aller Eile zog es das Kleid an und ging zur Hochzeit.
Seine Schwestern aber und die Stiefmutter kannten es
nicht und meinten, es müsse eine fremde Königstochter
sein, so schön sah es in dem goldenen Kleide aus. An
Aschenputtel dachten sie gar nicht und dachten, es säße
daheim im Schmutz und suchte die Linsen aus der Asche.
Der Königssohn kam ihm entgegen, nahm es bei der
Hand und tanzte mit ihm. Er wollte auch mit sonst niemand tanzen, also daß er ihm die Hand nicht los ließ,
und wenn ein anderer kam, es aufzufordern, sprach er:
„Das ist meine Tänzerin."

Es tanzte bis es Abend war, da wollte es nach Haus
gehen. Der Königssohn aber sprach: „Ich gehe mit und
begleite dich", denn er wollte sehen, wem das schöne
Mädchen angehörte. Sie entwischte ihm aber und sprang
in das Taubenhaus. Nun wartete der Königssohn, bis der
Vater kam, und sagte ihm, das fremde Mädchen wär in
das Taubenhaus gesprungen. Der Alte dachte: „Sollte es
Aschenputtel sein?", und sie mußten ihm Axt und Hacken
bringen, damit er das Taubenhaus entzweischlagen
konnte: aber es war niemand darin. Und als sie ins Haus
kamen, lag Aschenputtel in seinen schmutzigen Kleidern
in der Asche, und ein trübes Öllämpchen brannte im
Schornstein; denn Aschenputtel war geschwind aus dem
Taubenhaus hinten herabgesprungen, und war zu dem
Haselbäumchen gelaufen; da hatte es die schönen Kleider
abgezogen und aufs Grab gelegt, und der Vogel hatte sie

wieder weggenommen, und dann hatte es sich in seinem
grauen Kittelchen in die Küche zur Asche gesetzt.

Am andern Tag, als das Fest von neuem anhub, und
die Eltern und Stiefschwestern wieder fort waren, ging
Aschenputtel zu dem Haselbaum und sprach:

> „Bäumchen, rüttel dich und schüttel dich,
> Wirf Gold und Silber über mich."

Da warf der Vogel ein noch viel stolzeres Kleid herab als
am vorigen Tag. Und als es mit diesem Kleide auf der
Hochzeit erschien, erstaunte jedermann über seine Schönheit. Der Königssohn aber hatte gewartet, bis es kam,
nahm es gleich bei der Hand und tanzte nur allein mit
ihm. Wenn die andern kamen und es aufforderten, sprach
er: „Das ist meine Tänzerin." Als es nun Abend war,
wollte es fort, und der Königssohn ging ihm nach und
wollte sehen, in welches Haus es ging; aber es sprang ihm
fort und in den Garten hinter dem Haus. Darin stand ein
schöner großer Baum, an dem die herrlichsten Birnen hingen, es kletterte so behend wie ein Eichhörnchen zwischen
die Äste, und der Königssohn wußte nicht, wo es hingekommen war. Er wartete aber, bis der Vater kam, und
sprach zu ihm: „Das fremde Mädchen ist mir entwischt,
und ich glaube, es ist auf den Birnbaum gesprungen."
Der Vater dachte: „Sollte es Aschenputtel sein?", ließ sich
die Axt holen und hieb den Baum um, aber es war niemand darauf. Und als sie in die Küche kamen, lag
Aschenputtel da in der Asche, wie sonst auch, denn es war
auf der andern Seite vom Baum herabgesprungen, hatte
dem Vogel auf dem Haselbäumchen die schönen Kleider
wiedergebracht und sein graues Kittelchen angezogen.

Am dritten Tag, als die Eltern und Schwestern fort
waren, ging Aschenputtel wieder zu seiner Mutter Grab
und sprach zu dem Bäumchen:

„Bäumchen, rüttel dich und schüttel dich,
  Wirf Gold und Silber über mich."

Nun warf ihm der Vogel ein Kleid herab, das war so
prächtig und glänzend, wie es noch keins gehabt hatte,
und die Pantoffeln waren ganz golden. Als es in dem
Kleid zur Hochzeit kam, wußten sie alle nicht, was sie
vor Verwunderung sagen sollten. Der Königssohn tanzte
ganz allein mit ihm, und wenn es einer aufforderte,
sprach er: „Das ist meine Tänzerin."

Als es nun Abend war, wollte Aschenputtel fort, und
der Königssohn wollte es begleiten, aber es entsprang
ihm so geschwind, daß er nicht folgen konnte. Der Königssohn hatte aber eine List gebraucht und hatte die
ganze Treppe mit Pech bestreichen lassen; da war, als es
hinabsprang, der linke Pantoffel des Mädchens hängen-
geblieben. Der Königssohn hob ihn auf, und er war
klein und zierlich und ganz golden. Am nächsten Morgen
ging er damit zu dem Mann und sagte zu ihm: „Keine
andere soll meine Gemahlin werden als die, an deren
Fuß dieser goldene Schuh paßt." Da freuten sich die beiden Schwestern, denn sie hatten schöne Füße. Die älteste
ging mit dem Schuh in die Kammer und wollte ihn an-
probieren, und die Mutter stand dabei. Aber sie konnte
mit der großen Zehe nicht hineinkommen, und der Schuh
war ihr zu klein, da reichte ihr die Mutter ein Messer
und sprach: „Hau die Zehe ab; wann du Königin bist, so
brauchst du nicht mehr zu Fuß zu gehen." Das Mädchen
hieb die Zehe ab, zwängte den Fuß in den Schuh, verbiß
den Schmerz und ging heraus zum Königssohn. Da nahm
er sie als seine Braut aufs Pferd und ritt mit ihm fort.
Sie mußten aber an dem Grabe vorbei, da saßen die
zwei Täubchen auf dem Haselbäumchen und riefen:

„Rucke di guck, rucke di guck,
  Blut ist im Schuck (Schuh):

> Der Schuck ist zu klein,
> Die rechte Braut sitzt noch daheim.“

Da blickte er auf ihren Fuß und sah, wie das Blut her-
ausquoll. Er wendete sein Pferd um, brachte die falsche
Braut wieder nach Haus und sagte, das wäre nicht die
rechte, die andere Schwester solle den Schuh anziehen.
Da ging diese in die Kammer und kam mit den Zehen
glücklich in den Schuh, aber die Ferse war zu groß. Da
reichte ihr die Mutter ein Messer und sprach: „Hau ein
Stück von der Ferse ab; wann du Königin bist, brauchst
du nicht mehr zu Fuß zu gehen.“ Das Mädchen hieb ein
Stück von der Ferse ab, zwängte den Fuß in den Schuh,
verbiß den Schmerz und ging heraus zum Königssohn.
Da nahm er sie als seine Braut aufs Pferd und ritt mit
ihr fort. Als sie an dem Haselbäumchen vorbeikamen,
saßen die zwei Täubchen darauf und riefen:

> „Rucke di guck, rucke di guck,
> Blut ist im Schuck:
> Der Schuck ist zu klein,
> Die rechte Braut sitzt noch daheim.“

Er blickte nieder auf ihren Fuß und sah, wie das Blut
aus dem Schuh quoll und an den weißen Strümpfen ganz
rot heraufgestiegen war. Da wendete er sein Pferd und
brachte die falsche Braut wieder nach Haus. „Das ist
auch nicht die rechte“, sprach er, „habt ihr keine andere
Tochter?“ — „Nein“, sagte der Mann, „nur von meiner
verstorbenen Frau ist noch ein kleines verbuttetes Aschenputtel da: das kann unmöglich die Braut sein.“ Der
Königssohn sprach, er sollte es heraufschicken, die Mutter
aber antwortete: „Ach nein, das ist viel zu schmutzig,
das darf sich nicht sehen lassen.“ Er wollte es aber durchaus haben, und Aschenputtel mußte gerufen werden. Da

wusch es sich erst Hände und Angesicht rein, ging dann
hin und neigte sich vor dem Königssohn, der ihm den
goldenen Schuh reichte. Dann setzte es sich auf einen
Schemel, zog den Fuß aus dem schweren Holzschuh und
steckte ihn in den Pantoffel, der war wie angegossen.
Und als es sich in die Höhe richtete und der König ihm
ins Gesicht sah, so erkannte er das schöne Mädchen, das
mit ihm getanzt hatte, und rief: „Das ist die rechte
Braut!" Die Stiefmutter und die beiden Schwestern
erschraken und wurden bleich vor Ärger; er aber nahm
Aschenputtel aufs Pferd und ritt mit ihm fort. Als sie
an dem Haselbäumchen vorbeikamen, riefen die zwei
weißen Täubchen:

> „Rucke di guck, rucke di guck,
> Kein Blut im Schuck:
> Der Schuck ist nicht zu klein,
> Die rechte Braut, die führt er heim."

Und als sie das gerufen hatten, kamen sie beide herab-
geflogen und setzten sich dem Aschenputtel auf die
Schultern, eine rechts, die andere links, und blieben da
sitzen.

Als die Hochzeit mit dem Königssohn sollte gehalten
werden, kamen die falschen Schwestern und wollten sich
einschmeicheln und teil an seinem Glück nehmen. Als
die Brautleute nun zur Kirche gingen, war die älteste
zur rechten, die jüngste zur linken Seite; da pickten die
Tauben einer jeden das eine Auge aus. Hernach, als sie
herausgingen, war die älteste zur Linken und die jüngste
zur Rechten; da pickten die Tauben einer jeden das andere Auge aus. Und waren sie also für ihre Bosheit und
Falschheit mit Blindheit auf ihr Lebtag gestraft.

Frau Holle

Eine Witwe hatte zwei Töchter, davon war die eine
schön und fleißig, die andere häßlich und faul. Sie hatte
aber die häßliche und faule, weil sie ihre rechte Tochter
war, viel lieber, und die andere mußte alle Arbeit tun
und der Aschenputtel im Hause sein. Das arme Mädchen
mußte sich täglich auf die große Straße bei einem Brunnen
setzen und mußte so viel spinnen, das ihm das Blut aus
den Fingern sprang. Nun trug es sich zu, daß die Spule
einmal ganz blutig war, da bückte es sich damit in den
Brunnen und wollte sie abwaschen; sie sprang ihm aber
aus der Hand und fiel hinab. Es weinte, lief zur Stiefmutter und erzählte ihr das Unglück. Sie schalt es aber
so heftig und war so unbarmherzig, daß sie sprach: „Hast
du die Spule hinunterfallen lassen, so hol sie auch wieder
herauf.“ Da ging das Mädchen zu dem Brunnen zurück
und wußte nicht, was es anfangen sollte; und in seiner
Herzensangst sprang es in den Brunnen hinein, um die
Spule zu holen. Es verlor die Besinnung, und als es erwachte und wieder zu sich selber kam, war es auf einer
schönen Wiese, wo die Sonne schien und viel tausend
Blumen standen. Auf dieser Wiese ging es fort und kam
zu einem Backofen, der war voller Brot; das Brot aber
rief: „Ach, zieh mich raus, zieh mich raus, sonst verbrenn' ich: ich bin schon längst ausgebacken.“ Da trat es
herzu und holte mit dem Brotschieber alles nacheinander
heraus. Danach ging es weiter und kam zu einem Baum,
der hing voll Äpfel und rief ihm zu: „Ach, schüttel
mich, schüttel mich, wir Äpfel sind alle miteinander
reif.“ Da schüttelte es den Baum, daß die Äpfel fielen,
als regneten sie, und schüttelte, bis keiner mehr oben
war; und als es alle in einen Haufen zusammengelegt
hatte, ging es wieder weiter. Endlich kam es zu einem
kleinen Haus, daraus guckte eine alte Frau, weil sie aber

so große Zähne hatte, ward ihm angst, und es wollte fortlaufen. Die alte Frau aber rief ihm nach: „Was fürchtest du dich, liebes Kind? Bleib bei mir, wenn du alle Arbeit im Hause ordentlich tun willst, so soll dir's gut gehn. Du mußt nur achtgeben, daß du mein Bett gut machst und es fleißig aufschüttelst, daß die Federn fliegen, dann schneit es in der Welt*; ich bin die Frau Holle." Weil die Alte ihm so gut zusprach, so faßte sich das Mädchen ein Herz, willigte ein und begab sich in ihren Dienst. Es besorgte auch alles nach ihrer Zufriedenheit und schüttelte ihr das Bett immer gewaltig auf, daß die Federn wie Schneeflocken umherflogen; dafür hatte es auch ein gut Leben bei ihr, kein böses Wort, und alle Tage Gesottenes und Gebratenes. Nun war es eine Zeitlang bei der Frau Holle, da ward es traurig und wußte anfangs selbst nicht, was ihm fehlte, endlich merkte es, daß es Heimweh war; ob es ihm hier gleich vieltausendmal besser ging als zu Haus, so hatte es doch ein Verlangen dahin. Endlich sagte es zu ihr: „Ich habe den Jammer nach Haus kriegt, und wenn es mir auch noch so gut hier unten geht, so kann ich doch nicht länger bleiben, ich muß wieder hinauf zu den Meinigen." Die Frau Holle sagte: „Es gefällt mir, daß du wieder nach Hause verlangst, und weil du mir so treu gedient hast, so will ich dich selbst wieder hinaufbringen." Sie nahm es darauf bei der Hand und führte es vor ein großes Tor. Das Tor ward aufgetan, und wie das Mädchen gerade darunterstand, fiel ein gewaltiger Goldregen, und alles Gold blieb an ihm hängen, so daß es über und über davon bedeckt war. „Das sollst du haben, weil du so fleißig gewesen bist", sprach die Frau Holle und gab ihm auch die Spule wieder, die ihm in den Brunnen gefallen war. Darauf ward das Tor verschlossen, und das

---

* Darum sagt man in Hessen, wenn es schneit, die Frau Holle macht ihr Bett.

Mädchen befand sich oben auf der Welt, nicht weit von seiner Mutter Haus; und als es in den Hof kam, saß der Hahn auf dem Brunnen und rief:

„Kikeriki,
Unsere goldene Jungfrau ist wieder hie."

Da ging es hinein zu seiner Mutter, und weil es so mit Gold bedeckt ankam, ward es von ihr und der Schwester gut aufgenommen.

Das Mädchen erzählte alles, was ihm begegnet war, und als die Mutter hörte, wie es zu dem großen Reichtum gekommen war, wollte sie der andern häßlichen und faulen Tochter gerne dasselbe Glück verschaffen. Die mußte sich an den Brunnen setzen und spinnen; und damit ihre Spule blutig ward, stach sie sich in die Finger und stieß sich die Hand in die Dornhecke. Dann warf sie die Spule in den Brunnen und sprang selber hinein. Sie kam, wie die andere, auf die schöne Wiese und ging auf demselben Pfade weiter. Als sie zu dem Backofen gelangte, schrie das Brot wieder: „Ach, zieh mich raus, zieh mich raus, sonst verbrenn' ich, ich bin schon längst ausgebacken." Die Faule aber antwortete: „Da hätt' ich Lust, mich schmutzig zu machen", und ging fort. Bald kam sie zu dem Apfelbaum, der rief: „Ach, schüttel mich, schüttel mich, wir Äpfel sind alle miteinander reif." Sie antwortete aber: „Du kommst mir recht, es könnte mir einer auf den Kopf fallen", und ging damit weiter. Als sie vor der Frau Holle Haus kam, fürchtete sie sich nicht, weil sie von ihren großen Zähnen schon gehört hatte, und verdingte sich gleich zu ihr. Am ersten Tag tat sie sich Gewalt an, war fleißig und folgte der Frau Holle, wenn sie ihr etwas sagte, denn sie dachte an das viele Gold, das sie ihr schenken würde; am zweiten Tag aber fing sie schon an zu faulenzen, am dritten noch mehr, da

wollte sie morgens gar nicht aufstehen. Sie machte auch
der Frau Holle das Bett nicht, wie sich's gebührte, und
schüttelte es nicht, daß die Federn aufflogen. Das ward
die Frau Holle bald müde und sagte ihr den Dienst auf.
Die Faule war das wohl zufrieden und meinte, nun
würde der Goldregen kommen; die Frau Holle führte
sie auch zu dem Tor, als sie aber darunterstand, ward
statt des Goldes ein großer Kessel voll Pech ausgeschüttet. „Das ist zur Belohnung deiner Dienste", sagte die
Frau Holle und schloß das Tor zu. Da kam die Faule
heim, aber sie war ganz mit Pech bedeckt, und der Hahn
auf dem Brunnen, als er sie sah, rief:

> „Kikeriki,
> Unsere schmutzige Jungfrau ist wieder hie."

Das Pech aber blieb fest an ihr hängen und wollte, solange sie lebte, nicht abgehen.

Rotkäppchen

Es war einmal eine kleine süße Dirne, die hatte jedermann lieb, der sie nur ansah, am allerliebsten aber ihre
Großmutter, die wußte gar nicht, was sie alles dem
Kinde geben sollte. Einmal schenkte sie ihm ein Käppchen von rotem Sammet, und weil ihm das so wohl stand
und es nichts anders mehr tragen wollte, hieß es nur das
Rotkäppchen. Eines Tages sprach seine Mutter zu ihm:
„Komm, Rotkäppchen, da hast du ein Stück Kuchen und
eine Flasche Wein, bring das der Großmutter hinaus, sie
ist krank und schwach und wird sich daran laben. Mach
dich auf, bevor es heiß wird, und wenn du hinaus-
kommst, so geh hübsch sittsam und lauf nicht vom Weg

ab, sonst fällst du und zerbrichst das Glas und die Großmutter hat nichts. Und wenn du in ihre Stube kommst,
so vergiß nicht guten Morgen zu sagen, und guck nicht
erst in allen Ecken herum."

„Ich will schon alles gut machen", sagte Rotkäppchen
zur Mutter und gab ihr die Hand darauf. Die Großmutter aber wohnte draußen im Wald, eine halbe Stunde
vom Dorf. Wie nun Rotkäppchen in den Wald kam,

begegnete ihm der Wolf. Rotkäppchen aber wußte nicht,
was das für ein böses Tier war, und fürchtete sich nicht
vor ihm. „Guten Tag, Rotkäppchen", sprach er. „Schönen Dank, Wolf." — „Wo hinaus so früh, Rotkäppchen?"
— „Zur Großmutter." — „Was trägst du unter der
Schürze?" — „Kuchen und Wein; gestern haben wir ge-
backen, da soll sich die kranke und schwache Großmutter
etwas zugut tun und sich damit stärken." — „Rotkäppchen, wo wohnt deine Großmutter?" — „Noch eine
gute Viertelstunde weiter im Wald, unter den drei großen Eichbäumen, da steht ihr Haus, unten sind die Nuß-
hecken, das wirst du ja wissen", sagte Rotkäppchen. Der
Wolf dachte bei sich: „Das junge zarte Ding, das ist ein
fetter Bissen, der wird noch besser schmecken als die Alte:
du mußt es listig anfangen, damit du beide erschnappst."
Da ging er ein Weilchen neben Rotkäppchen her, dann
sprach er: „Rotkäppchen, sieh einmal die schönen Blumen, die ringsumher stehen, warum guckst du dich nicht
um? Ich glaube, du hörst gar nicht, wie die Vöglein so
lieblich singen? Du gehst ja für dich hin, als wenn du
zur Schule gingst, und ist so lustig haußen in dem Wald."

Rotkäppchen schlug die Augen auf, und als es sah, wie
die Sonnenstrahlen durch die Bäume hin und her tanzten und alles voll schöner Blumen stand, dachte es: „Wenn
ich der Großmutter einen frischen Strauß mitbringe, der
wird ihr auch Freude machen; es ist so früh am Tag, daß
ich doch zu rechter Zeit ankomme", lief vom Wege ab
in den Wald hinein und suchte Blumen. Und wenn es
eine gebrochen hatte, meinte es, weiter hinaus stände eine
schönere, und lief danach, und geriet immer tiefer in den
Wald hinein. Der Wolf aber ging geradeswegs nach dem
Haus der Großmutter und klopfte an die Türe. „Wer ist
draußen?" — „Rotkäppchen, das bringt dir Kuchen und
Wein, mach auf." — „Drück nur auf die Klinke", rief
die Großmutter, „ich bin zu schwach und kann nicht auf-

stehen." Der Wolf drückte auf die Klinke, die Tür sprang auf und er ging, ohne ein Wort zu sprechen, gerade zum Bett der Großmutter und verschluckte sie. Dann tat er ihre Kleider an, setzte ihre Haube auf, legte sich in ihr Bett und zog die Vorhänge vor.

Rotkäppchen aber war nach den Blumen herumgelaufen, und als es so viel zusammen hatte, daß es keine mehr tragen konnte, fiel ihm die Großmutter wieder ein, und es machte sich auf den Weg zu ihr. Es wunderte sich, daß die Türe aufstand, und wie es in die Stube trat, so kam es ihm so seltsam darin vor, daß es dachte: „Ei, du mein Gott, wie ängstlich wird mir's heute zumut, und bist sonst so gerne bei der Großmutter!" — Es rief: „Guten Morgen", bekam aber keine Antwort. Darauf ging es zum Bett und zog die Vorhänge zurück: da lag die Großmutter und hatte die Haube tief ins Gesicht gesetzt und sah so wunderlich aus. „Ei, Großmutter, was hast du für große Ohren!" — „Daß ich dich besser hören kann." — „Ei, Großmutter, was hast du für große Augen!" — „Daß ich dich besser sehen kann." — „Ei, Großmutter, was hast du für große Hände!" — „Daß ich dich besser packen kann." — „Aber, Großmutter, was hast du für ein entsetzlich großes Maul!" — „Daß ich dich besser fressen kann." Kaum hatte der Wolf das gesagt, so tat er einen Satz aus dem Bette und verschlang das arme Rotkäppchen.

Wie der Wolf sein Gelüsten gestillt hatte, legte er sich wieder ins Bett, schlief ein und fing an überlaut zu schnarchen. Der Jäger ging eben an dem Haus vorbei und dachte: „Wie die alte Frau schnarcht, du mußt doch sehen, ob ihr etwas fehlt." Da trat er in die Stube, und wie er vor das Bett kam, so sah er, daß der Wolf darin lag. „Finde ich dich hier, du alter Sünder", sagte er, „ich habe dich lange gesucht." Nun wollte er seine Büchse anlegen, da fiel ihm ein, der Wolf könnte die Großmutter

gefressen haben, und sie wäre noch zu retten: schoß nicht,
sondern nahm eine Schere, und fing an, dem schlafenden
Wolf den Bauch aufzuschneiden. Wie er ein paar Schnitte
getan hatte, da sah er das rote Käppchen leuchten, und
noch ein paar Schnitte, da sprang das Mädchen heraus

Darauf ging es zum Bett und zog die Vorhänge zurück

und rief: „Ach, wie war ich erschrocken, wie war's so
dunkel in dem Wolf seinem Leib." Und dann kam die
alte Großmutter auch noch lebendig heraus und konnte
kaum atmen. Rotkäppchen aber holte geschwind große
Steine, damit füllten sie dem Wolf den Leib. und wie er
aufwachte, wollte er fortspringen, aber die Steine waren
so schwer, daß er gleich niedersank und sich totfiel.

Da waren alle drei vergnügt; der Jäger zog dem Wolf

den Pelz ab und ging damit heim, die Großmutter aß
den Kuchen und trank den Wein, den Rotkäppchen gebracht hatte, und erholte sich wieder, Rotkäppchen aber
dachte: „Du willst dein Lebtag nicht wieder allein vom
Wege ab in den Wald laufen, wenn dir's die Mutter verboten hat."

Es wird auch erzählt, daß einmal, als Rotkäppchen
der alten Großmutter wieder Gebackenes brachte, ein
anderer Wolf ihm zugesprochen und es vom Wege habe
ableiten wollen. Rotkäppchen aber hütete sich und ging
geradefort seines Wegs und sagte der Großmutter, daß
es dem Wolf begegnet wäre, der ihm guten Tag gewünscht, aber so bös aus den Augen geguckt hätte:
„Wenn's nicht auf offener Straße gewesen wäre, er hätte
mich gefressen." — „Komm", sagte die Großmutter, „wir
wollen die Türe verschließen, daß er nicht herein kann."
Bald danach klopfte der Wolf an und rief: „Mach auf,
Großmutter, ich bin das Rotkäppchen, ich bring' dir Gebackenes." Sie schwiegen aber still und machten die Tür
nicht auf; da schlich der Graukopf etlichemal um das
Haus, sprang endlich aufs Dach und wollte warten, bis
Rotkäppchen abends nach Haus ginge, dann wollte er
ihm nachschleichen und wollt's in der Dunkelheit fressen.
Aber die Großmutter merkte, was er im Sinn hatte. Nun
stand vor dem Haus ein großer Steintrog, da sprach sie
zu dem Kind: „Nimm den Eimer, Rotkäppchen, gestern
hab' ich Würste gekocht, da trag das Wasser, worin sie
gekocht sind, in den Trog." Rotkäppchen trug so lange
bis der große Trog ganz voll war. Da stieg der Geruch
von den Würsten dem Wolf in die Nase, er schnupperte
und guckte hinab, endlich machte er den Hals so lang,
daß er sich nicht mehr halten konnte und anfing zu rut-
schen; so rutschte er vom Dach herab, gerade in den
großen Trog hinein und ertrank. Rotkäppchen aber ging
fröhlich nach Haus, und tat ihm niemand etwas zuleid.

Die Bremer Stadtmusikanten

Es hatte ein Mann einen Esel, der schon lange Jahre die Säcke unverdrossen zur Mühle getragen hatte, dessen Kräfte aber nun zu Ende gingen, so daß er zur Arbeit immer untauglicher ward. Da dachte der Herr daran, ihn aus dem Futter zu schaffen, aber der Esel merkte, daß kein guter Wind wehte, lief fort und machte sich auf den Weg nach Bremen: dort, meinte er, könnte er ja Stadtmusikant werden. Als er ein Weilchen fortgegangen war, fand er einen Jagdhund auf dem Wege liegen, der jappte wie einer, der sich müde gelaufen hat. „Nun, was jappst du so, Packan?" fragte der Esel. „Ach", sagte der Hund, „weil ich alt bin und jeden Tag schwächer werde, auch auf der Jagd nicht mehr fort kann, hat mich mein Herr wollen totschlagen, da hab' ich Reißaus genommen; aber womit soll ich nun mein Brot verdienen?" — „Weißt du was", sprach der Esel, „ich gehe nach Bremen und werde dort Stadtmusikant, geh mit und laß dich auch bei der Musik annehmen. Ich spiele die Laute, und du schlägst die Pauken." Der Hund war's zufrieden, und sie gingen weiter. Es dauerte nicht lange, so saß da eine Katze an dem Weg und machte ein Gesicht wie drei Tage Regenwetter. „Nun, was ist dir in die Quere gekommen, alter Bartputzer?" sprach der Esel. „Wer kann da lustig sein, wenn's einem an den Kragen geht", antwortete die Katze, „weil ich nun zu Jahren komme, meine Zähne stumpf werden und ich lieber hinter dem Ofen sitze und spinne als nach Mäusen herumjage, hat mich meine Frau ersäufen wollen; ich habe mich zwar noch fortgemacht, aber nun ist guter Rat teuer: wo soll ich hin?" — „Geh mit uns nach Bremen, du verstehst dich doch auf die Nachtmusik, da kannst du ein Stadtmusikant werden." Die Katze hielt das für gut und ging mit. Darauf kamen die drei Landesflüchtigen an einem Hof vorbei, da saß

auf dem Tor der Haushahn und schrie aus Leibeskräften.
„Du schreist einem durch Mark und Bein", sprach der
Esel, „was hast du vor?" — „Da hab' ich gut Wetter
prophezeit", sprach der Hahn, „weil unserer lieben
Frauen Tag ist, wo sie dem Christkindlein die Hemdchen
gewaschen hat und sie trocknen will; aber weil morgen
zum Sonntag Gäste kommen, so hat die Hausfrau doch
kein Erbarmen, und hat der Köchin gesagt, sie wollte
mich morgen in der Suppe essen, und da soll ich mir heut
abend den Kopf abschneiden lassen. Nun schrei ich aus
vollem Hals, solang' ich noch kann." — „Ei was, du Rot-
kopf", sagte der Esel, „zieh lieber mit uns fort, wir gehen
nach Bremen, etwas Besseres als den Tod findest du überall; du hast eine gute Stimme, und wenn wir zusammen
musizieren, so muß es eine Art haben." Der Hahn ließ
sich den Vorschlag gefallen, und sie gingen alle viere zusammen fort.

Sie konnten aber die Stadt Bremen in einem Tag nicht
erreichen, und kamen abends in einen Wald, wo sie übernachten wollten. Der Esel und der Hund legten sich unter
einen großen Baum, die Katze und der Hahn machten
sich in die Äste, der Hahn aber flog bis in die Spitze, wo
es am sichersten für ihn war. Ehe er einschlief, sah er sich
noch einmal nach allen vier Winden um, da deuchte ihn,
er sähe in der Ferne ein Fünkchen brennen, und rief
seinen Gesellen zu, es müßte nicht gar weit ein Haus
sein, denn es scheine ein Licht. Sprach der Esel: „So müssen wir uns aufmachen und noch hingehen, denn hier ist
die Herberge schlecht." Der Hund meinte, ein paar
Knochen und etwas Fleisch dran täten ihm auch gut.
Also machten sie sich auf den Weg nach der Gegend, wo
das Licht war, und sahen es bald heller schimmern, und
es ward immer größer, bis sie vor ein hell erleuchtetes
Räuberhaus kamen. Der Esel, als der größte, näherte sich
dem Fenster und schaute hinein. „Was siehst du, Grau-

schimmel?" fragte der Hahn. „Was ich sehe?" antwortete
der Esel, „einen gedeckten Tisch mit schönem Essen und
Trinken, und Räuber sitzen daran und lassen's sich wohl
sein." — „Das wäre was für uns", sprach der Hahn. „Ja,
ja, ach, wären wir da!" sagte der Esel. Da ratschlagten
die Tiere, wie sie es anfangen müßten, um die Räuber
hinauszujagen, und fanden endlich ein Mittel. Der Esel
mußte sich mit den Vorderfüßen auf das Fenster stellen,
der Hund auf des Esels Rücken springen, die Katze auf
den Hund klettern, und endlich flog der Hahn hinauf
und setzte sich der Katze auf den Kopf. Wie das geschehen war, fingen sie auf ein Zeichen insgesamt an, ihre
Musik zu machen: der Esel schrie, der Hund bellte, die
Katze miaute und der Hahn krähte; dann stürzten sie
durch das Fenster in die Stube hinein, daß die Scheiben
klirrten. Die Räuber fuhren bei dem entsetzlichen Geschrei in die Höhe, meinten nicht anders, als ein Gespenst
käme herein, und flohen in größter Furcht in den Wald
hinaus. Nun setzten sich die vier Gesellen an den Tisch,
nahmen mit dem vorlieb, was übriggeblieben war, und
aßen, als wenn sie vier Wochen hungern sollten.

Wie die vier Spielleute fertig waren, löschten sie das
Licht aus und suchten sich eine Schlafstätte, jeder nach
seiner Natur und Bequemlichkeit. Der Esel legte sich auf
den Mist, der Hund hinter die Türe, die Katze auf den
Herd bei der warmen Asche, und der Hahn setzte sich
auf den Hahnenbalken: und weil sie müde waren von
ihrem langen Weg, schliefen sie auch bald ein. Als Mitternacht vorbei war und die Räuber von weitem sahen, daß
kein Licht mehr im Haus brannte, auch alles ruhig schien,
sprach der Hauptmann: „Wir hätten uns doch nicht
sollen ins Bockshorn jagen lassen", und hieß einen hingehen und das Haus untersuchen. Der Abgeschickte fand
alles still, ging in die Küche, ein Licht anzuzünden, und
weil er die glühenden, feurigen Augen der Katze für

lebendige Kohlen ansah, hielt er ein Schwefelhölzchen
daran, daß es Feuer fangen sollte. Aber die Katze verstand keinen Spaß, sprang ihm ins Gesicht, spie und
kratzte. Da erschrak er gewaltig, lief und wollte zur
Hintertüre hinaus, aber der Hund, der da lag, sprang
auf und biß ihn ins Bein; und als er über den Hof an
dem Miste vorbeirannte, gab ihm der Esel noch einen
tüchtigen Schlag mit dem Hinterfuß; der Hahn aber, der
vom Lärmen aus dem Schlaf geweckt und munter geworden war, rief vom Balken herab: „Kikeriki!" Da lief
der Räuber, was er konnte, zu seinem Hauptmann zurück und sprach: „Ach, in dem Haus sitzt eine greuliche
Hexe, die hat mich angehaucht und mit ihren langen
Fingern mir das Gesicht zerkratzt; und vor der Tür steht
ein Mann mit einem Messer, der hat mich ins Bein gestochen; und auf dem Hof liegt ein schwarzes Ungetüm,
das hat mit einer Holzkeule auf mich losgeschlagen; und
oben auf dem Dache, da sitzt der Richter, der rief:
‚Bringt mir den Schelm her.' Da machte ich, daß ich fort-
kam." Von nun an getrauten sich die Räuber nicht weiter
in das Haus, den vier Bremer Musikanten gefiel's aber
so wohl darin, daß sie nicht wieder heraus wollten. Und
der das zuletzt erzählt hat, dem ist der Mund noch warm.

Die kluge Else

Es war ein Mann, der hatte eine Tochter, die hieß die
kluge Else. Als sie nun erwachsen war, sprach der Vater:
„Wir wollen sie heiraten lassen." — „Ja", sagte die Mutter, „wenn nur einer käme, der sie haben wollte." Endlich
kam von weither einer, der hieß *Hans*, und hielt um sie
an, er machte aber die Bedingung, daß die kluge Else
auch recht gescheit wäre. „Oh", sprach der Vater, „die

hat Zwirn im Kopf", und die Mutter sagte: „Ach, die sieht den Wind auf der Gasse laufen und hört die Fliegen husten." — „Ja", sprach der Hans, „wenn sie nicht recht gescheit ist, so nehm ich sie nicht." Als sie nun zu Tisch saßen und gegessen hatten, sprach die Mutter: „Else, geh in den Keller und hol Bier." Da nahm die kluge Else den Krug von der Wand, ging in den Keller und klappte unterwegs brav mit dem Deckel, damit ihr die Zeit ja nicht lang würde. Als sie unten war, holte sie ein Stühlchen und stellte es vors Faß, damit sie sich nicht zu bücken brauchte und ihrem Rücken etwa nicht wehe täte und unverhofften Schaden nähme. Dann stellte sie die Kanne vor sich und drehte den Hahn auf, und während der Zeit, daß das Bier hineinlief, wollte sie doch ihre Augen nicht müßig lassen, sah oben an die Wand hinauf und erblickte nach vielem Hin- und Herschauen eine Kreuzhacke gerade über sich, welche die Maurer da aus Versehen hatten stecken lassen. Da fing die kluge Else an zu weinen und sprach: „Wenn ich den Hans kriege, und wir kriegen ein Kind, und das ist groß, und wir schicken das Kind in den Keller, daß es hier soll Bier zapfen, so fällt ihm die Kreuzhacke auf den Kopf und schlägt's tot." Da saß sie und weinte und schrie aus Leibeskräften über das bevorstehende Unglück. Die oben warteten auf den Trank, aber die kluge Else kam immer nicht. Da sprach die Frau zur Magd: „Geh doch hinunter in den Keller und sieh, wo die Else bleibt." Die Magd ging und fand sie vor dem Fasse sitzend und laut schreiend. „Else, was weinst du?" fragte die Magd. „Ach", antwortete sie, „soll ich nicht weinen? Wenn ich den Hans kriege, und wir kriegen ein Kind, und das ist groß und soll hier Trinken zapfen, so fällt ihm vielleicht die Kreuzhacke auf den Kopf und schlägt es tot." Da sprach die Magd: „Was haben wir für eine kluge Else!", setzte sich zu ihr und fing auch an, über das Unglück zu weinen.

Über eine Weile, als die Magd nicht wiederkam und die droben durstig nach dem Trank waren, sprach der Mann zum Knecht: „Geh doch hinunter in den Keller und sieh, wo die Else und die Magd bleibt." Der Knecht hing hinab, da saß die kluge Else und die Magd, und weinten beide zusammen. Da fragte er: „Was weint ihr denn?" — „Ach", sprach die Else, „soll ich nicht weinen? Wenn ich den Hans kriege, und wir kriegen ein Kind, und das ist groß und soll hier Trinken zapfen, so fällt ihm die Kreuzhacke auf den Kopf und schlägt's tot." Da sprach der Knecht: „Was haben wir für eine kluge Else!" setzte sich zu ihr und fing auch an laut zu heulen. Oben warteten sie auf den Knecht, als er aber immer nicht kam, sprach der Mann zur Frau: „Geh doch hinunter in den Keller und sieh, wo die Else bleibt." Die Frau ging hinab und fand alle drei in Wehklagen und fragte nach der Ursache, da erzählte ihr die Else auch, daß ihr zukünftiges Kind wohl würde von der Kreuzhacke totgeschlagen werden, wenn es erst groß wäre und Bier zapfen sollte und die Kreuzhacke fiele herab. Da sprach die Mutter gleichfalls: „Ach, was haben wir für eine kluge Else!" setzte sich hin und weinte mit. Der Mann oben wartete noch ein Weilchen, als aber seine Frau nicht wiederkam und sein Durst immer stärker ward, sprach er: „Ich muß nun selber in den Keller gehen und sehen, wo die Else bleibt." Als er aber in den Keller kam, und alle da beieinander saßen und weinten, und er die Ursache hörte, daß das Kind der Else schuld wäre, das sie vielleicht einmal zur Welt brächte und von der Kreuzhacke könnte totgeschlagen werden, wenn es gerade zur Zeit, wo sie herabfiele, darunter säße, Bier zu zapfen, da rief er: „Was für eine kluge Else!", setzte sich und weinte auch mit. Der Bräutigam blieb lange oben allein, da niemand wiederkommen wollte, dachte er: „Sie werden unten auf dich warten, du mußt auch hingehen und sehen, was sie

vorhaben." Als er hinabkam, saßen da fünfe und schrien
und jammerten ganz erbärmlich, einer immer besser als
der andere. „Was für ein Unglück ist denn geschehen?"
fragte er. „Ach, lieber Hans", sprach die Else, „wann
wir einander heiraten und haben ein Kind, und es ist
groß, und wir schicken's vielleicht hierher, Trinken zu
zapfen, da kann ihm ja die Kreuzhacke, die da oben ist
steckengeblieben, wenn sie herabfallen sollte, den Kopf
zerschlagen, daß es liegen bleibt; sollen wir da nicht
weinen?" — „Nun", sprach Hans, „mehr Verstand ist für
meinen Haushalt nicht nötig; weil du so eine kluge Else
bist, so will ich dich haben", packte sie bei der Hand und
nahm sie mit hinauf und hielt Hochzeit mit ihr.

Als sie den Hans eine Weile hatte, sprach er: „Frau,
ich will ausgehen arbeiten und uns Geld verdienen, geh
du ins Feld und schneid das Korn, daß wir Brot haben."
— „Ja, mein lieber Hans, das will ich tun." Nachdem der
Hans fort war, kochte sie sich einen guten Brei und nahm
ihn mit ins Feld. Als sie vor den Acker kam, sprach sie
zu sich selbst: „Was tu' ich? Schneid' ich ehr oder ess' ich
ehr? Hei, ich will erst essen." Nun aß sie ihren Topf mit
Brei aus, und als sie dick satt war, sprach sie wieder:
„Was tu' ich? Schneid' ich ehr oder schlaf' ich ehr? Hei,
ich will erst schlafen." Da legte sie sich ins Korn und
schlief ein. Der Hans war längst zu Haus, aber die Else
wollte nicht kommen, da sprach er: „Was hab' ich für
eine kluge Else, die ist so fleißig, daß sie nicht einmal
nach Haus kommt und ißt." Als sie aber noch immer
ausblieb und es Abend ward, ging der Hans hinaus und
wollte sehen, was sie geschnitten hätte: aber es war nichts
geschnitten, sondern sie lag im Korn und schlief. Da eilte
Hans geschwind heim und holte ein Vogelgarn mit kleinen Schellen und hängte es um sie herum; und sie schlief
noch immer fort. Dann lief er heim, schloß die Haustüre
zu und setzte sich auf seinen Stuhl und arbeitete. Endlich,

als es schon ganz dunkel war, erwachte die kluge Else,
und als sie aufstand, rappelte es um sie herum, und die
Schellen klingelten bei jedem Schritte, den sie tat. Da
erschrak sie, ward irre, ob sie auch wirklich die kluge
Else wäre und sprach: „Bin ich's oder bin ich's nicht?"
Sie wußte aber nicht, was sie darauf antworten sollte
und stand eine Zeitlang zweifelhaft; endlich dachte sie:
„Ich will nach Haus gehen und fragen, ob ich's bin oder
ob ich's nicht bin, die werden's ja wissen." Sie lief vor
ihre Haustüre, aber die war verschlossen; da klopfte sie
an das Fenster und rief: „Hans, ist die Else drinnen?" —
„Ja", antwortete Hans, „sie ist drinnen." Da erschrak sie
und sprach: „Ach Gott, dann bin ich's nicht", und ging
vor eine andere Tür; als aber die Leute das Klingeln der
Schellen hörten, wollten sie nicht aufmachen, und sie
konnte nirgends unterkommen. Da lief sie fort zum
Dorfe hinaus, und niemand hat sie wieder gesehen.

Daumerlings Wanderschaft

Ein Schneider hatte einen Sohn, der war klein geraten
und nicht größer als ein Daumen, darum hieß er auch der
Daumerling. Er hatte aber Courage im Leibe und sagte
zu seinem Vater: „Vater, ich soll und muß in die Welt
hinaus." — „Recht, mein Sohn", sprach der Alte, nahm
eine lange Stopfnadel und machte am Licht einen Knoten
von Siegellack daran, „da hast du auch einen Degen mit
auf den Weg." Nun wollte das Schneiderlein noch einmal
mitessen und hüpfte in die Küche, um zu sehen, was die
Frau Mutter zu guter Letzt gekocht hätte. Es war aber
eben angerichtet, und die Schüssel stand auf dem Herd.
Da sprach es: „Frau Mutter, was gibt's heute zu essen?"
— „Sieh du selbst zu", sagte die Mutter. Da sprang

Daumerling auf den Herd und guckte in die Schüssel: weil er aber den Hals zu weit hineinstreckte, faßte ihn der Dampf von der Speise und trieb ihn zum Schornstein hinaus. Eine Weile ritt er auf dem Dampf in der Luft herum, bis er endlich wieder auf die Erde herabsank. Nun war das Schneiderlein draußen in der weiten Welt, zog umher, ging auch bei einem Meister in die Arbeit, aber das Essen war ihm nicht gut genug. „Frau Meisterin, wenn Sie uns kein besser Essen gibt", sagte Daumerling, „so gehe ich fort und schreibe morgen früh mit Kreide an Ihre Haustüre: Kartoffel zu viel, Fleisch zu wenig, adies, Herr Kartoffelkönig." — „Was willst du wohl, Grashüpfer?" sagte die Meisterin, ward bös, ergriff einen Lappen und wollte nach ihm schlagen; mein Schneiderlein kroch behende unter den Fingerhut, guckte unten hervor und streckte der Frau Meisterin die Zunge heraus. Sie hob den Fingerhut auf und wollte ihn packen, aber der kleine Daumerling hüpfte in die Lappen, und wie die Meisterin die Lappen auseinanderwarf und ihn suchte, machte er sich in den Tischritz. „He, he, Frau Meisterin", rief er und steckte den Kopf in die Höhe, und wenn sie zuschlagen wollte, sprang er in die Schublade hinunter. Endlich aber erwischte sie ihn doch und jagte ihn zum Haus hinaus.

Das Schneiderlein wanderte und kam in einen großen Wald; da begegnete ihm ein Haufen Räuber, die hatten vor, des Königs Schatz zu bestehlen. Als sie das Schneiderlein sahen, dachten sie: „So ein kleiner Kerl kann durch ein Schlüsselloch kriechen und uns als Dietrich dienen." — „Heda", rief einer, „du Riese Goliath, willst du mit zur Schatzkammer gehen? Du kannst dich hineinschleichen und das Geld herauswerfen." Der Daumerling besann sich, endlich sagte er „ja" und ging mit zu der Schatzkammer. Da besah er die Türe oben und unten, ob kein Ritz darin wäre. Nicht lange, so entdeckte er einen,

der breit genug war, um ihn einzulassen. Er wollte auch
gleich hindurch, aber eine von den beiden Schildwachen,
die vor der Tür standen, bemerkte ihn und sprach zu
der andern: „Was kriecht da für eine häßliche Spinne?
ich will sie tottreten." — „Laß das arme Tier gehen",
sagte die andere, „es hat dir ja nichts getan." Nun kam
der Daumerling durch den Ritz glücklich in die Schatzkammer, öffnete das Fenster, unter welchem die Räuber
standen, und warf ihnen einen Taler nach dem andern
hinaus. Als das Schneiderlein in der besten Arbeit war,
hörte es den König kommen, der seine Schatzkammer
besehen wollte, und verkroch sich eilig. Der König
merkte, daß viele harte Taler fehlten, konnte aber nicht
begreifen, wer sie sollte gestohlen haben, da Schlösser
und Riegel in gutem Stand waren und alles wohl verwahrt schien. Da ging er wieder fort und sprach zu den
zwei Wachen: „Habt acht, es ist einer hinter dem Geld."
Als der Daumerling nun seine Arbeit von neuem anfing,
hörten sie das Geld drinnen sich regen und klingen klipp,
klapp, klipp, klapp. Sie sprangen geschwind hinein und
wollten den Dieb greifen. Aber das Schneiderlein, das
sie kommen hörte, war noch geschwinder, sprang in eine
Ecke und deckte einen Taler über sich, so daß nichts von
ihm zu sehen war, dabei neckte es noch die Wachen und
rief: „Hier bin ich." Die Wachen liefen dahin, wie sie
aber ankamen, war es schon in eine andere Ecke unter
einen Taler gehüpft und rief: „He, hier bin ich." Die
Wachen sprangen eilends herbei, Daumerling war aber
längst in einer dritten Ecke und rief: „He, hier bin ich."
Und so hatte es sie zu Narren und trieb sie so lange in
der Schatzkammer herum, bis sie müde waren und davon-
gingen. Nun warf es die Taler nach und nach alle hinaus: den letzten schnellte es mit aller Macht, hüpfte dann
selber noch behendiglich darauf und flog mit ihm durchs
Fenster hinab. Die Räuber machten ihm große Lob-

sprüche: „Du bist ein gewaltiger Held", sagten sie, „willst
du unser Hauptmann werden?" Daumerling bedankte
sich aber und sagte, er wollte erst die Welt sehen. Sie
teilten nun die Beute, das Schneiderlein aber verlangte
nur einen Kreuzer, weil es nicht mehr tragen konnte.

Darauf schnallte es seinen Degen wieder um den Leib,
sagte den Räubern guten Tag und nahm den Weg zwischen die Beine. Es ging bei einigen Meistern in Arbeit,
aber sie wollte ihm nicht schmecken: endlich verdingte es
sich als Hausknecht in einem Gasthof. Die Mägde aber
konnten es nicht leiden, denn ohne daß sie ihn sehen
konnten, sah er alles, was sie heimlich taten, und gab bei
der Herrschaft an, was sie sich von den Tellern genommen und aus dem Keller für sich weggeholt hatten. Da
sprachen sie: „Wart, wir wollen dir's eintränken", und
verabredeten untereinander, ihm einen Schabernack an-
zutun. Als die eine Magd bald hernach im Garten mähte
und den Daumerling da herumspringen und an den
Kräutern auf und ab kriechen sah, mähte sie ihn mit dem
Gras schnell zusammen, band alles in ein großes Tuch
und warf es heimlich den Kühen vor. Nun war eine
große schwarze darunter, die schluckte ihn mit hinab,
ohne ihm weh zu tun. Unten gefiel's ihm aber schlecht,
denn es war da ganz finster und brannte auch kein Licht.
Als die Kuh gemelkt wurde, da rief er:

„Strip, strap, stroll,
      Ist der Eimer bald voll?"

Doch bei dem Geräusch des Melkens wurde er nicht verstanden. Hernach trat der Hausherr in den Stall und
sprach: „Morgen soll die Kuh da geschlachtet werden."
Da ward dem Daumerling angst, daß er mit heller Stimme
rief: „Laßt mich erst heraus, ich sitze ja drin." Der Herr
hörte das wohl, wußte aber nicht, wo die Stimme her-

kam. „Wo bist du?" fragte er. „In der schwarzen", antwortete er, aber der Herr verstand nicht, was das heißen
sollte, und ging fort.

Am andern Morgen ward die Kuh geschlachtet. Glücklicherweise traf bei dem Zerhacken und Zerlegen den
Daumerling kein Hieb, aber er geriet unter das Wurst-
fleisch. Wie nun der Metzger herbeitrat und seine Arbeit
anfing, schrie er aus Leibeskräften: „Hackt nicht zu tief,
hackt nicht zu tief, ich stecke ja drunter." Vor dem Lärmen der Hackmesser hörte das kein Mensch. Nun hatte
der arme Daumerling seine Not, aber die Not macht
Beine, und da sprang er so behend zwischen den Hack-
messern durch, daß ihn keins anrührte und er mit heiler
Haut davonkam. Aber entspringen konnte er auch nicht:
es war keine andere Auskunft, er mußte sich mit den
Speckbrocken in eine Blutwurst hinunterstopfen lassen.
Da war das Quartier etwas enge, und dazu ward er noch
in den Schornstein zum Räuchern aufgehängt, wo ihm
Zeit und Weile gewaltig lang wurde. Endlich im Winter
wurde er heruntergeholt, weil die Wurst einem Gast
sollte vorgesetzt werden. Als nun die Frau Wirtin die
Wurst in Scheiben schnitt, nahm er sich in acht, daß er
den Kopf nicht zu weit vorstreckte, damit ihm nicht etwa
der Hals mit abgeschnitten würde: endlich ersah er seinen
Vorteil, machte sich Luft und sprang heraus.

In dem Hause aber, wo es ihm so übel ergangen war,
wollte das Schneiderlein nicht länger mehr bleiben, sondern begab sich gleich wieder auf die Wanderung. Doch
seine Freiheit dauerte nicht lange. Auf dem offenen Feld
kam es einem Fuchs in den Weg, der schnappte es in
Gedanken auf. „Ei, Herr Fuchs", rief 's Schneiderlein,
„ich bin's ja, der in Eurem Hals steckt, laßt mich wieder
frei." — „Du hast recht", antwortete der Fuchs, „an dir
habe ich doch so viel wie nichts; versprichst du mir die
Hühner in deines Vaters Hof, so will ich dich loslassen."

— „Von Herzen gern", antwortete der Daumerling, „die Hühner sollst du alle haben, das gelobe ich dir." Da ließ ihn der Fuchs wieder los und trug ihn selber heim. Als der Vater sein liebes Söhnlein wiedersah, gab er dem Fuchs gern alle die Hühner, die er hatte. „Dafür bring ich dir auch ein schön Stück Geld mit", sprach der Daumerling und reichte ihm den Kreuzer, den er auf seiner Wanderschaft erworben hatte.

„Warum hat aber der Fuchs die armen Piephühner zu fressen kriegt?" — „Ei, du Narr, deinem Vater wird ja wohl sein Kind lieber sein als die Hühner auf dem Hof."

Dornröschen

Vorzeiten war ein König und eine Königin, die sprachen jeden Tag: „Ach, wenn wir doch ein Kind hätten!" und kriegten immer keins. Da trug sich zu, als die Königin einmal im Bade saß, daß ein Frosch aus dem Wasser ans Land kroch und zu ihr sprach: „Dein Wunsch wird erfüllt werden, ehe ein Jahr vergeht, wirst du eine Tochter zur Welt bringen." Was der Frosch gesagt hatte, das geschah, und die Königin gebar ein Mädchen, das war so schön, daß der König vor Freude sich nicht zu lassen wußte und ein großes Fest anstellte. Er ladete nicht bloß seine Verwandte, Freunde und Bekannte, sondern auch die weisen Frauen dazu ein, damit sie dem Kind hold und gewogen wären. Es waren ihrer dreizehn in seinem Reiche, weil er aber nur zwölf goldene Teller hatte, von welchen sie essen sollten, so mußte eine von ihnen daheim bleiben. Das Fest ward mit aller Pracht gefeiert, und als es zu Ende war, beschenkten die weisen Frauen das Kind mit ihren Wundergaben: die eine mit Tugend, die andere mit Schönheit, die dritte mit Reichtum, und so mit allem, was auf der Welt zu wünschen ist. Als elfe ihre Sprüche eben getan hatten, trat plötzlich die dreizehnte herein. Sie wollte sich dafür rächen, daß sie nicht eingeladen war, und ohne jemand zu grüßen oder nur anzusehen, rief sie mit lauter Stimme: „Die Königstochter soll sich in ihrem fünfzehnten Jahr an einer Spindel stechen und tot hinfallen." Und ohne ein Wort weiter zu sprechen kehrte sie sich um und verließ den Saal. Alle waren erschrocken, da trat die zwölfte hervor, die ihren Wunsch noch übrig hatte, und weil sie den bösen Spruch nicht aufheben, sondern nur ihn mildern konnte, so sagte sie: „Es soll aber kein Tod sein, sondern ein hundertjähriger tiefer Schlaf, in welchen die Königstochter fällt."

Der König, der sein liebes Kind vor dem Unglück gern bewahren wollte, ließ den Befehl ausgehen, daß alle Spindeln im ganzen Königreiche sollten verbrannt werden. An dem Mädchen aber wurden die Gaben der weisen Frauen sämtlich erfüllt, denn es war so schön, sittsam, freundlich und verständig, daß es jedermann, der es ansah, liebhaben mußte. Es geschah, daß an dem Tage, wo es gerade fünfzehn Jahre alt ward, der König und die Königin nicht zu Haus waren, und das Mädchen ganz allein im Schloß zurückblieb. Da ging es allerorten herum, besah Stuben und Kammern, wie es Lust hatte, und kam endlich auch an einen alten Turm. Es stieg die enge Wendeltreppe hinauf und gelangte zu einer kleinen Türe. In dem Schloß steckte ein verrosteter Schlüssel, und als es umdrehte, sprang die Türe auf, und saß da in einem kleinen Stübchen eine alte Frau mit einer Spindel und spann emsig ihren Flachs. „Guten Tag, du altes Mütterchen", sprach die Königstocher, „was machst du da?" — „Ich spinne", sagte die Alte und nickte mit dem Kopf. „Was ist das für ein Ding, das so lustig herumspringt?" sprach das Mädchen, nahm die Spindel und wollte auch spinnen. Kaum hatte sie aber die Spindel

angerührt, so ging der Zauberspruch in Erfüllung, und
sie stach sich damit in den Finger.

In dem Augenblick aber, wo sie den Stich empfand,
fiel sie auf das Bett nieder, das da stand, und lag in einem
tiefen Schlaf. Und dieser Schlaf verbreitete sich über das
ganze Schloß: der König und die Königin, die eben heimgekommen waren und in den Saal getreten waren, fingen
an einzuschlafen, und der ganze Hofstaat mit ihnen. Da
schliefen auch die Pferde im Stall, die Hunde im Hofe,
die Tauben auf dem Dache, die Fliegen an der Wand,
ja, das Feuer, das auf dem Herde flackerte, ward still
und schlief ein, und der Braten hörte auf zu brutzeln,
und der Koch, der den Küchenjungen, weil er etwas versehen hatte, in den Haaren ziehen wollte, ließ ihn los
und schlief. Und der Wind legte sich, und auf den Bäumen vor dem Schloß regte sich kein Blättchen mehr.

Rings um das Schloß aber begann eine Dornenhecke
zu wachsen, die jedes Jahr höher ward und endlich das
ganze Schloß umzog und darüber hinaus wuchs, daß gar
nichts mehr davon zu sehen war, selbst nicht die Fahne
auf dem Dach. Es ging aber die Sage in dem Land von
dem schönen schlafenden Dornröschen, denn so ward die
Königstochter genannt, also daß von Zeit zu Zeit Königssöhne kamen und durch die Hecke in das Schloß
dringen wollten. Es war ihnen aber nicht möglich, denn
die Dornen, als hätten sie Hände, hielten fest zusammen,
und die Jünglinge blieben darin hängen, konnten sich
nicht wieder los machen und starben eines jämmerlichen
Todes. Nach langen, langen Jahren kam wieder einmal
ein Königssohn in das Land und hörte, wie ein alter
Mann von der Dornenhecke erzählte, es sollte ein Schloß
dahinterstehen, in welchem eine wunderschöne Königstochter, Dornröschen genannt, schon seit hundert Jahren
schliefe, und mit ihr schliefe der König und die Königin
und der ganze Hofstaat. Er wußte auch von seinem

Großvater, daß schon viele Königssöhne gekommen
wären und versucht hätten, durch die Dornenhecke zu

„Was ist das für ein Ding, das so lustig herumspringt?"

dringen, aber sie wären darin hängen geblieben und eines
traurigen Todes gestorben. Da sprach der Jüngling: „Ich
fürchte mich nicht, ich will hinaus und das schöne Dorn-

röschen sehen." Der gute Alte mochte ihm abraten wie
er wollte, er hörte nicht auf seine Worte.

Nun waren aber gerade die hundert Jahre verflossen
und der Tag war gekommen, wo Dornröschen wieder
erwachen sollte. Als der Königssohn sich der Dornenhecke näherte, waren es lauter schöne große Blumen, die
taten sich von selbst auseinander und ließen ihn un-
beschädigt hindurch, und hinter ihm taten sie sich wieder
als eine Hecke zusammen. Im Schloßhof sah er die
Pferde und scheckigen Jagdhunde liegen und schlafen,
auf dem Dache saßen die Tauben und hatten das Köpfchen unter den Flügel gesteckt. Und als er ins Haus kam,
schliefen die Fliegen an der Wand, der Koch in der
Küche hielt noch die Hand, als wollte er den Jungen an-
packen, und die Magd saß vor dem schwarzen Huhn, das
sollte gerupft werden. Da ging er weiter und sah im
Saale den ganzen Hofstaat liegen und schlafen, und
oben bei dem Throne lag der König und die Königin.
Da ging er noch weiter, und alles war so still, daß einer
seinen Atem hören konnte, und endlich kam er zu dem
Turm und öffnete die Türe zu der kleinen Stube, in
welcher Dornröschen schlief. Da lag es und war so schön,
daß er die Augen nicht abwenden konnte, und er bückte
sich und gab ihr einen Kuß. Wie er es mit dem Kuß
berührt hatte, schlug Dornröschen die Augen auf, erwachte, und blickte ihn ganz freundlich an. Da gingen
sie zusammen herab, und der König erwachte und die
Königin, und der ganze Hofstaat, und sahen einander
mit großen Augen an. Und die Pferde im Hof standen
auf und rüttelten sich; die Jagdhunde sprangen und
wedelten; die Tauben auf dem Dache zogen das Köpfchen unterm Flügel hervor, sahen umher und flogen ins
Feld; die Fliegen an den Wänden flogen weiter; das
Feuer in der Küche erhob sich, flackerte und kochte das
Essen; der Braten fing wieder an zu brutzeln; und der

Koch gab dem Jungen eine Ohrfeige, daß er schrie; und die Magd rupfte das Huhn fertig. Und da wurde die Hochzeit des Königssohns mit dem Dornröschen in aller Pracht gefeiert, und sie lebten vergnügt bis an ihr Ende.

Fundevogel

Es war einmal ein Förster, der ging in den Wald auf die Jagd, und wie er in den Wald kam, hörte er schreien, als ob's ein kleines Kind wäre. Er ging dem Schreien nach und kam endlich zu einem hohen Baum, und oben darauf saß ein kleines Kind. Es war aber die Mutter mit dem Kinde unter dem Baum eingeschlafen, und ein Raubvogel hatte das Kind in ihrem Schoße gesehen: da war er hinzugeflogen, hatte es mit seinem Schnabel weggenommen und auf den hohen Baum gesetzt.

Der Förster stieg hinauf, holte das Kind herunter und dachte: „Du willst das Kind mit nach Haus nehmen und mit deinem Lenchen zusammen aufziehn." Er brachte es also heim, und die zwei Kinder wuchsen miteinander auf. Das aber, das auf dem Baum gefunden worden war, und weil es ein Vogel weggetragen hatte, wurde *Fundevogel* geheißen. Fundevogel und Lenchen hatten sich so lieb, nein so lieb, daß, wenn eins das andere nicht sah, ward es traurig.

Der Förster hatte aber eine alte Köchin, die nahm eines Abends zwei Eimer und fing an Wasser zu schleppen, und ging nicht einmal, sondern viele Mal hinaus an den Brunnen. Lenchen sah es und sprach: „Hör einmal, alte Sanne, was trägst du denn so viel Wasser zu?" — „Wenn du's keinem Menschen wiedersagen willst, so will ich dir's wohl sagen." Da sagte Lenchen nein, sie wollte es keinem Menschen wiedersagen, so sprach die Köchin·

„Morgen früh, wenn der Förster auf die Jagd ist, da koche ich das Wasser, und wenn's im Kessel siedet, werfe ich den Fundevogel nein, und will ihn darin kochen."

Des andern Morgens in aller Frühe stieg der Förster auf und ging auf die Jagd, und als er weg war, lagen die Kinder noch im Bett. Da sprach Lenchen zum Fundevogel: „Verläßt du mich nicht, so verlass' ich dich auch nicht"; so sprach der Fundevogel: „Nun und nimmermehr." Da sprach Lenchen: „Ich will es dir nur sagen, die alte Sanne schleppte gestern abend so viel Eimer Wasser ins Haus, da fragte ich sie, warum sie das täte, so sagte sie, wenn ich's keinem Menschen sagen wollte, so wollte sie es mir wohl sagen; sprach ich, ich wollte es gewiß keinem Menschen sagen; da sagte sie, morgen früh, wenn der Vater auf die Jagd wäre, wollte sie den Kessel voll Wasser sieden, dich hineinwerfen und kochen. Wir wollen aber geschwind aufsteigen, uns anziehen und zusammen fortgehen."

Also standen die beiden Kinder auf, zogen sich geschwind an und gingen fort. Wie nun das Wasser im Kessel kochte, ging die Köchin in die Schlafkammer, wollte den Fundevogel holen und ihn hineinwerfen. Aber als sie hineinkam und zu den Betten trat, waren die Kinder alle beide fort; da wurde ihr grausam angst und sie sprach vor sich: „Was will ich nun sagen, wenn der Förster heimkommt und sieht, daß die Kinder weg sind? Geschwind hinten nach, daß wir sie wiederkriegen."

Da schickte die Köchin drei Knechte nach, die sollten laufen und die Kinder einfangen. Die Kinder aber saßen vor dem Wald, und als sie die drei Knechte von weitem laufen sahen, sprach Lenchen zum Fundevogel: „Verläßt du mich nicht, so verlass' ich dich auch nicht." So sprach Fundevogel: „Nun und nimmermehr." Da sagte Lenchen: „Werde du zum Rosenstöckchen und ich zum Röschen darauf." Wie nun die drei Knechte vor den Wald kamen,

so war nichts da als ein Rosenstrauch und ein Röschen
obendrauf, die Kinder aber nirgends. Da sprachen sie:
„Hier ist nichts zu machen", und gingen heim und sagten
der Köchin, sie hätten nichts in der Welt gesehen als nur
ein Rosenstöckchen und ein Röschen oben darauf. Da
schalt die alte Köchin: „Ihr Einfaltspinsel, ihr hättet das
Rosenstöckchen sollen entzweischneiden und das Röschen
abbrechen und mit nach Haus bringen, geschwind und
tut's." Sie mußten also zum zweitenmal hinaus und
suchen. Die Kinder sahen sie aber von weitem kommen,
da sprach Lenchen: „Fundevogel, verläßt du mich nicht,
so verlass' ich dich auch nicht." Fundevogel sagte: „Nun
und nimmermehr." Sprach Lenchen: „So werde du eine
Kirche und ich die Krone darin." Wie nun die drei
Knechte dahin kamen, war nichts da als eine Kirche und
eine Krone darin. Sie sprachen also zueinander: „Was
sollen wir hier machen, laßt uns nach Hause gehen." Wie
sie nach Haus kamen, fragte die Köchin, ob sie nichts
gefunden hätten; so sagten sie nein, sie hätten nichts gefunden als eine Kirche, da wäre eine Krone darin gewesen. „Ihr Narren", schalt die Köchin, „warum habt
ihr nicht die Kirche zerbrochen und die Krone mit heim-
gebracht?" Nun machte sich die alte Köchin selbst auf
die Beine und ging mit den drei Knechten den Kindern
nach. Die Kinder sahen aber die drei Knechte von weitem
kommen, und die Köchin wackelte hintennach. Da sprach
Lenchen: „Fundevogel, verläßt du mich nicht, so verlass'
ich dich auch nicht." Da sprach der Fundevogel: „Nun
und nimmermehr." Sprach Lenchen: „Werde zum Teich
und ich die Ente drauf." Die Köchin aber kam herzu,
und als sie den Teich sahe, legte sie sich darüber hin und
wollte ihn aussaufen. Aber die Ente kam schnell ge-
schwommen, faßte sie mit ihrem Schnabel beim Kopf und
zog sie ins Wasser hinein: da mußte die alte Hexe er-
trinken. Da gingen die Kinder zusammen nach Haus und

waren herzlich froh; und wenn sie nicht gestorben sind, leben sie noch.

König Drosselbart

Ein König hatte eine Tochter, die war über alle Maßen schön, aber dabei so stolz und übermütig, daß ihr kein Freier gut genug war. Sie wies einen nach dem andern ab, und trieb noch dazu Spott mit ihnen. Einmal ließ der König ein großes Fest anstellen und ladete dazu aus der Nähe und Ferne die heiratslustigen Männer ein. Sie wurden alle in eine Reihe nach Rang und Stand geordnet; erst kamen die Könige, dann die Herzöge, die Fürsten, Grafen und Freiherrn, zuletzt die Edelleute. Nun ward die Königstochter durch die Reihen geführt, aber an jedem hatte sie etwas auszusetzen. Der eine war ihr zu dick: „Das Weinfaß!" sprach sie. Der andere zu lang: „Lang und schwank hat keinen Gang." Der dritte zu kurz: „Kurz und dick hat kein Geschick." Der vierte zu blaß: „Der bleiche Tod." Der fünfte zu rot: „Der Zinshahn!" Der sechste war nicht gerad genug: „Grünes Holz, hinterm Ofen getrocknet!" Und so hatte sie an jedem etwas auszusetzen, besonders aber machte sie sich über einen guten König lustig, der ganz oben stand, und dem das Kinn ein wenig krumm gewachsen war. „Ei", rief sie und lachte, „der hat ein Kinn, wie die Drossel einen Schnabel"; und seit der Zeit bekam er den Namen *Drosselbart*. Der alte König aber, als er sah, daß seine Tochter nichts tat als über die Leute spotten, und alle Freier, die da versammelt waren, verschmähte, ward er zornig und schwur, sie sollte den ersten besten Bettler zum Manne nehmen, der vor seine Türe käme.

Ein paar Tage darauf hub ein Spielmann an, unter dem Fenster zu singen, um damit ein geringes Almosen zu verdienen. Als es der König hörte, sprach er: „Laßt ihn heraufkommen." Da trat der Spielmann in seinen schmutzigen verlumpten Kleidern herein, sang vor dem König und seiner Tochter und bat, als er fertig war, um eine milde Gabe. Der König sprach: „Dein Gesang hat mir so wohl gefallen, daß ich dir meine Tochter da zur Frau geben will." Die Königstochter erschrak, aber der König sagte: „Ich habe den Eid getan, dich dem ersten besten Bettelmann zu geben, den will ich auch halten." Es half keine Einrede, der Pfarrer ward geholt, und sie mußte sich gleich mit dem Spielmann trauen lassen. Als das geschehen war, sprach der König: „Nun schickt sich's nicht, daß du als ein Bettelweib noch länger in meinem Schloß bleibst, du kannst nun mit deinem Mann fortziehen."

Der Bettelmann führte sie an der Hand hinaus, und sie mußte mit ihm zu Fuß fortgehen. Als sie in einen großen Wald kamen, da fragte sie:

> „Ach, wem gehört der schöne Wald?"
> „Der gehört dem König Drosselbart;
> Hättst du'n genommen, so wär' er dein."
> „Ich arme Jungfer zart,
> Ach, hätt' ich genommen den König Drosselbart!"

Darauf kamen sie über eine Wiese, da fragte sie wieder:

> „Wem gehört die schöne grüne Wiese?"
> „Sie gehört dem König Drosselbart;
> Hättst du'n genommen, so wär' sie dein."
> „Ich arme Jungfer zart,
> Ach, hätt' ich genommen den König Drosselbart!"

Dann kamen sie durch eine große Stadt, da fragte sie wieder:

„Wem gehört diese schöne große Stadt?"
„Sie gehört dem König Drosselbart;
   Hättst du'n genommen, so wär' sie dein."
„Ich arme Jungfer zart,
   Ach, hätt' ich genommen den König Drosselbart!"

„Es gefällt mir gar nicht", sprach der Spielmann, „daß
du dir immer einen andern zum Mann wünschest: bin ich
dir nicht gut genug?" Endlich kamen sie an ein ganz kleines Häuschen, da sprach sie:

„Ach Gott, was ist das Haus so klein!
   Wem mag das elende winzige Häuschen sein?"

Der Spielmann antwortete: „Das ist mein und dein
Haus, wo wir zusammen wohnen." Sie mußte sich bük-
ken, damit sie zu der niedrigen Tür hineinkam. „Wo sind
die Diener?" sprach die Königstochter. „Was Diener!"
antwortete der Bettelmann, „du mußt selber tun, was du
willst getan haben. Mach nur gleich Feuer an und stell
Wasser auf, daß du mir mein Essen kochst; ich bin ganz
müde." Die Königstochter verstand aber nichts vom
Feueranmachen und Kochen, und der Bettelmann mußte
selber mit Hand anlegen, daß es noch so leidlich ging. Als
sie die schmale Kost verzehrt hatten, legten sie sich zu
Bett: aber am Morgen trieb er sie schon ganz früh heraus, weil sie das Haus besorgen sollte. Ein paar Tage
lebten sie auf diese Art schlecht und recht und zehrten
ihren Vorrat auf. Da sprach der Mann: „Frau, so geht's
nicht länger, daß wir hier zehren und nichts verdienen.
Du sollst Körbe flechten." Er ging aus, schnitt Weiden
und brachte sie heim: da fing sie an zu flechten, aber die
harten Weiden stachen ihr die zarten Hände wund. „Ich
sehe, das geht nicht", sprach der Mann, „spinn lieber,
vielleicht kannst du das besser." Sie setzte sich hin und

versuchte zu spinnen, aber der harte Faden schnitt ihr
bald in die weichen Finger, daß das Blut daran herunter-
lief. „Siehst du", sprach der Mann, „du taugst zu keiner
Arbeit, mit dir bin ich schlimm angekommen. Nun will
ich's versuchen, und einen Handel mit Töpfen und irdenem Geschirr anfangen: du sollst dich auf den Markt
setzen und die Ware feilhalten." — „Ach", dachte sie,
„wenn auf den Markt Leute aus meines Vaters Reich
kommen und sehen mich da sitzen und feilhalten, wie
werden sie mich verspotten!" Aber es half nichts, sie
mußte sich fügen, wenn sie nicht Hungers sterben wollten. Das erstemal ging's gut, denn die Leute kauften
der Frau, weil sie schön war, gern ihre Ware ab, und be-
zahlten, was sie forderte; ja, viele gaben ihr das Geld,
und ließen ihr die Töpfe noch dazu. Nun lebten sie von
dem Erworbenen, so lang es dauerte, da handelte der
Mann wieder eine Menge neues Geschirr ein. Sie setzte
sich damit an eine Ecke des Marktes, und stellte es um
sich her und hielt feil. Da kam plötzlich ein trunkener
Husar dahergejagt und ritt geradezu in die Töpfe hinein, daß alles in tausend Scherben zersprang. Sie fing an
zu weinen und wußte vor Angst nicht, was sie anfangen
sollte. „Ach, wie wird mir's ergehen!" rief sie, „was wird
mein Mann dazu sagen!" Sie lief heim und erzählte ihm
das Unglück. „Wer setzt sich auch an die Ecke des Marktes mit irdenem Geschirr!" sprach der Mann, „laß nur das
Weinen, ich sehe wohl, du bist zu keiner ordentlichen Arbeit zu gebrauchen. Da bin ich in unseres Königs Schloß
gewesen und habe gefragt, ob sie nicht eine Küchenmagd
brauchen könnten, und sie haben mir versprochen, sie
wollten dich dazu nehmen; dafür bekommst du freies
Essen."

Nun ward die Königstochter eine Küchenmagd, mußte
dem Koch zur Hand gehen und die sauerste Arbeit tun.
Sie machte sich in beiden Taschen ein Töpfchen fest, darin

brachte sie nach Haus, was ihr von dem Übriggebliebenen zuteil ward, und davon nährten sie sich. Es trug sich zu, daß die Hochzeit des ältesten Königssohnes sollte gefeiert werden, da ging die arme Frau hinauf, stellte sich vor die Saaltüre und wollte zusehen. Als nun die Lichter angezündet waren und immer einer schöner als der andere hereintrat und alles voll Pracht und Herrlichkeit war, da dachte sie mit betrübtem Herzen an ihr Schicksal und verwünschte ihren Stolz und Übermut, der sie erniedrigt und in so große Armut gestürzt hatte. Von den köstlichen Speisen, die da ein- und ausgetragen wurden und von welchen der Geruch zu ihr aufstieg, warfen ihr Diener manchmal ein paar Brocken zu, die tat sie in ihr Töpfchen und wollte es heimtragen. Auf einmal trat der Königssohn herein, war in Samt und Seide gekleidet und hatte goldene Ketten um den Hals. Und als er die schöne Frau in der Türe stehen sah, ergriff er sie bei der Hand und wollte mit ihr tanzen, aber sie weigerte sich und erschrak, denn sie sah, daß es der König Drosselbart war, der um sie gefreit und den sie mit Spott abgewiesen hatte. Ihr Sträuben half nichts, er zog sie in den Saal: da zerriß das Band, an welchem die Taschen hingen, und die Töpfe fielen heraus, daß die Suppe floß und die Brocken umhersprangen. Und wie das die Leute sahen, entstand ein allgemeines Gelächter und Spotten, und sie war so beschämt, daß sie sich lieber tausend Klafter unter die Erde gewünscht hätte. Sie sprang zur Türe hinaus und wollte entfliehen, aber auf der Treppe holte sie ein Mann ein und brachte sie zurück; und wie sie ihn ansah, war es wieder der König Drosselbart. Er sprach ihr freundlich zu: „Fürchte dich nicht, ich und der Spielmann, der mit dir in dem elenden Häuschen gewohnt hat, sind eins; dir zuliebe habe ich mich so verstellt, und der Husar, der dir die Töpfe entzweigeritten hat, bin ich auch gewesen. Das alles ist geschehen, um deinen stolzen

Sinn zu beugen und dich für deinen Hochmut zu strafen, womit du mich verspottet hast." Da weinte sie bitterlich und sagte: „Ich habe großes Unrecht gehabt und bin nicht wert, deine Frau zu sein." Er aber sprach: „Tröste dich, die bösen Tage sind vorüber, jetzt wollen wir unsere Hochzeit feiern." Da kamen die Kammerfrauen und taten ihr die prächtigsten Kleider an, und ihr Vater kam und der ganze Hof und wünschten ihr Glück zu ihrer Vermählung mit dem König Drosselbart, und die rechte Freude fing jetzt erst an. Ich wollte, du und ich, wir wären auch dabeigewesen.

Sneewittchen

Es war einmal mitten im Winter, und die Schneeflocken fielen wie Federn vom Himmel herab, da saß eine Königin an einem Fenster, das einen Rahmen von schwarzem Ebenholz hatte, und nähte. Und wie sie so nähte und nach dem Schnee aufblickte, stach sie sich mit der Nadel in den Finger, und es fielen drei Tropfen Blut in den Schnee. Und weil das Rote im weißen Schnee so schön aussah, dachte sie bei sich: „Hätt' ich ein Kind so weiß wie Schnee, so rot wie Blut und so schwarz wie das Holz an dem Rahmen." Bald darauf bekam sie ein Töchterlein, das war so weiß wie Schnee, so rot wie Blut und so schwarzhaarig wie Ebenholz, und ward darum *Sneewittchen* (Schneeweißchen) genannt. Und wie das Kind geboren war, starb die Königin.

Über ein Jahr nahm sich der König eine andere Gemahlin. Es war eine schöne Frau, aber sie war stolz und übermütig und konnte nicht leiden, daß sie an Schönheit von jemand sollte übertroffen werden. Sie hatte einen wunderbaren Spiegel, wenn sie vor den trat und sich darin beschaute, sprach sie:

„Spieglein, Spieglein an der Wand,
 Wer ist die Schönste im ganzen Land?"

so antwortete der Spiegel:

„Frau Königin, Ihr seid die Schönste im Land."

Da war sie zufrieden, denn sie wußte, daß der Spiegel die
Wahrheit sagte.

Sneewittchen aber wuchs heran und wurde immer
schöner, und als es sieben Jahr alt war, war es so schön
wie der klare Tag und schöner als die Königin selbst. Als
diese einmal ihren Spiegel fragte:

„Spieglein, Spieglein an der Wand,
 Wer ist die Schönste im ganzen Land?"

so antwortete er:

„Frau Königin, Ihr seid die Schönste hier,
 Aber Sneewittchen ist tausendmal schöner als Ihr."

Da erschrak die Königin und ward gelb und grün vor
Neid. Von Stund an, wenn sie Sneewittchen erblickte,
kehrte sich ihr das Herz im Leibe herum, so haßte sie das
Mädchen. Und der Neid und Hochmut wuchsen wie ein
Unkraut in ihrem Herzen immer höher, daß sie Tag und
Nacht keine Ruhe mehr hatte. Da rief sie einen Jäger und
sprach: „Bring das Kind hinaus in den Wald, ich will's
nicht mehr vor meinen Augen sehen. Du sollst es töten,
und mir Lunge und Leber zum Wahrzeichen mitbringen."
Der Jäger gehorchte und führte es hinaus, und als er den
Hirschfänger gezogen hatte und Sneewittchens unschuldi-
ges Herz durchbohren wollte, fing es an zu weinen und
sprach: „Ach, lieber Jäger, laß mir mein Leben; ich will

in den wilden Wald laufen und nimmermehr wieder
heimkommen." Und weil es so schön war, hatte der Jäger
Mitleiden und sprach: „So lauf hin, du armes Kind." —
„Die wilden Tiere werden dich bald gefressen haben",
dachte er, und doch war's ihm, als wär' ein Stein von seinem Herzen gewälzt, weil er es nicht zu töten brauchte.
Und als gerade ein junger Frischling dahergesprungen
kam, stach er ihn ab, nahm Lunge und Leber heraus und
brachte sie als Wahrzeichen der Königin mit. Der Koch
mußte sie in Salz kochen, und das boshafte Weib aß sie
auf und meinte, sie hätte Sneewittchens Lunge und Leber
gegessen.

Nun war das arme Kind in dem großen Wald mutter-
seligallein, und ward ihm so angst, daß es alle Blätter
an den Bäumen ansah und nicht wußte, wie es sich helfen
sollte. Da fing es an zu laufen und lief über die spitzen
Steine und durch die Dornen, und die wilden Tiere
sprangen an ihm vorbei, aber sie taten ihm nichts. Es lief,
solange nur die Füße noch fort konnten, bis es bald
Abend werden wollte, da sah es ein kleines Häuschen und
ging hinein, sich zu ruhen. In dem Häuschen war alles
klein, aber so zierlich und reinlich, daß es nicht zu sagen
ist. Da stand ein weißgedecktes Tischlein mit sieben kleinen Tellern, jedes Tellerlein mit seinem Löffelein, ferner
sieben Messerlein und Gäblein und sieben Becherlein. An
der Wand waren sieben Bettlein nebeneinander aufge-
stellt und schneeweiße Laken darüber gedeckt. Sneewittchen, weil es so hungrig und durstig war, aß von jedem
Tellerlein ein wenig Gemüs' und Brot, und trank aus
jedem Becherlein einen Tropfen Wein; denn es wollte
nicht einem allein alles wegnehmen. Hernach, weil es so
müde war, legte es sich in ein Bettchen, aber keins paßte;
das eine war zu lang, das andere zu kurz, bis endlich das
siebente recht war; und darin blieb es liegen, befahl sich
Gott und schlief ein.

Als es ganz dunkel geworden war, kamen die Herren von dem Häuslein, das waren die sieben Zwerge, die in den Bergen nach Erz hackten und gruben. Sie zündeten ihre sieben Lichtlein an, und wie es nun hell im Häuslein ward, sahen sie, daß jemand darin gewesen war, denn es stand nicht alles so in der Ordnung, wie sie es verlassen hatten. Der erste sprach: „Wer hat auf meinem Stühlchen gesessen?" Der zweite: „Wer hat von meinem Tellerchen gegessen?" Der dritte: „Wer hat von meinem Brötchen genommen?" Der vierte: „Wer hat von meinem Gemüschen gegessen?" Der fünfte: „Wer hat mit meinem Gäbelchen gestochen?" Der sechste: „Wer hat mit meinem Messerchen geschnitten?" Der siebente: „Wer hat aus meinem Becherlein getrunken?" Dann sah sich der erste um und sah, daß auf seinem Bett eine kleine Delle war, da sprach er: „Wer hat in mein Bettchen getreten?" Die andern kamen gelaufen und riefen: „In meinem hat auch jemand gelegen." Der siebente aber, als er in sein Bett sah, erblickte Sneewittchen, das lag darin und schlief. Nun rief er die andern, die kamen herbeigelaufen und schrien vor Verwunderung, holten ihre sieben Lichtlein und beleuchteten Sneewittchen. „Ei du mein Gott! ei du mein Gott!" riefen sie, „was ist das Kind so schön!" und hatten so große Freude, daß sie es nicht aufweckten, sondern im Bettlein fortschlafen ließen. Der siebente Zwerg aber schlief bei seinen Gesellen, bei jedem eine Stunde, da war die Nacht herum.

Als es Morgen war, erwachte Sneewittchen, und wie es die sieben Zwerge sah, erschrak es. Sie waren aber freundlich und fragten: „Wie heißt du?" — „Ich heiße Sneewittchen", antwortete es. „Wie bist du in unser Haus gekommen?" sprachen weiter die Zwerge. Da erzählte es ihnen, daß seine Stiefmutter es hätte wollen umbringen lassen, der Jäger hätte ihm aber das Leben geschenkt, und da wär' es gelaufen den ganzen Tag, bis es endlich ihr

Häuslein gefunden hätte. Die Zwerge sprachen: „Willst
du unsern Haushalt versehen, kochen, betten, waschen,
nähen und stricken, und willst du alles ordentlich und
reinlich halten, so kannst du bei uns bleiben, und es soll
dir an nichts fehlen." — „Ja", sagte Sneewittchen, „von
Herzen gern", und blieb bei ihnen. Es hielt ihnen das
Haus in Ordnung; morgens gingen sie in die Berge und
suchten Erz und Gold, abends kamen sie wieder, und da
mußte ihr Essen bereit sein. Den ganzen Tag über war
das Mädchen allein, da warnten es die guten Zwerglein
und sprachen: „Hüte dich vor deiner Stiefmutter, die
wird bald wissen, daß du hier bist; laß ja niemand
herein."

Die Königin aber, nachdem sie Sneewittchens Lunge
und Leber glaubte gegessen zu haben, dachte nicht anders, als sie wäre wieder die Erste und Allerschönste, trat
vor den Spiegel und sprach:

> „Spieglein, Spieglein an der Wand,
>   Wer ist die Schönste im ganzen Land?"

Da antwortete der Spiegel:

> „Frau Königin, Ihr seid die Schönste hier,
>   Aber Sneewittchen über den Bergen
>   Bei den sieben Zwergen
>   Ist noch tausendmal schöner als Ihr."

Da erschrak sie, denn sie wußte, daß der Spiegel keine
Unwahrheit sprach, und merkte, daß der Jäger sie betrogen hatte, und Sneewittchen noch am Leben war. Und da
sann und sann sie aufs neue, wie sie es umbringen wollte;
denn solange sie nicht die Schönste war im ganzen Land,
ließ ihr der Neid keine Ruhe. Und als sie sich endlich
etwas ausgedacht hatte, färbte sie sich das Gesicht und

kleidete sich wie eine alte Krämerin und war ganz unkenntlich. In dieser Gestalt ging sie über die sieben Berge
zu den sieben Zwergen, klopfte an die Türe und rief:
„Schöne Ware feil! feil!" Sneewittchen guckte zum Fenster heraus und rief: „Guten Tag, liebe Frau, was habt
Ihr zu verkaufen?" — „Gute Ware, schöne Ware", antwortete sie, „Schnürriemen von allen Farben", und holte
einen hervor, der aus bunter Seide geflochten war. „Die
ehrliche Frau kann ich hereinlassen", dachte Sneewittchen, riegelte die Türe auf und kaufte sich den hübschen
Schnürriemen. „Kind", sprach die Alte, „wie du aus-
siehst! komm, ich will dich einmal ordentlich schnüren."
Sneewittchen hatte kein Arg, stellte sich vor sie und ließ
sich mit dem neuen Schnürriemen schnüren; aber die Alte
schnürte geschwind und schnürte so fest, daß dem Sneewittchen der Atem verging und es für tot hinfiel. „Nun
bist du die Schönste gewesen", sprach sie und eilte hinaus.

Nicht lange darauf, zur Abendzeit, kamen die sieben
Zwerge nach Haus, aber wie erschraken sie, als sie ihr
liebes Sneewittchen auf der Erde liegen sahen; und es
regte und bewegte sich nicht, als wäre es tot. Sie hoben
es in die Höhe, und weil sie sahen, daß es zu fest ge-
schnürt war, schnitten sie den Schnürriemen entzwei; da
fing es an, ein wenig zu atmen und ward nach und nach
wieder lebendig. Als die Zwerge hörten, was geschehen
war, sprachen sie: „Die alte Krämerfrau war niemand als
die gottlose Königin; hüte dich und laß keinen Menschen
herein, wenn wir nicht bei dir sind."

Das böse Weib aber, als es nach Haus gekommen war,
ging vor den Spiegel und fragte:

> „Spieglein, Spieglein an der Wand,
>   Wer ist die Schönste im ganzen Land?"

„Guten Tag, liebe Frau, was habt Ihr zu verkaufen?"

Da antwortete er wie sonst:

> „Frau Königin, Ihr seid die Schönste hier,
> Aber Sneewittchen über den Bergen
> Bei den sieben Zwergen
> Ist noch tausendmal schöner als Ihr."

Als sie das hörte, lief ihr alles Blut zum Herzen, so erschrak sie, denn sie sah wohl, daß Sneewittchen wieder lebendig geworden war. „Nun aber", sprach sie, „will ich etwas aussinnen, das dich zugrunde richten soll", und mit Hexenkünsten, die sie verstand, machte sie einen giftigen Kamm. Dann verkleidete sie sich und nahm die Gestalt eines andern alten Weibes an. So ging sie hin über die sieben Berge zu den sieben Zwergen, klopfte an die Türe und rief: „Gute Ware feil! feil!" Sneewittchen schaute heraus und sprach: „Geht nur weiter, ich darf niemand hereinlassen." — „Das Ansehen wird dir doch erlaubt sein", sprach die Alte, zog den giftigen Kamm heraus und hielt ihn in die Höhe. Da gefiel er dem Kinde so gut, daß es sich betören ließ und die Türe öffnete. Als sie des Kaufs einig waren, sprach die Alte: „Nun will ich dich einmal ordentlich kämmen." Das arme Sneewittchen dachte an nichts und ließ die Alte gewähren, aber kaum hatte sie den Kamm in die Haare gesteckt, als das Gift darin wirkte, und das Mädchen ohne Besinnung niederfiel. „Du Ausbund von Schönheit", sprach das boshafte Weib, „jetzt ist's um dich geschehen!" und ging fort. Zum Glück aber war es bald Abend, wo die sieben Zwerglein nach Haus kamen. Als sie Sneewittchen wie tot auf der Erde liegen sahen, hatten sie gleich die Stiefmutter in Verdacht, suchten nach und fanden den giftigen Kamm, und kaum hatten sie ihn herausgezogen, so kam Sneewittchen wieder zu sich und erzählte, was vorgegangen war. Da warnten sie es noch einmal, auf seiner Hut zu sein und niemand die Türe zu öffnen.

Als sie Sneewittchen wie tot auf der Erde liegen sahen,
suchten sie nach und fanden den giftigen Kamm.

Die Königin stellte sich daheim vor den Spiegel und
sprach:

> „Spieglein, Spieglein an der Wand,
>   Wer ist die Schönste im ganzen Land?"

Da antwortete er wie vorher:

> „Frau Königin, Ihr seid die Schönste hier,
>   Aber Sneewittchen über den Bergen
>   Bei den sieben Zwergen
>   Ist noch tausendmal schöner als Ihr."

Als sie den Spiegel so reden hörte, zitterte und bebte sie
vor Zorn. „Sneewittchen soll sterben", rief sie, „und

wenn es mein eignes Leben kostet." Darauf ging sie in
eine ganz verborgene einsame Kammer, wo niemand hinkam, und machte da einen giftigen, giftigen Apfel. Äußer-
lich sah er schön aus, weiß mit roten Backen, daß jeder,
der ihn erblickte, Lust danach bekam, aber wer ein
Stückchen davon aß, der mußte sterben. Als der Apfel
fertig war, färbte sie sich das Gesicht und verkleidete sich
in eine Bauersfrau, und so ging sie über die sieben Berge
zu den sieben Zwergen. Sie klopfte an, Sneewittchen
streckte den Kopf zum Fenster heraus und sprach: "Ich
darf keinen Menschen einlassen, die sieben Zwerge haben
mir's verboten." — "Mir auch recht", antwortete die
Bäuerin, "meine Äpfel will ich schon los werden. Da,
einen will ich dir schenken." — "Nein", sprach Sneewittchen, "ich darf nichts annehmen." — "Fürchtest du dich
vor Gift?" sprach die Alte, "siehst du, da schneide ich den
Apfel in zwei Teile; den roten Backen ißt du, den weißen
will ich essen." Der Apfel war aber so künstlich gemacht,
daß der rote Backen allein vergiftet war. Sneewittchen
lusterte den schönen Apfel an, und als es sah, daß die
Bäuerin davon aß, so konnte es nicht länger widerstehen,
streckte die Hand hinaus und nahm die giftige Hälfte.
Kaum aber hatte es einen Bissen davon im Mund, so fiel
es tot zur Erde nieder. Da betrachtete es die Königin mit
grausigen Blicken und lachte überlaut und sprach: "Weiß
wie Schnee, rot wie Blut, schwarz wie Ebenholz! Diesmal
können dich die Zwerge nicht wieder erwecken" Und
als sie daheim den Spiegel befragte:

> "Spieglein, Spieglein an der Wand,
>   Wer ist die Schönste im ganzen Land?"

so antwortete er endlich:

> "Frau Königin, Ihr seid die Schönste im Land."

Da hatte ihr neidisches Herz Ruhe, so gut ein neidisches
Herz Ruhe haben kann.

Die Zwerglein, wie sie abends nach Haus kamen, fanden Sneewittchen auf der Erde liegen, und es ging kein
Atem mehr aus seinem Mund, und es war tot. Sie hoben
es auf, suchten, ob sie was Giftiges fänden, schnürten es
auf, kämmten ihm die Haare, wuschen es mit Wasser
und Wein, aber es half alles nichts; das liebe Kind war
tot und blieb tot. Sie legten es auf eine Bahre und setzten
sich alle siebene daran und beweinten es, und weinten
drei Tage lang. Da wollten sie es begraben, aber es sah
noch so frisch aus wie ein lebender Mensch und hatte
noch seine schönen roten Backen. Sie sprachen: „Das können wir nicht in die schwarze Erde versenken" und
ließen einen durchsichtigen Sarg von Glas machen, daß
man es von allen Seiten sehen konnte, legten es hinein
und schrieben mit goldenen Buchstaben seinen Namen
darauf, und daß es eine Königstochter wäre. Dann
setzten sie den Sarg hinaus auf den Berg, und einer von
ihnen blieb immer dabei und bewachte ihn. Und die
Tiere kamen auch und beweinten Sneewittchen, erst eine
Eule, dann ein Rabe, zuletzt ein Täubchen.

Nun lag Sneewittchen lange, lange Zeit in dem Sarg
und verweste nicht, sondern sah aus, als wenn es schliefe,
denn es war noch so weiß wie Schnee, so rot wie Blut, und
so schwarzhaarig wie Ebenholz. Es geschah aber, daß
ein Königssohn in den Wald geriet und zu dem Zwergen-
haus kam, da zu übernachten. Er sah auf dem Berge den
Sarg und das schöne Sneewittchen darin und las, was
mit goldenen Buchstaben darauf geschrieben war. Da
sprach er zu den Zwergen: „Laßt mir den Sarg, ich will
euch geben, was ihr dafür haben wollt." Aber die Zwerge
antworteten: „Wir geben ihn nicht um alles Gold in der
Welt." Da sprach er: „So schenkt mir ihn, denn ich kann
nicht leben, ohne Sneewittchen zu sehen, ich will es ehren

und hochachten wie mein Liebstes." Wie er so sprach,
empfanden die guten Zwerglein Mitleiden mit ihm und
gaben ihm den Sarg. Der Königssohn ließ ihn nun von
seinen Dienern auf den Schultern forttragen. Da geschah
es, daß sie über einen Strauch stolperten, und von dem
Schüttern fuhr der giftige Apfelgrütz, den Sneewittchen
abgebissen hatte, aus dem Hals. Und nicht lange, so
öffnete es die Augen, hob den Deckel vom Sarg in die
Höhe und richtete sich auf und war wieder lebendig.
„Ach Gott, wo bin ich?" rief es. Der Königssohn sagte
voll Freude: „Du bist bei mir", und erzählte, was sich
zugetragen hatte, und sprach: „Ich habe dich lieber als
alles auf der Welt; komm mit mir in meines Vaters
Schloß, du sollst meine Gemahlin werden." Da war ihm
Sneewittchen gut und ging mit ihm, und die Hochzeit
ward mit großer Pracht und Herrlichkeit angeordnet.

Zu dem Fest wurde aber auch Sneewittchens gottlose
Stiefmutter eingeladen. Wie sie sich nun mit schönen
Kleidern angetan hatte, trat sie vor den Spiegel und
sprach:

> „Spieglein, Spieglein an der Wand,
> Wer ist die Schönste im ganzen Land?"

Der Spiegel antwortete:

> „Frau Königin, Ihr seid die Schönste hier,
> Aber die junge Königin ist tausendmal schöner als Ihr."

Da stieß das böse Weib einen Fluch aus und ward ihr so
angst, so angst, daß sie sich nicht zu lassen wußte. Sie
wollte zuerst gar nicht auf die Hochzeit kommen; doch
ließ es ihr keine Ruhe, sie mußte fort und die junge
Königin sehen. Und wie sie hineintrat, erkannte sie Sneewittchen, und vor Angst und Schrecken stand sie da und
konnte sich nicht regen. Aber es waren schon eiserne

Pantoffeln über Kohlenfeuer gestellt und wurden mit
Zangen hereingetragen und vor sie hingestellt. Da mußte
sie in die rotglühenden Schuhe treten und so lange tanzen,
bis sie tot zur Erde fiel.

Rumpelstilzchen

Es war einmal ein Müller, der war arm, aber er hatte
eine schöne Tochter. Nun traf es sich, daß er mit dem
König zu sprechen kam, und um sich ein Ansehen zu
geben, sagte er zu ihm: „Ich habe eine Tochter, die kann
Stroh zu Gold spinnen." Der König sprach zum Müller:
„Das ist eine Kunst, die mir wohl gefällt, wenn deine
Tochter so geschickt ist, wie du sagst, so bring sie morgen
in mein Schloß, da will ich sie auf die Probe stellen."
Als nun das Mädchen zu ihm gebracht ward, führte er es
in eine Kammer, die ganz voll Stroh lag, gab ihr Rad
und Haspel und sprach: „Jetzt mache dich an die Arbeit,
und wenn du diese Nacht durch bis morgen früh dieses
Stroh nicht zu Gold versponnen hast, so mußt du sterben." Darauf schloß er die Kammer selbst zu, und sie
blieb allein darin.

Da saß nun die arme Müllerstochter und wußte um ihr
Leben keinen Rat; sie verstand gar nichts davon, wie
man Stroh zu Gold spinnen konnte, und ihre Angst ward
immer größer, daß sie endlich zu weinen anfing. Da ging
auf einmal die Türe auf und trat ein kleines Männchen
herein und sprach: „Guten Abend, Jungfer Müllerin,
warum weint Sie so sehr?" — „Ach", antwortete das
Mädchen, „ich soll Stroh zu Gold spinnen und verstehe
das nicht." Sprach das Männchen: „Was gibst du mir,
wenn ich dir's spinne?" — „Mein Halsband", sagte das
Mädchen. Das Männchen nahm das Halsband, setzte sich

vor das Rädchen, und schnurr, schnurr, schnurr, dreimal
gezogen, war die Spule voll. Dann steckte es eine andere
auf, und schnurr, schnurr, schnurr, dreimal gezogen, war
auch die zweite voll: und so ging's fort bis zum Morgen,
da war alles Stroh versponnen und alle Spulen waren
voll Gold. Bei Sonnenaufgang kam schon der König und
als er das Gold erblickte, erstaunte er und freute sich,
aber sein Herz ward nur noch goldgieriger. Er ließ die
Müllerstochter in eine andere Kammer voll Stroh bringen, die noch viel größer war, und befahl ihr, das auch
in einer Nacht zu spinnen, wenn ihr das Leben lieb wäre.
Das Mädchen wußte sich nicht zu helfen und weinte, da
ging abermals die Türe auf und das kleine Männchen
erschien und sprach: „Was gibst du mir, wenn ich dir das
Stroh zu Gold spinne?" — „Meinen Ring von dem Finger", antwortete das Mädchen. Das Männchen nahm den
Ring, fing wieder an zu schnurren mit dem Rade und
hatte bis zum Morgen alles Stroh zu glänzendem Gold
gesponnen. Der König freute sich über die Maßen bei
dem Anblick, war aber noch immer nicht Goldes satt,
sondern ließ die Müllerstochter in eine noch größere
Kammer voll Stroh bringen und sprach: „Die mußt du
noch in dieser Nacht verspinnen: gelingt dir's aber, so
sollst du meine Gemahlin werden." — „Wenn's auch eine
Müllerstochter ist", dachte er, „eine reichere Frau finde
ich in der ganzen Welt nicht." Als das Mädchen allein
war, kam das Männlein zum drittenmal und sprach:
„Was gibst du mir, wenn ich dir noch diesmal das Stroh
spinne?" — „Ich habe nichts mehr, das ich geben könnte",
antwortete das Mädchen. „So versprich mir, wenn du
Königin wirst, dein erstes Kind." — „Wer weiß, wie das
noch geht", dachte die Müllerstochter und wußte sich
auch in der Not nicht anders zu helfen; sie versprach
also dem Männchen, was es verlangte, und das Männchen
spann dafür noch einmal das Stroh zu Gold. Und als am

Morgen der König kam und alles fand, wie er gewünscht hatte, so hielt er Hochzeit mit ihr, und die schöne Müllerstochter ward eine Königin.

Über ein Jahr brachte sie ein schönes Kind zur Welt und dachte gar nicht mehr an das Männchen: da trat es plötzlich in ihre Kammer und sprach: „Nun gib mir, was du versprochen hast." Die Königin erschrak und bot dem Männchen alle Reichtümer des Königreichs an, wenn es ihr das Kind lassen wollte; aber das Männchen sprach: „Nein, etwas Lebendes ist mir lieber als alle Schätze der Welt." Da fing die Königin so an zu jammern und zu weinen, daß das Männchen Mitleiden mit ihr hatte. „Drei Tage will ich dir Zeit lassen", sprach er, „wenn du bis dahin meinen Namen weißt, so sollst du dein Kind behalten."

Nun besann sich die Königin die ganze Nacht über auf alle Namen, die sie jemals gehört hatte, und schickte einen Boten über Land, der sollte sich erkundigen weit und breit, was es sonst noch für Namen gäbe. Als am andern Tag das Männchen kam, fing sie an mit Kaspar, Melchior, Balzer und sagte alle Namen, die sie wußte, nach der Reihe her, aber bei jedem sprach das Männlein: „So heiß' ich nicht." Den zweiten Tag ließ sie in der Nachbarschaft herumfragen, wie die Leute da genannt würden, und sagte dem Männlein die ungewöhnlichsten und seltsamsten Namen vor: „Heißt du vielleicht Rippenbiest oder Hammelswade oder Schnürbein?" aber es antwortete immer: „So heiß' ich nicht." Den dritten Tag kam der Bote wieder zurück und erzählte: „Neue Namen habe ich keinen einzigen finden können, aber wie ich an einen hohen Berg um die Waldecke kam, wo Fuchs und Has sich gute Nacht sagen, so sah ich da ein kleines Haus, und vor dem Haus brannte ein Feuer, und um das Feuer sprang ein gar zu lächerliches Männchen, hüpfte auf einem Bein und schrie:

„Heute back' ich, morgen brau' ich,
Übermorgen hol' ich der Königin ihr Kind;
Ach, wie gut ist, daß niemand weiß,
Daß ich Rumpelstilzchen heiß'!"

Da könnt ihr denken, wie die Königin froh war, als sie
den Namen hörte, und als bald hernach das Männlein
hereintrat und fragte: „Nun, Frau Königin, wie heiß'
ich?" fragte sie erst: „Heißest du Kunz?" — „Nein." —
„Heißest du Heinz?" —„Nein."

„Heißt du etwa Rumpelstilzchen?"

„Das hat dir der Teufel gesagt, das hat dir der Teufel
gesagt", schrie das Männlein und stieß mit dem rechten
Fuß vor Zorn so tief in die Erde, daß es bis an den Leib
hineinfuhr, dann packte es in seiner Wut den linken Fuß
mit beiden Händen und riß sich selbst mitten entzwei.

Der Hund und der Sperling

Ein Schäferhund hatte keinen guten Herrn, sondern
einen, der ihn Hunger leiden ließ. Wie er's nicht länger
bei ihm aushalten konnte, ging er ganz traurig fort. Auf
der Straße begegnete ihm ein Sperling, der sprach:
„Bruder Hund, warum bist du so traurig?" Antwortete
der Hund: „Ich bin hungrig und habe nichts zu fressen."
Da sprach der Sperling: „Lieber Bruder, komm mit in
die Stadt, so will ich dich satt machen." Also gingen sie
zusammen in die Stadt, und als sie vor einen Fleischer-
laden kamen, sprach der Sperling zum Hunde: „Da bleib
stehen, ich will dir ein Stück Fleisch herunterpicken",
setze sich auf den Laden, schaute sich um, ob ihn auch
niemand bemerkte, und pickte, zog und zerrte so lang

an einem Stück, das am Rande lag, bis es herunter-
rutschte. Da packte es der Hund, lief in eine Ecke und
fraß es auf. Sprach der Sperling: „Nun komm mit zu
einem andern Laden, da will ich dir noch ein Stück her-
unterholen, damit du satt wirst." Als der Hund auch das
zweite Stück gefressen hatte, fragte der Sperling: „Bruder
Hund, bist du nun satt?" — „Ja, Fleisch bin ich satt",
antwortete er, „aber ich habe noch kein Brot gekriegt."
Sprach der Sperling: „Das sollst du auch haben, komm
nur mit." Da führte er ihn an einen Bäckerladen und
pickte an ein paar Brötchen, bis sie herunterrollten, und
als der Hund noch mehr wollte, führte er ihn zu einem
andern und holte ihm noch einmal Brot herab. Wie das
verzehrt war, sprach der Sperling: „Bruder Hund, bist
du nun satt?" — „Ja", antwortete er, „nun wollen wir
ein bißchen vor die Stadt gehen."

Da gingen sie beide hinaus auf die Landstraße. Es war
aber warmes Wetter, und als sie ein Eckchen gegangen
waren, sprach der Hund: „Ich bin müde und möchte gern
schlafen." — „Ja, schlaf nur", antwortete der Sperling,
„ich will mich derweil auf einen Zweig setzen." Der
Hund legte sich also auf die Straße und schlief fest ein.
Während er da lag und schlief, kam ein Fuhrmann herangefahren, der hatte einen Wagen mit drei Pferden, und
hatte zwei Fässer Wein geladen. Der Sperling aber sah,
daß er nicht ausbiegen wollte, sondern in der Fahrgleise
blieb, in welcher der Hund lag, da rief er: „Fuhrmann,
tu's nicht, oder ich mache dich arm." Der Fuhrmann
aber brummte vor sich: „Du wirst mich nicht arm machen", knallte mit der Peitsche und trieb den Wagen
über den Hund, daß ihn die Räder totfuhren. Da rief
der Sperling: „Du hast mir meinen Bruder Hund tot-
gefahren, das soll dich Karre und Gaul kosten." — „Ja,
Karre und Gaul", sagte der Fuhrmann, „was könntest
du mir schaden!" und fuhr weiter. Da kroch der Sperling

unter das Wagentuch und pickte an dem einen Spundloch
so lange, bis er den Spund losbrachte: da lief der ganze
Wein heraus, ohne daß es der Fuhrmann merkte. Und
als er einmal hinter sich blickte, sah er, daß der Wagen
tröpfelte, untersuchte die Fässer und fand, daß eins leer
war. „Ach, ich armer Mann!" rief er. „Noch nicht arm
genug", sprach der Sperling und flog dem einen Pferd
auf den Kopf und pickte ihm die Augen aus. Als der
Fuhrmann das sah, zog er seine Hacke heraus und wollte
den Sperling treffen, aber der Sperling flog in die Höhe
und der Fuhrmann traf seinen Gaul auf den Kopf, daß
er tot hinfiel. „Ach, ich armer Mann!" rief er. „Noch
nicht arm genug", sprach der Sperling, und als der Fuhrmann mit den zwei Pferden weiterfuhr, kroch der Sperling wieder unter das Tuch und pickte den Spund auch am
zweiten Faß los, daß aller Wein herausschwankte. Als
es der Fuhrmann gewahr wurde, rief er wieder: „Ach,
ich armer Mann!" aber der Sperling antwortete: „Noch
nicht arm genug", setzte sich dem zweiten Pferd auf den
Kopf und pickte ihm die Augen aus. Der Fuhrmann lief
herbei und holte mit seiner Hacke aus, aber der Sperling
flog in die Höhe; da traf der Schlag das Pferd, daß es
hinfiel. „Ach, ich armer Mann!" — „Noch nicht arm
genug", sprach der Sperling, setzte sich auch dem dritten
Pferd auf den Kopf und pickte ihm nach den Augen.
Der Fuhrmann schlug in seinem Zorn, ohne umzusehen,
auf den Sperling los, traf ihn aber nicht, sondern schlug
auch sein drittes Pefrd tot. „Ach, ich armer Mann!" rief
er. „Noch nicht arm genug", antwortete der Sperling,
„jetzt will ich dich daheim arm machen", und flog fort.

Der Fuhrmann mußte den Wagen stehen lassen und
ging voll Zorn und Ärger heim. „Ach", sprach er zu
seiner Frau, „was hab' ich Unglück gehabt! Der Wein ist
ausgelaufen, und die Pferde sind alle drei tot." — „Ach,
Mann", antwortete sie, „was für ein böser Vogel ist ins

Haus gekommen! Er hat alle Vögel auf der Welt zusammengebracht und die sind droben über unsern Weizen
hergefallen und fressen ihn auf." Da stieg er hinauf,
und tausend und tausend Vögel saßen auf dem Boden
und hatten den Weizen aufgefressen, und der Sperling
saß mitten darunter. Da rief der Fuhrmann: „Ach, ich
armer Mann!" — „Noch nicht arm genug", antwortete
der Sperling, „Fuhrmann, es kostet dir noch dein Leben",
und flog hinaus.

Da hatte der Fuhrmann all sein Gut verloren, ging
hinab in die Stube, setzte sich hinter den Ofen und war
ganz bös und giftig. Der Sperling aber saß draußen vor
dem Fenster und rief: „Fuhrmann, es kostet dir dein
Leben." Da griff der Fuhrmann die Hacke und warf sie
nach dem Sperling; aber er schlug nur die Fensterscheiben
entzwei und traf den Vogel nicht. Der Sperling hüpfte
nun herein, setzte sich auf den Ofen und rief: „Fuhrmann, es kostet dir dein Leben." Dieser, ganz toll und
blind vor Wut, schlägt den Ofen entzwei, und so fort,
wie der Sperling von einem Ort zum andern fliegt, sein
ganzes Hausgerät, Spieglein, Bänke, Tisch und zuletzt
die Wände seines Hauses, und kann ihn nicht treffen.
Endlich aber erwischte er ihn doch mit der Hand. Da
sprach seine Frau: „Soll ich ihn totschlagen?" — „Nein",
rief er, „das wäre zu gelind, der soll viel mörderlicher
sterben, ich will ihn verschlingen", und nimmt ihn und
verschlingt ihn auf einmal. Der Sperling aber fängt an
in seinem Leibe zu flattern, flattert wieder herauf, dem
Mann in den Mund; da streckte er den Kopf heraus und
ruft: „Fuhrmann, es kostet dir doch dein Leben." Der
Fuhrmann reicht seiner Frau die Hacke und spricht:
„Frau, schlag mir den Vogel im Munde tot." Die Frau
schlägt zu, schlägt aber fehl und schlägt dem Fuhrmann
gerade auf den Kopf, so daß er tot hinfällt. Der Sperling aber fliegt auf und davon.

Der Frieder und das Catherlieschen

Es war ein Mann, der hieß Frieder, und eine Frau, die hieß Catherlieschen, die hatten einander geheiratet und lebten zusammen als junge Eheleute. Eines Tages sprach der Frieder: „Ich will jetzt zu Acker, Catherlieschen, wann ich wiederkomme, muß etwas Gebratenes auf dem Tisch stehen für den Hunger und ein frischer Trunk dabei für den Durst." — „Geh nur, Friederchen", antwortete die Catherlies, „geh nur, will dir's schon recht machen." Als nun die Essenszeit herbeirückte, holte sie eine Wurst aus dem Schornstein, tat sie in eine Bratpfanne, legte Butter dazu und stellte sie übers Feuer. Die Wurst fing an zu braten und zu brutzeln, Catherlieschen stand dabei, hielt den Pfannenstiel und hatte so seine Gedanken; da fiel ihm ein: „Bis die Wurst fertig wird, derweil könntest du ja im Keller den Trunk zapfen." Also stellte es den Pfannenstiel fest, nahm eine Kanne, ging hinab in den Keller und zapfte Bier. Das Bier lief in die Kanne, und Catherlieschen sah ihm zu, da fiel ihm ein: „Holla, der Hund oben ist nicht beigetan, der könnte die Wurst aus der Pfanne holen, du kämst mir recht!" und im Hui war es die Kellertreppe hinauf; aber der Spitz hatte die Wurst schon im Maul und schleifte sie auf der Erde mit sich fort. Doch Catherlieschen, nicht faul, setzte ihm nach und jagte ihn ein gut Stück ins Feld; aber der Hund war geschwinder als Catherlieschen, ließ auch die Wurst nicht fahren, sondern über die Äcker hinhüpfen. „Hin ist hin!" sprach Catherlieschen, kehrte um, und weil es sich müde gelaufen hatte, ging es hübsch langsam und kühlte sich ab. Während der Zeit lief das Bier aus dem Faß immerzu, denn Catherlieschen hatte den Hahn nicht umgedreht, und als die Kanne voll und sonst kein Platz da war, so lief es in den Keller und hörte nicht eher auf, als bis das ganze Faß leer war. Catherlieschen sah schon

auf der Treppe das Unglück. „Spuk", rief es, „was fängst
du jetzt an, daß es der Frieder nicht merkt!" Es besann
sich ein Weilchen, endlich fiel ihm ein, von der letzten
Kirmes stände noch ein Sack mit schönem Weizenmehl
auf dem Boden, das wollte es herabholen und in das
Bier streuen. „Ja", sprach es, „wer zu rechter Zeit was
spart, der hat's hernach in der Not", stieg auf den Boden,
trug den Sack herab und warf ihn gerade auf die Kanne
voll Bier, daß sie umstürzte und der Trunk des Frieders
auch im Keller schwamm. „Es ist ganz recht", sprach
Catherlieschen, „wo eins ist, muß das andere auch sein",
und zerstreute das Mehl im ganzen Keller. Als es fertig
war, freute es sich gewaltig über seine Arbeit und sagte:
„Wie's so reinlich und sauber hier aussieht!"

Um Mittagszeit kam der Frieder heim. „Nun, Frau,
was hast du mir zurechtgemacht?" — „Ach, Friederchen",
antwortete sie, „ich wollte dir ja eine Wurst braten, aber
während ich das Bier dazu zapfte, hat sie der Hund aus
der Pfanne weggeholt, und während ich dem Hund
nachsprang, ist das Bier ausgelaufen, und als ich das Bier
mit dem Weizenmehl auftrocknen wollte, hab' ich die
Kanne auch noch umgestoßen; aber sei nur zufrieden,
der Keller ist wieder ganz trocken." Sprach der Frieder:
„Catherlieschen, Catherlieschen, das hättest du nicht tun
müssen! Läßt die Wurst wegholen und das Bier aus dem
Faß laufen und verschüttest obendrein unser feines Mehl!"
— „Ja, Friederchen, das habe ich nicht gewußt, hättest
mir's sagen müssen."

Der Mann dachte: „Geht das so mit deiner Frau, so
mußt du dich besser vorsehen." Nun hatte er eine hübsche
Summe Taler zusammengebracht, die wechselte er in
Gold ein und sprach zum Catherlieschen: „Siehst du, das
sind gelbe Gickelinge, die will ich in einen Topf tun und
im Stall unter der Kuhkrippe vergraben; aber daß du
mir ja davonbleibst, sonst geht dir's schlimm." Sprach

sie: „Nein, Friederchen, will's gewiß nicht tun." Nun, als
der Frieder fort war, da kamen Krämer, die irdne Näpfe
und Töpfe feil hatten, ins Dorf und fragten bei der
jungen Frau an, ob sie nichts zu handeln hätte. „Oh, ihr
lieben Leute", sprach Catherlieschen, „ich hab kein Geld
und kann nichts kaufen; aber könnt ihr gelbe Gickelinge
brauchen, so will ich wohl kaufen." — „Gelbe Gickelinge, warum nicht? Laßt sie einmal sehen." — „So geht
in den Stall und grabt unter der Kuhkrippe, so werdet
ihr die gelben Gickelinge finden, ich darf nicht dabei-
gehen." Die Spitzbuben gingen hin, gruben und fanden
eitel Gold. Da packten sie auf damit, liefen fort und
ließen Töpfe und Näpfe im Hause stehen. Catherlieschen
meinte, sie müßte das neue Geschirr auch brauchen; weil
nun in der Küche ohnehin kein Mangel daran war, schlug
sie jedem Topf den Boden aus und steckte sie insgesamt
zum Zierat auf die Zaunpfähle rings ums Haus herum.
Wie der Frieder kam und den neuen Zierat sah, sprach
er: „Catherlieschen, was hast du gemacht?" — „Hab's
gekauft, Friederchen, für die gelben Gickelinge, die unter
der Kuhkrippe steckten: bin selber nicht dabeigegangen,
die Krämer haben sich's herausgraben müssen." — „Ach,
Frau", sprach der Frieder, „was hast du gemacht! Das
waren keine Gickelinge, es war eitel Gold und war all
unser Vermögen; das hättest du nicht tun sollen." — „Ja,
Friederchen", antwortete sie, „das hab' ich nicht gewußt,
hättest mir's vorher sagen sollen."

Catherlieschen stand ein Weilchen und besann sich, da
sprach sie: „Hör, Friederchen, das Gold wollen wir
schon wiederkriegen, wollen hinter den Dieben her-
laufen." — „So komm", sprach der Frieder, „wir wollen's versuchen; nimm aber Butter und Käse mit, daß
wir auf dem Weg was zu essen haben." — „Ja, Friederchen, will's mitnehmen." Sie machten sich fort, und weil
der Frieder besser zu Fuß war, ging Catherlieschen hin-

ten nach. „Ist mein Vorteil", dachte es, „wenn wir umkehren, hab' ich ja ein Stück voraus." Nun kam es an
einen Berg, wo auf beiden Seiten des Wegs tiefe Fahrgleise waren. „Da sehe einer", sprach Catherlieschen,
„was sie das arme Erdreich zerrissen, geschunden und
gedrückt haben! Das wird sein Lebtag nicht wieder heil."
Und aus mitleidigem Herzen nahm es seine Butter und
bestrich die Gleise rechts und links, damit sie von den
Rädern nicht so gedrückt würden; und wie es sich bei
seiner Barmherzigkeit so bückte, rollte ihm ein Käse aus
der Tasche den Berg hinab. Sprach das Catherlieschen:
„Ich habe den Weg schon einmal herauf gemacht, ich
gehe nicht wieder hinab, es mag ein anderer hinlaufen
und ihn wiederholen." Also nahm es einen andern Käs
und rollte ihn hinab. Die Käse aber kamen nicht wieder,
da ließ es noch einen dritten hinablaufen und dachte,
„vielleicht warten sie auf Gesellschaft und gehen nicht
gern allein." Als sie alle drei ausblieben, sprach es: „Ich
weiß nicht, was das vorstellen soll! Doch kann's ja sein,
der dritte hat den Weg nicht gefunden und sich verirrt,
ich will nur den vierten schicken, daß er sie herbeiruft."
Der vierte machte es aber nicht besser als der dritte. Da
ward das Catherlieschen ärgerlich und warf noch den
fünften und sechsten hinab, und das waren die letzten.
Eine Zeitlang blieb es stehen und lauerte, daß sie kämen,
als sie aber immer nicht kamen, sprach es: „Oh, ihr seid
gut nach dem Tod schicken, ihr bleibt fein lange aus;
meint ihr, ich wollt' noch länger auf euch warten? Ich
gehe meiner Wege, ihr könnt mir nachlaufen, ihr habt
jüngere Beine als ich." Catherlieschen ging fort und fand
den Frieder, der war stehengeblieben und hatte gewartet,
weil er gerne was essen wollte. „Nun, gib einmal her,
was du mitgenommen hast." Sie reichte ihm das trockene
Brot. „Wo ist Butter und Käse?" fragte der Mann. „Ach,
Friederchen", sagte Catherlieschen, „mit der Butter hab'

ich die Fahrgleise geschmiert, und die Käse werden bald
kommen; einer lief mir fort, da hab' ich die andern
nachgeschickt, sie sollten ihn rufen." Sprach der Frieder:
„Das hättest du nicht tun sollen, Catherlieschen, die Butter an den Weg schmieren und die Käse den Berg hinab-
rollen." — „Ja, Friederchen, hättest mir's sagen müssen."

Da aßen sie das trockne Brot - zusammen, und der
Frieder sagte: „Catherlieschen, hast du auch unser Haus
verwahrt, wie du fortgegangen bist?" — „Nein, Friederchen, hättest mir's vorher sagen sollen." — „So geh wieder
heim und bewahr erst das Haus, ehe wir weitergehen;
bring auch etwas anderes zu essen mit, ich will hier auf
dich warten." Catherlieschen ging zurück und dachte,
„Friederchen will etwas anderes zu essen, Butter und
Käse schmeckt ihm wohl nicht, so will ich ein Tuch voll
Hutzeln und einen Krug Essig zum Trunk mitnehmen."
Danach riegelte es die Obertüre zu, aber die Untertüre
hob es aus, nahm sie auf die Schulter und glaubte, wenn
es die Tür in Sicherheit gebracht hätte, müßte das Haus
wohl bewahrt sein. Catherlieschen nahm sich Zeit zum
Weg und dachte: „Desto länger ruht sich Friederchen
aus." Als es ihn wieder erreicht hatte, sprach es: „Da,
Friederchen, hast du die Haustüre, da kannst du das
Haus selber verwahren." — „Ach Gott", sprach er, „was
hab' ich für eine kluge Frau! Hebt die Türe unten aus,
daß alles hineinlaufen kann, und riegelt sie oben zu.
Jetzt ist's zu spät, noch einmal nach Haus zu gehen, aber
hast du die Türe hierher gebracht, so sollst du sie auch
ferner tragen." — „Die Türe will ich tragen, Friederchen,
aber die Hutzeln und der Essigkrug werden mir zu
schwer: ich hänge sie an die Türe, die mag sie tragen."

Nun gingen sie in den Wald und suchten die Spitzbuben, aber sie fanden sie nicht. Weil's endlich dunkel
ward, stiegen sie auf einen Baum und wollten da übernachten. Kaum aber saßen sie oben, so kamen die Kerle

daher, die forttragen, was nicht mitgehen will, und die
Dinge finden, ehe sie verloren sind. Sie ließen sich gerade
unter dem Baum nieder, auf dem Frieder und Catherlieschen saßen, machten sich ein Feuer an und wollten
ihre Beute teilen. Der Frieder stieg von der andern Seite
herab und sammelte Steine, stieg damit wieder hinauf
und wollte die Diebe totwerfen. Die Steine aber trafen
nicht, und die Spitzbuben riefen: „Es ist bald Morgen,
der Wind schüttelt die Tannäpfel herunter." Catherlieschen hatte die Türe noch immer auf der Schulter, und
weil sie so schwer drückte, dachte es, die Hutzeln wären
schuld und sprach: „Friederchen, ich muß die Hutzeln
hinabwerfen." — „Nein, Catherlieschen, jetzt nicht",
antwortete er, „sie könnten uns verraten." — „Ach,
Friederchen, ich muß, sie drücken mich gar zu sehr." —
„Nun, so tu's, ins Henkers Namen!" Da rollten die
Hutzeln zwischen den Ästen herab, und die Kerle unten
sprachen: „Die Vögel misten." Eine Weile danach, weil
die Türe noch immer drückte, sprach Catherlieschen:
„Ach, Friederchen, ich muß den Essig ausschütten." —
„Nein, Catherlieschen, das darfst du nicht, es könnte uns
verraten." — „Ach, Friederchen, ich muß, er drückt mich
gar zu sehr." — „Nun, so tu's, ins Henkers Namen!" Da
schüttete es den Essig aus, daß er die Kerle bespritzte.
Sie sprachen untereinander: „Der Tau tröpfelt schon
herunter." Endlich dachte Catherlieschen: „Sollte es wohl
die Türe sein, was mich so drückt?" und sprach: „Friederchen, ich muß die Türe hinabwerfen." — „Nein, Catherlieschen, jetzt nicht, sie könnte uns verraten." — „Ach,
Friederchen, ich muß, sie drückt mich gar zu sehr." —
„Nein, Catherlieschen, halt sie ja fest." — „Ach, Friederchen, ich laß sie fallen." — „Ei", antwortete Frieder
ärgerlich, „so laß sie fallen, ins Teufels Namen!" Da fiel
sie herunter mit starkem Gepolter, und die Kerle unten
riefen: „Der Teufel kommt vom Baum herab", rissen aus

und ließen alles im Stich. Frühmorgens, wie die zwei herunterkamen, fanden sie all ihr Gold wieder und trugen's heim.

Als sie wieder zu Haus waren, sprach der Frieder: „Catherlieschen, nun mußt du aber auch fleißig sein und arbeiten." — „Ja, Friederchen, will's schon tun, will ins Feld gehen, Frucht schneiden." Als Catherlieschen im Feld war, sprach's mit sich selber: „Ess' ich, eh' ich schneid', oder schlaf' ich, eh' ich schneid'? Hei, ich will eh'r essen!" Da aß Catherlieschen und ward überm Essen schläfrig und fing an zu schneiden und schnitt halb träumend alle seine Kleider entzwei, Schürze, Rock und Hemd. Wie Catherlieschen nach langem Schlaf wieder erwachte, stand es halb nackicht da und sprach zu sich selber: „Bin ich's oder bin ich's nicht? Ach, ich bin's nicht!" Unterdessen ward's Nacht, da lief Catherlieschen ins Dorf hinein, klopfte an ihres Mannes Fenster und rief: „Friederchen?" — „Was ist denn?" — „Möcht' gern wissen, ob Catherlieschen drinnen ist." — „Ja, ja", antwortete der Frieder, „es wird wohl drin liegen und schlafen." Sprach sie: „Gut, dann bin ich gewiß schon zu Haus" und lief fort.

Draußen fand Catherlieschen Spitzbuben, die wollten stehlen. Da ging es bei sie und sprach: „Ich will euch helfen stehlen." Die Spitzbuben meinten, es wüßte die Gelegenheit des Orts und waren's zufrieden. Catherlieschen ging vor die Häuser und rief: „Leute, habt ihr was? Wir wollen stehlen." Dachten die Spitzbuben: „Das wird gut werden", und wünschten, sie wären Catherlieschen wieder los. Da sprachen sie zu ihm: „Vorm Dorfe hat der Pfarrer Rüben auf dem Feld, geh hin und rupf uns Rüben." Catherlieschen ging hin aufs Land und fing an zu rupfen, war aber so faul und hob sich nicht in die Höhe. Da kam ein Mann vorbei, sah's und stand still und dachte, das wäre der Teufel, der so in den Rüben

wühlte. Lief fort ins Dorf zum Pfarrer und sprach:
„Herr Pfarrer, in Eurem Rübenland ist der Teufel und
rupft." — „Ach Gott", antwortete der Pfarrer, „ich habe
einen lahmen Fuß, ich kann nicht hinaus und ihn weg-
bannen." Sprach der Mann: „So will ich Euch hockeln",
und hockelte ihn hinaus. Und als sie bei das Land kamen,
machte sich das Catherlieschen auf und reckte sich in die
Höhe. „Ach, der Teufel!" rief der Pfarrer, und beide
eilten fort, und der Pfarrer konnte vor großer Angst
mit seinem lahmen Fuße gerader laufen, als der Mann,
der ihn gehockelt hatte, mit seinen gesunden Beinen.

Allerleirauh

Es war einmal ein König, der hatte eine Frau mit goldenen Haaren, und sie war so schön, daß sich ihres-
gleichen nicht mehr auf Erden fand. Es geschah, daß sie
krank lag, und als sie fühlte, daß sie bald sterben würde,
rief sie den König und sprach: „Wenn du nach meinem
Tode dich wieder vermählen willst, so nimm keine, die
nicht ebenso schön ist, als ich bin, und die nicht solche
goldene Haare hat, wie ich habe; das mußt du mir versprechen." Nachdem es ihr der König versprochen hatte,
tat sie die Augen zu und starb.

Der König war lange Zeit nicht zu trösten und dachte
nicht daran, eine zweite Frau zu nehmen. Endlich sprachen seine Räte: „Es geht nicht anders, der König muß
sich wieder vermählen, damit wir eine Königin haben."
Nun wurden Boten weit und breit umhergeschickt, eine
Braut zu suchen, die an Schönheit der verstorbenen
Königin ganz gleich käme. Es war aber keine in der
ganzen Welt zu finden, und wenn man sie auch gefunden
hätte, so war doch keine da, die solche goldene Haare

gehabt hätte. Also kamen die Boten unverrichteter Sache
wieder heim.

Nun hatte der König eine Tochter, die war gerade so
schön wie ihre verstorbene Mutter und hatte auch solche
goldene Haare. Als sie herangewachsen war, sah sie der
König einmal an und sah, daß sie in allem seiner verstorbenen Gemahlin ähnlich war, und fühlte plötzlich
eine heftige Liebe zu ihr. Da sprach er zu seinen Räten:
„Ich will meine Tochter heiraten, denn sie ist das Eben-
bild meiner verstorbenen Frau, und sonst kann ich doch
keine Braut finden, die ihr gleicht." Als die Räte das
hörten, erschraken sie und sprachen: „Gott hat verboten,
daß der Vater seine Tochter heirate, aus der Sünde kann
nichts Gutes entspringen, und das Reich wird mit ins
Verderben gezogen." Die Tochter erschrak noch mehr,
als sie den Entschluß ihres Vaters vernahm, hoffte aber,
ihn von seinem Vorhaben noch abzubringen. Da sagte sie
zu ihm: „Eh' ich Euren Wunsch erfülle, muß ich erst
drei Kleider haben, eins so golden wie die Sonne, eins so
silbern wie der Mond, und eins so glänzend wie die
Sterne; ferner verlange ich einen Mantel von tausenderlei
Pelz und Rauhwerk zusammengesetzt, und ein jedes Tier
in Eurem Reich muß ein Stück von seiner Haut dazu-
geben." Sie dachte aber: „Das anzuschaffen ist ganz unmöglich, und ich bringe damit meinen Vater von seinen
bösen Gedanken ab." Der König ließ aber nicht ab, und
die geschicktesten Jungfrauen in seinem Reiche mußten
die drei Kleider weben, eins so golden wie die Sonne,
eins so silbern wie der Mond und eins so glänzend wie
die Sterne; und seine Jäger mußten alle Tiere im ganzen
Reich auffangen und ihnen ein Stück von ihrer Haut
abziehen; daraus ward ein Mantel von tausenderlei
Rauhwerk gemacht. Endlich, als alles fertig war, ließ der
König den Mantel herbeiholen, breitete ihn vor ihr aus
und sprach: „Morgen soll die Hochzeit sein."

Als nun die Königstochter sah, daß keine Hoffnung mehr war, ihres Vaters Herz umzuwenden, so faßte sie den Entschluß zu entfliehen. In der Nacht, während alles schlief, stand sie auf und nahm von ihren Kostbarkeiten dreierlei, einen goldenen Ring, ein goldenes Spinnrädchen und ein goldenes Haspelchen; die drei Kleider von Sonne, Mond und Sternen tat sie in eine Nußschale, zog den Mantel von allerlei Rauhwerk an und machte sich Gesicht und Hände mit Ruß schwarz. Dann befahl sie sich Gott und ging fort und ging die ganze Nacht, bis sie in einen großen Wald kam. Und weil sie müde war, setzte sie sich in einen hohlen Baum und schlief ein.

Die Sonne ging auf und sie schlief fort und schlief noch immer, als es schon hoher Tag war. Da trug es sich zu, daß der König, dem dieser Wald gehörte, darin jagte. Als seine Hunde zu dem Baume kamen, schnupperten sie, liefen rings herum und bellten. Sprach der König zu den Jägern: „Seht doch, was dort für ein Wild sich versteckt hat." Die Jäger folgten dem Befehl, und als sie wiederkamen, sprachen sie: „In dem hohlen Baum liegt ein wunderliches Tier, wie wir noch niemals eins gesehen haben; an seiner Haut ist tausenderlei Pelz; es liegt aber und schläft." Sprach der König: „Seht zu, ob ihr's lebendig fangen könnt, dann bindet's auf den Wagen und nehmt's mit." Als die Jäger das Mädchen anfaßten, erwachte es voll Schrecken und rief ihnen zu: „Ich bin ein armes Kind, von Vater und Mutter verlassen, erbarmt euch mein und nehmt mich mit." Da sprachen sie: „*Allerleirauh*, du bist gut für die Küche, komm nur mit, da kannst du die Asche zusammenkehren." Also setzten sie es auf den Wagen und fuhren heim in das königliche Schloß. Dort wiesen sie ihm ein Ställchen an unter der Treppe, wo kein Tageslicht hinkam, und sagten: „Rauhtierchen, da kannst du wohnen und schlafen." Dann ward es in die Küche geschickt, da trug es Holz und Wasser,

schürte das Feuer, rupfte das Federvieh, belas das Gemüs,
kehrte die Asche und tat alle schlechte Arbeit.

Da lebte Allerleirauh lange Zeit recht armselig. Ach,
du schöne Königstochter, wie soll's mit dir noch werden!
Es geschah aber einmal, daß ein Fest im Schloß gefeiert
ward, da sprach sie zum Koch: „Darf ich ein wenig hin-
aufgehen und zusehen? Ich will mich außen vor die Türe
stellen." Antwortete der Koch: „Ja, geh nur hin, aber
in einer halben Stunde mußt du wieder hier sein und die
Asche zusammentragen." Da nahm sie ihr Öllämpchen,
ging in ihr Ställchen, zog den Pelzrock aus und wusch
sich den Ruß von dem Gesicht und den Händen ab, so
daß ihre volle Schönheit wieder an den Tag kam. Dann
machte sie die Nuß auf und holte ihr Kleid hervor, das
wie die Sonne glänzte. Und wie das geschehen war, ging
sie hinauf zum Fest, und alle traten ihr aus dem Weg,
denn niemand kannte sie, und meinten nicht anders, als
daß es eine Königstochter wäre. Der König aber kam ihr
entgegen, reichte ihr die Hand und tanzte mit ihr und
dachte in seinem Herzen: „So schön haben meine Augen
noch keine gesehen." Als der Tanz zu Ende war, ver-
neigte sie sich, und wie sich der König umsah, war sie
verschwunden, und niemand wußte wohin. Die Wächter,
die vor dem Schlosse standen, wurden gerufen und aus-
gefragt, aber niemand hatte sie erblickt.

Sie war aber in ihr Ställchen gelaufen, hatte geschwind
ihr Kleid ausgezogen, Gesicht und Hände schwarz gemacht und den Pelzmantel umgetan und war wieder
Allerleirauh. Als sie nun in die Küche kam und an ihre
Arbeit gehen und die Asche zusammenkehren wollte,
sprach der Koch: „Laß das gut sein bis morgen und koche
mir da die Suppe für den König, ich will auch einmal
ein bißchen oben zugucken; aber laß mir kein Haar
hineinfallen, sonst kriegst du in Zukunft nichts mehr zu
essen." Da ging der Koch fort, und Allerleirauh kochte

die Suppe für den König, und kochte eine Brotsuppe, so gut es konnte, und wie sie fertig war, holte es in dem Ställchen seinen goldenen Ring und legte ihn in die Schüssel, in welche die Suppe angerichtet ward. Als der Tanz zu Ende war, ließ sich der König die Suppe bringen und aß sie, und sie schmeckte ihm so gut, daß er meinte, niemals eine bessere Suppe gegessen zu haben. Wie er aber auf den Grund kam, sah er da einen goldenen Ring liegen und konnte nicht begreifen, wie er dahin geraten war. Da befahl er, der Koch sollte vor ihn kommen. Der Koch erschrak, wie er den Befehl hörte, und sprach zu Allerleirauh: „Gewiß hast du ein Haar in die Suppe fallen lassen; wenn's wahr ist, so kriegst du Schläge." Als er vor den König kam, fragte dieser, wer die Suppe gekocht hätte? Antwortete der Koch: „Ich habe sie gekocht." Der König aber sprach: „Das ist nicht wahr, denn sie war auf andere Art und viel besser gekocht als sonst." Antwortete er: „Ich muß es gestehen, daß ich sie nicht gekocht habe, sondern das Rauhtierchen." Sprach der König: „Geh und laß es heraufkommen."

Als Allerleirauh kam, fragte der König: „Wer bist du?" — „Ich bin ein armes Kind, das keinen Vater und Mutter mehr hat." Fragte er weiter: „Wozu bist du in meinem Schloß?" Antwortete es: „Ich bin zu nichts gut, als daß mir die Stiefeln um den Kopf geworfen werden." Fragt er weiter: „Wo hast du den Ring her, der in der Suppe war?" Antwortete es: „Von dem Ring weiß ich nichts." Also konnte der König nichts erfahren und mußte es wieder fortschicken.

Über eine Zeit war wieder ein Fest, da bat Allerleirauh den Koch wie voriges Mal um Erlaubnis, zusehen zu dürfen. Antwortete er: „Ja, aber komm in einer halben Stunde wieder und koch dem König die Brotsuppe, die er so gerne ißt." Da lief es in sein Ställchen, wusch sich geschwind und nahm aus der Nuß das Kleid, das so silbern war wie der Mond, und tat es an. Da ging sie hinauf und glich einer Königstochter; und der König trat ihr entgegen und freute sich, daß er sie wiedersah, und weil eben der Tanz anhub, so tanzten sie zusammen. Als aber der Tanz zu Ende war, verschwand sie wieder so schnell, daß der König nicht bemerken konnte, wo sie hinging. Sie sprang aber in ihr Ställchen und machte sich wieder zum Rauhtierchen und ging in die Küche, die Brotsuppe zu kochen. Als der Koch oben war, holte es das goldene Spinnrad und tat es in die Schüssel, so daß die Suppe darüber angerichtet wurde. Danach ward sie dem König gebracht, der aß sie, und sie schmeckte ihm so gut wie das vorige Mal, und ließ den Koch kommen, der mußte auch diesmal gestehen, daß Allerleirauh die Suppe gekocht hätte. Allerleirauh kam da wieder vor den König, aber sie antwortete, daß sie nur dazu da wäre, daß ihr die Stiefeln an den Kopf geworfen würden und daß sie von dem goldenen Spinnrädchen gar nichts wüßte.

Als der König zum drittenmal ein Fest anstellte, da ging es nicht anders als die vorigen Male. Der Koch sprach zwar: „Du bist eine Hexe, Rauhtierchen, und tust immer etwas in die Suppe, davon sie so gut wird und dem König besser schmeckt, als was ich koche"; doch weil es so bat, so ließ er es auf die bestimmte Zeit hingehen. Nun zog es ein Kleid an, das wie die Sterne glänzte, und trat damit in den Saal. Der König tanzte wieder mit der schönen Jungfrau und meinte, daß sie noch niemals so schön gewesen wäre. Und während er tanzte, steckte er ihr, ohne daß sie es merkte, einen goldenen Ring an den Finger, und hatte befohlen, daß der Tanz recht lange währen sollte. Wie er zu Ende war, wollte er sie an den Händen festhalten, aber sie riß sich los und sprang so geschwind unter die Leute, daß sie vor seinen Augen verschwand. Sie lief, was sie konnte, in ihr Ställchen unter der Treppe, weil sie aber zu lange und über eine halbe Stunde geblieben war, so konnte sie das schöne Kleid nicht ausziehen, sondern warf nur den Mantel von Pelz darüber, und in der Eile machte sie sich auch nicht ganz rußig, sondern ein Finger blieb weiß. Allerleirauh lief nun in die Küche, kochte dem König die Brotsuppe und legte, wie der Koch fort war, den goldenen Haspel hinein. Der König, als er den Haspel auf dem Grunde fand, ließ Allerleirauh rufen: da erblickte er den weißen Finger und sah den Ring, den er im Tanze ihr angesteckt hatte. Da ergriff er sie an der Hand und hielt sie fest, und als sie sich losmachen und fortspringen wollte, tat sich der Pelzmantel ein wenig auf und das Sternenkleid schimmerte hervor. Der König faßt den Mantel und riß ihn ab. Da kamen die goldenen Haare hervor, und sie stand da in voller Pracht und konnte sich nicht länger verbergen. Und als sie Ruß und Asche aus ihrem Gesicht gewischt hatte, da war sie schöner als man noch jemand auf Erden gesehen hat. Der König aber sprach: „Du bist meine liebe Braut und wir scheiden nimmermehr voneinander." Darauf ward die Hochzeit gefeiert, und sie lebten vergnügt bis an ihren Tod.

Jorinde und Joringel

Es war einmal ein altes Schloß mitten in einem großen dicken Wald, darinnen wohnte eine alte Frau ganz allein, das war eine Erzzauberin. Am Tage machte sie sich zur Katze oder zur Nachteule, des Abends aber wurde sie wieder ordentlich wie ein Mensch gestaltet. Sie konnte das Wild und die Vögel herbeilocken, und dann schlachtete sie's, kochte und briet es. Wenn jemand auf hundert Schritte dem Schloß nahe kam, so mußte er stille stehen

und konnte sich nicht von der Stelle bewegen, bis sie ihn
lossprach; wenn aber eine keusche Jungfrau in diesen
Kreis kam, so verwandelte sie dieselbe in einen Vogel
und sperrte sie dann in einen Korb ein und trug den
Korb in eine Kammer des Schlosses. Sie hatte wohl siebentausend solcher Körbe mit so raren Vögeln im Schlosse.

Nun war einmal eine Jungfrau, die hieß Jorinde: sie
war schöner als alle anderen Mädchen. Die und dann
ein gar schöner Jüngling, namens Joringel, hatten sich
zusammen versprochen. Sie waren in den Brauttagen, und
sie hatten ihr größtes Vergnügen eins am andern. Damit
sie nun einsmalen vertraut zusammen reden könnten,
gingen sie in den Wald spazieren. „Hüte dich", sagte
Joringel, „daß du nicht so nahe ans Schloß kommst."
Es war ein schöner Abend, die Sonne schien zwischen den
Stämmen der Bäume hell ins dunkle Grün des Waldes,
und die Turteltaube sang kläglich auf den alten Mai-
buchen.

Jorinde weinte zuweilen, setzte sich hin im Sonnen-
schein und klagte; Joringel klagte auch. Sie waren so
bestürzt, als wenn sie hätten sterben sollen: sie sahen sich
um, waren irre und wußten nicht, wohin sie nach Hause
gehen sollten. Noch halb stand die Sonne über dem Berg
und halb war sie unter. Joringel sah durchs Gebüsch und
sah die alte Mauer des Schlosses nah bei sich; er erschrak
und wurde todbang. Jorinde sang:

> „Mein Vöglein mit dem Ringlein rot
> Singt Leide, Leide, Leide;
> Es singt dem Täubelein seinen Tod,
> Singt Leide, Lei — zicküt, zicküt, zicküt."

Joringel sah nach Jorinde. Jorinde war in eine Nachtigall verwandelt, die sang: „Zicküt, zicküt." Eine Nachteule mit glühenden Augen flog dreimal um sie herum

und schrie dreimal: „Schu, hu, hu, hu." Joringel konnte
sich nicht regen; er stand da wie ein Stein, konnte nicht
weinen, nicht reden, nicht Hand noch Fuß regen. Nun
war die Sonne unter; die Eule flog in einen Strauch, und
gleich darauf kam eine alte krumme Frau aus diesem
hervor, gelb und mager: große rote Augen, krumme
Nase, die mit der Spitze ans Kinn reichte. Sie murmelte,
fing die Nachtigall und trug sie auf der Hand fort. Joringel konnte nichts sagen, nicht von der Stelle kommen;
die Nachtigall war fort. Endlich kam das Weib wieder
und sagte mit dumpfer Stimme: „Grüß' dich, Zachiel,
wenn's Möndel ins Körbel scheint, bind los, Zachiel, zu
guter Stund." Da wurde Joringel los. Er fiel vor dem
Weib auf die Knie und bat, sie möchte ihm seine Jorinde
wiedergeben, aber sie sagte, er sollte sie nie wiederhaben,
und ging fort. Er rief, er weinte, er jammerte, aber alles
umsonst. „Uu, was soll mir geschehen?" Joringel ging
fort und kam endlich in ein fremdes Dorf; da hütete er
die Schafe lange Zeit. Oft ging er rund um das Schloß
herum, aber nicht zu nahe dabei. Endlich träumte er einmal des Nachts, er fände eine blutrote Blume, in deren
Mitte eine schöne große Perle war. Die Blume brach er
ab, ging damit zum Schlosse: alles, was er mit der Blume
berührte, ward von der Zauberei frei; auch träumte er,
er hätte seine Jorinde dadurch wiederbekommen. Des
Morgens, als er erwachte, fing er an durch Berg und Tal
zu suchen, ob er eine solche Blume fände; er suchte bis
an den neunten Tag, da fand er die blutrote Blume am
Morgen früh. In der Mitte war ein großer Tautropfen,
so groß wie die schönste Perle. Diese Blume trug er Tag
und Nacht bis zum Schloß. Wie er auf hundert Schritt
nahe bis zum Schloß kam, da ward er nicht fest, sondern
ging fort bis ans Tor. Joringel freute sich hoch, berührte
die Pforte mit der Blume, und sie sprang auf. Er ging
hinein, durch den Hof, horchte, wo er die vielen Vögel

vernähme; endlich hörte er's. Er ging und fand den Saal,
darauf war die Zauberin und fütterte die Vögel in den
siebentausend Körben. Wie sie den Joringel sah, ward
sie bös, sehr bös, schalt, spie Gift und Galle gegen ihn
aus, aber sie konnte auf zwei Schritte nicht an ihn kommen. Er kehrte sich nicht an sie und ging, besah die
Körbe mit den Vögeln; da waren aber viele hundert
Nachtigallen, wie sollte er nun seine Jorinde wiederfin-
den? Indem er so zusah, merkte er, daß die Alte heimlich ein Körbchen mit einem Vogel wegnahm und damit
nach der Türe ging. Flugs sprang er hinzu, berührte das
Körbchen mit der Blume und auch das alte Weib; nun
konnte sie nichts mehr zaubern, und Jorinde stand da,
hatte ihn um den Hals gefaßt, so schön wie sie ehemals
war. Da machte er auch alle die anderen Vögel wieder
zu Jungfrauen, und da ging er mit seiner Jorinde nach
Hause und sie lebten lange vergnügt zusammen.

Hans im Glück

Hans hatte sieben Jahre bei seinem Herrn gedient, da
sprach er zu ihm: „Herr, meine Zeit ist herum, nun
wollte ich gerne wieder heim zu meiner Mutter, gebt mir
meinen Lohn." Der Herr antwortete: „Du hast mir treu
und ehrlich gedient, wie der Dienst war, so soll der Lohn
sein", und gab ihm ein Stück Gold, das so groß als
Hansens Kopf war. Hans zog sein Tüchlein aus der
Tasche, wickelte den Klumpen hinein, setzte ihn auf die
Schulter und machte sich auf den Weg nach Haus. Wie
er so dahinging und immer ein Bein vor das andere
setzte, kam ihm ein Reiter in die Augen, der frisch und
fröhlich auf einem muntern Pferd vorbeitrabte. „Ach",
sprach Hans ganz laut, „was ist das Reiten ein schönes

Ding! Da sitzt einer wie auf einem Stuhl, stößt sich an keinen Stein, spart die Schuh und kommt fort, er weiß nicht wie." Der Reiter, der das gehört hatte, hielt an und rief: "Ei, Hans, warum laufst du auch zu Fuß?" — "Ich muß ja wohl", antwortete er, "da habe ich einen Klumpen heim zu tragen: es ist zwar Gold, aber ich kann

den Kopf dabei nicht gradhalten, auch drückt mir's auf die Schulter." — "Weißt du was", sagte der Reiter, "wir wollen tauschen; ich gebe dir mein Pferd und du gibst mir deinen Klumpen." — "Von Herzen gern", sprach Hans, "aber ich sage Euch, Ihr müßt Euch damit schleppen." Der Reiter stieg ab, nahm das Gold und half dem Hans hinauf, gab ihm die Zügel fest in die Hände und sprach: "Wenn's nun recht geschwind gehen soll, so mußt du mit der Zunge schnalzen und ‚hopp, hopp' rufen."

Hans war seelenfroh, als er auf dem Pferd saß und so frank und frei dahinritt. Über ein Weilchen fiel's ihm ein, es sollte noch schneller gehen, und fing an mit der Zunge zu schnalzen und "hopp, hopp" zu rufen. Das Pferd

setzte sich in starken Trab, und ehe sich's Hans versah,
war er abgeworfen und lag in einem Graben, der die
Äcker von der Landstraße trennte. Das Pferd wäre auch
durchgegangen, wenn es nicht ein Bauer aufgehalten
hätte, der des Weges kam und eine Kuh vor sich her-
trieb. Hans suchte seine Glieder zusammen und machte
sich wieder auf die Beine. Er war aber verdrießlich und
sprach zu dem Bauer: „Es ist ein schlechter Spaß, das
Reiten, zumal wenn man auf so eine Mähre gerät wie
diese, die stößt und einen herabwirft, daß man den Hals
brechen kann; ich setze mich nun und nimmermehr wieder auf. Da lob' ich mir Eure Kuh, da kann einer mit
Gemächlichkeit hinterhergehen und hat obendrein seine
Milch, Butter und Käse jeden Tag gewiß. Was gäb' ich
drum, wenn ich so eine Kuh hätte!" — „Nun", sprach
der Bauer, „geschieht Euch so ein großer Gefallen, so
will ich Euch wohl die Kuh für das Pferd vertauschen."
Hans willigte mit tausend Freuden ein; der Bauer
schwang sich aufs Pferd und ritt eilig davon.

Hans trieb seine Kuh ruhig vor sich her und bedachte
den glücklichen Handel. „Hab' ich nur ein Stück Brot,
und daran wird mir's doch nicht fehlen, so kann ich, sooft mir's beliebt, Butter und Käse dazu essen; hab' ich
Durst, so melk' ich meine Kuh und trinke Milch. Herz,
was verlangst du mehr?" Als er zu einem Wirtshaus kam,
machte er halt, aß in der großen Freude alles, was er bei
sich hatte, sein Mittags- und Abendbrot, rein auf, und
ließ sich für seine letzten paar Heller ein halbes Glas Bier
einschenken. Dann trieb er seine Kuh weiter, immer nach
dem Dorfe seiner Mutter zu. Die Hitze ward drücken-
der, je näher der Mittag kam, und Hans befand sich in
einer Heide, die wohl noch eine Stunde dauerte. Da ward
es ihm ganz heiß, so daß ihm vor Durst die Zunge am
Gaumen klebte. „Dem Ding ist zu helfen", dachte Hans,
„jetzt will ich meine Kuh melken und mich an der Milch

laben." Er band sie an einen dürren Baum, und da er
keinen Eimer hatte, so stellte er seine Ledermütze unter,
aber wie er sich auch bemühte, es kam kein Tropfen Milch
zum Vorschein. Und weil er sich ungeschickt dabei anstellte, so gab ihm das ungeduldige Tier endlich mit
einem der Hinterfüße einen solchen Schlag vor den Kopf,
daß er zu Boden taumelte und eine Zeitlang sich gar
nicht besinnen konnte, wo er war. Glücklicherweise kam
gerade ein Metzger des Weges, der auf einem Schub-
karren ein junges Schwein liegen hatte. „Was sind das
für Streiche!" rief er und half dem guten Hans auf. Hans
erzählte, was vorgefallen war. Der Metzger reichte ihm
seine Flasche und sprach: „Da trinkt einmal und erholt
Euch. Die Kuh will wohl keine Milch geben, das ist ein
altes Tier, das höchstens noch zum Ziehen taugt oder
zum Schlachten." — „Ei, ei", sprach Hans, und strich sich
die Haare über den Kopf, „wer hätte das gedacht! Es ist
freilich gut, wenn man so ein Tier ins Haus abschlachten
kann, was gibt's für Fleisch! Aber ich mache mir aus dem
Kuhfleisch nicht viel, es ist mir nicht saftig genug. Ja, wer
so ein junges Schwein hätte! Das schmeckt anders, dabei
noch die Würste." — „Hört, Hans", sprach da der Metzger, „Euch zuliebe will ich tauschen und will Euch das
Schwein für die Kuh lassen." — „Gott lohn' Euch Eure
Freundschaft", sprach Hans, übergab ihm die Kuh, ließ
sich das Schweinchen vom Karren losmachen und den
Strick, woran es gebunden war, in die Hand geben.

Hans zog weiter und überdachte, wie ihm doch alles
nach Wunsch ginge, begegnete ihm ja eine Verdrießlich-
keit, so würde sie doch gleich wieder gutgemacht. Es
gesellte sich danach ein Bursch zu ihm, der trug eine
schöne weiße Gans unter dem Arm. Sie boten einander
die Zeit, und Hans fing an von seinem Glück zu erzählen
und wie er immer so vorteilhaft getauscht hätte. Der
Bursch erzählte, daß er die Gans zu einem Kindtaufs-

schmaus brächte. „Hebt einmal", fuhr er fort und packte
sie bei den Flügeln, „wie schwer sie ist, die ist aber auch
acht Wochen lang genudelt worden. Wer in den Braten
beißt, muß sich das Fett von beiden Seiten abwischen."
— „Ja", sprach Hans, und wog sie mit der einen Hand,
„die hat ihr Gewicht, aber mein Schwein ist auch keine
Sau." Indessen sah sich der Bursch nach allen Seiten ganz
bedenklich um, schüttelte auch wohl mit dem Kopf.
„Hört", fing er darauf an, „mit Eurem Schweine mag's
nicht ganz richtig sein. In dem Dorfe, durch das ich gekommen bin, ist eben dem Schulzen eins aus dem Stall
gestohlen worden. Ich fürchte, ich fürchte, Ihr habt's da
an der Hand. Sie haben Leute ausgeschickt, und es wäre
ein schlimmer Handel, wenn sie Euch mit dem Schwein
erwischten; das geringste ist, daß Ihr ins finstere Loch
gesteckt werdet." Dem guten Hans ward bang: „Ach
Gott", sprach er, „helft mir aus der Not, Ihr wißt hier
herum bessern Bescheid, nehmt mein Schwein da und laßt
mir Eure Gans." — „Ich muß schon etwas aufs Spiel
setzen", antwortete der Bursche, „aber ich will doch nicht
schuld sein, daß Ihr ins Unglück geratet." Er nahm also
das Seil in die Hand und trieb das Schwein schnell auf
einen Seitenweg fort; der gute Hans aber ging, seiner
Sorgen entledigt, mit der Gans unter dem Arme der
Heimat zu. „Wenn ich's recht überlege", sprach er mit
sich selbst, „habe ich noch Vorteil bei dem Tausch; erstlich
den guten Braten, hernach die Menge von Fett, die her-
austräufeln wird, das gibt Gänsefettbrot auf ein Viertel-
jahr, und endlich die schönen weißen Federn, die lass' ich
mir in mein Kopfkissen stopfen, und darauf will ich
wohl ungewiegt einschlafen. Was wird meine Mutter
eine Freude haben!"

Als er durch das letzte Dorf gekommen war, stand
da ein Scherenschleifer mit seinem Karren, sein Rad
schnurrte, und er sang dazu:

„Ich schleife die Schere und drehe geschwind,
Und hänge mein Mäntelchen nach dem Wind."

*„Hebt einmal, wie schwer sie ist, die ist aber auch
acht Wochen lang genudelt worden."*

Hans blieb stehen und sah ihm zu; endlich redete er ihn
an und sprach: „Euch geht's wohl, weil Ihr so lustig bei
Eurem Schleifen seid." — „Ja", antwortete der Scherenschleifer, „das Handwerk hat einen güldenen Boden. Ein
rechter Schleifer ist ein Mann, der, sooft er in die Tasche
greift, auch Geld darin findet. Aber wo habt Ihr die
schöne Gans gekauft?" — „Die hab' ich nicht gekauft,
sondern für mein Schwein eingetauscht." — „Und das

Schwein?" — „Das hab' ich für eine Kuh gekriegt." —
„Und die Kuh?" — „Die hab' ich für ein Pferd bekom-
men." — „Und das Pferd?" — „Dafür hab' ich einen
Klumpen Gold, so groß als mein Kopf, gegeben." —
„Und das Gold?" — „Ei, das war mein Lohn für sieben
Jahre Dienst." — „Ihr habt Euch jederzeit zu helfen
gewußt", sprach der Schleifer, „könnt Ihr's nun dahin
bringen, daß Ihr das Geld in der Tasche springen hört,
wenn Ihr aufsteht, so habt Ihr Euer Glück gemacht." —
„Wie soll ich das anfangen?" sprach Hans. „Ihr müßt ein
Schleifer werden wie ich; dazu gehört eigentlich nichts
als ein Wetzstein, das andere findet sich schon von selbst.
Da hab' ich einen, der ist zwar ein wenig schadhaft, dafür
sollt Ihr mir aber auch weiter nichts als Eure Gans geben;
wollt Ihr das?" — „Wie könnt Ihr noch fragen", antwortete Hans, „ich werde ja zum glücklichsten Menschen
auf Erden; habe ich Geld, sooft ich in die Tasche greife,
was brauche ich da länger zu sorgen?", reichte ihm die
Gans hin und nahm den Wetzstein in Empfang. „Nun",
sprach der Schleifer, und hob einen gewöhnlichen schweren Feldstein, der neben ihm lag, auf, „da habt Ihr noch
einen tüchtigen Stein dazu, auf dem sich's gut schlagen
läßt und Ihr Eure alten Nägel gerade klopfen könnt.
Nehmt ihn und hebt ihn ordentlich auf."

Hans lud den Stein auf und ging mit vergnügtem
Herzen weiter; seine Augen leuchteten vor Freude. „Ich
muß in einer Glückshaut geboren sein", rief er aus, „alles
was ich wünsche, trifft mir ein wie einem Sonntagskind."
Indessen, weil er seit Tagesanbruch auf den Beinen
gewesen war, begann er müde zu werden; auch plagte
ihn der Hunger, da er allen Vorrat auf einmal in der
Freude über die erhandelte Kuh aufgezehrt hatte. Er
konnte endlich nur mit Mühe weitergehen und mußte jeden Augenblick haltmachen; dabei drückten ihn die
Steine ganz erbärmlich. Da konnte er sich des Gedankens

nicht erwehren, wie gut es wäre, wenn er sie gerade jetzt
nicht zu tragen brauchte. Wie eine Schnecke kam er zu
einem Feldbrunnen geschlichen, wollte da ruhen und sich
mit einem frischen Trunk laben; damit er aber die Steine
im Niedersitzen nicht beschädigte, legte er sie bedächtig
neben sich auf den Rand des Brunnens. Darauf setzte er
sich nieder und wollte sich zum Trinken bücken, da versah er's, stieß ein klein wenig an, und beide Steine
plumpten hinab. Hans, als er sie mit seinen Augen in die
Tiefe hatte versinken sehen, sprang vor Freuden auf,
kniete dann nieder und dankte Gott mit Tränen in den
Augen, daß er ihm auch diese Gnade noch erwiesen und
ihn auf eine so gute Art, und ohne daß er sich einen Vor-
wurf zu machen brauchte, von den schweren Steinen be-
freit hätte, die ihm allein noch hinderlich gewesen wären.
„So glücklich wie ich", rief er aus, „gibt es keinen Menschen unter der Sonne." Mit leichtem Herzen und frei
von aller Last sprang er nun fort, bis er daheim bei seiner Mutter war.

Der Arme und der Reiche

Vor alten Zeiten, als der liebe Gott noch selber auf Erden unter den Menschen wandelte, trug es sich zu, daß er
eines Abends müde war und ihn die Nacht überfiel, bevor
er zu einer Herberge kommen konnte. Nun standen auf
dem Weg vor ihm zwei Häuser einander gegenüber, das
eine groß und schön, das andere klein und ärmlich anzusehen, und gehörte das große einem Reichen, das kleine
einem armen Manne. Da dachte unser Herr Gott: „Dem
Reichen werde ich nicht beschwerlich fallen: bei ihm will
ich übernachten." Der Reiche, als er an seine Tür klopfen
hörte, machte das Fenster auf und fragte den Fremdling,

was er suche? Der Herr antwortete: „Ich bitte um ein
Nachtlager." Der Reiche guckte den Wandersmann von
Haupt bis zu den Füßen an, und weil der liebe Gott
schlichte Kleider trug und nicht aussah wie einer, der viel
Geld in der Tasche hat, schüttelte er mit dem Kopf und
sprach: „Ich kann Euch nicht aufnehmen, meine Kammern liegen voll Kräuter und Samen, und sollte ich einen
jeden beherbergen, der an meine Türe klopft, so könnte
ich selber den Bettelstab in die Hand nehmen. Sucht Euch
anderswo ein Auskommen." Schlug damit sein Fenster
zu und ließ den lieben Gott stehen. Also kehrte ihm der
liebe Gott den Rücken und ging hinüber zu dem kleinen
Haus. Kaum hatte er angeklopft, so klinkte der Arme
schon sein Türchen auf und bat den Wandersmann ein-
zutreten. „Bleibt die Nacht über bei mir", sagte er, „es ist
schon finster, und heute könnt Ihr doch nicht weiter-
kommen." Das gefiel dem lieben Gott und er trat zu ihm
ein. Die Frau des Armen reichte ihm die Hand und hieß
ihn willkommen und sagte, er möchte sich's bequem machen und vorliebnehmen, sie hätten nicht viel, aber was
es wäre, gäben sie von Herzen gerne. Dann setzte sie
Kartoffeln ans Feuer, und derweil sie kochten, melkte
sie ihre Ziege, damit sie ein wenig Milch dazu hätten.
Und als der Tisch gedeckt war, setzte sich der liebe Gott
nieder und aß mit ihnen, und schmeckte ihm die schlechte
Kost so gut, denn es waren vergnügte Gesichter dabei.
Nachdem sie gegessen hatten und Schlafenszeit war, rief
die Frau heimlich ihren Mann und sprach: „Hör, lieber
Mann, wir wollen uns heute nacht eine Streu machen, damit der arme Wanderer sich in unser Bett legen und ausruhen kann; er ist den ganzen Tag über gegangen, da
wird einer müde." — „Von Herzen gern", antwortete er,
„ich will's ihm anbieten", ging zu dem lieben Gott und
bat ihn, wenn's ihm recht wäre, möchte er sich in ihr Bett
legen und seine Glieder ordentlich ausruhen. Der liebe

Gott wollte den beiden Alten ihr Lager nicht nehmen,
aber sie ließen nicht ab, bis er es endlich tat und sich in
ihr Bett legte; sich selbst aber machten sie eine Streu auf
die Erde. Am andern Morgen standen sie vor Tag schon
auf und kochten dem Gast ein Frühstück, so gut sie es
hatten. Als nun die Sonne durchs Fensterlein schien und
der liebe Gott aufgestanden war, aß er wieder mit ihnen
und wollte dann seines Weges ziehen. Als er in der Türe
stand, kehrte er sich um und sprach: „Weil ihr so mitleidig und fromm seid, so wünscht euch dreierlei, das will
ich euch erfüllen." Da sagte der Arme: „Was soll ich mir
sonst wünschen als die ewige Seligkeit, und daß wir zwei,
solang wir leben, gesund dabei bleiben und unser not-
dürftiges tägliches Brot haben; fürs dritte weiß ich mir
nichts zu wünschen." Der liebe Gott sprach: „Willst du
dir nicht ein neues Haus für das alte wünschen?" —
„O ja", sagte der Mann, „wenn ich das auch noch erhalten kann, so wär' mir's wohl lieb." Da erfüllte der Herr
ihre Wünsche, verwandelte ihr altes Haus in ein neues,
gab ihnen nochmals seinen Segen und zog weiter.

Es war schon voller Tag, als der Reiche aufstand. Er
legte sich ins Fenster und sah gegenüber ein neues, rein-
liches Haus mit roten Ziegeln, wo sonst ein alte Hütte
gestanden hatte. Da machte er große Augen, rief seine
Frau herbei und sprach: „Sag mir, was ist geschehen?
Gestern abend stand noch die alte elende Hütte, und
heute steht da ein schönes neues Haus. Lauf hinüber und
höre, wie das gekommen ist." Die Frau ging und fragte
den Armen aus; er erzählte ihr: „Gestern abend kam ein
Wanderer, der suchte Nachtherberge, und heute morgen
beim Abschied hat er uns drei Wünsche gewährt: die
ewige Seligkeit, Gesundheit in diesem Leben und das
notdürftige tägliche Brot dazu und zuletzt noch statt unserer alten Hütte ein schönes neues Haus." Die Frau des
Reichen lief eilig zurück und erzählte ihrem Manne, wie

alles gekommen war. Der Mann sprach: „Ich möchte mich
zerreißen und zerschlagen; hätt' ich das nur gewußt! Der
Fremde ist zuvor hier gewesen und hat bei uns übernachten wollen, ich habe ihn aber abgewiesen." — „Eil
dich", sprach die Frau, „und setze dich auf dein Pferd,
so kannst du den Mann noch einholen, und dann mußt du
dir auch drei Wünsche gewähren lassen."

Der Reiche befolgte den guten Rat, jagte mit seinem
Pferd davon und holte den lieben Gott noch ein. Er
redete fein und lieblich und bat, er möcht's ihm nicht
übelnehmen, daß er nicht gleich wäre eingelassen worden,
er hätte den Schlüssel zur Haustüre gesucht, derweil wäre
er weggegangen; wenn er des Weges zurückkäme, müßte
er bei ihm einkehren. „Ja", sprach der liebe Gott, „wenn
ich einmal zurückkomme, will ich es tun." Da fragte der
Reiche, ob er nicht auch drei Wünsche tun dürfte wie
sein Nachbar? Ja, sagte der liebe Gott, das dürfte er
wohl, es wäre aber nicht gut für ihn, und er sollte sich
lieber nichts wünschen. Der Reiche meinte, er wollte sich
schon etwas aussuchen, das zu seinem Glücke gereiche,
wenn er nur wüßte, daß es erfüllt würde. Sprach der
liebe Gott: „Reit heim, und drei Wünsche, die du tust,
die sollen in Erfüllung gehen."

Nun hatte der Reiche, was er verlangte, ritt heim-
wärts und fing an nachzusinnen, was er sich wünschen
sollte. Wie er sich so bedachte und die Zügel fallen ließ,
fing das Pferd an zu springen, so daß er immerfort in seinen Gedanken gestört wurde und sie gar nicht zusam-
menbringen konnte. Er klopfte ihm an den Hals und
sagte: „Sei ruhig, Liese", aber das Pferd machte aufs
neue Männerchen. Da ward er zuletzt ärgerlich und rief
ganz ungeduldig: „So wollt' ich, daß du den Hals zer-
brächst!" Wie er das Wort ausgesprochen hatte, plump,
fiel er auf die Erde, und lag das Pferd tot und regte sich
nicht mehr; damit war der erste Wunsch erfüllt. Weil er

aber von Natur geizig war, wollte er das Sattelzeug nicht
im Stich lassen, schnitt's ab, hing's auf seinen Rücken, und
mußte nun zu Fuß gehen. „Du hast noch zwei Wünsche
übrig", dachte er und tröstete sich damit. Wie er nun
langsam durch den Sand dahinging, und zu Mittag die
Sonne heiß brannte, ward's ihm so warm und verdrießlich
zumut: der Sattel drückte ihn auf den Rücken, auch war
ihm noch immer nicht eingefallen, was er sich wünschen
sollte. „Wenn ich mir auch alle Reiche und Schätze der
Welt wünsche", sprach er zu sich selbst, „so fällt mir hernach noch allerlei ein, dieses und jenes, das weiß ich im
voraus; ich will's aber so einrichten, daß mir gar nichts
mehr übrig zu wünschen bleibt." Dann seufzte er und
sprach: „Ja, wenn ich der bayerische Bauer wäre, der
auch drei Wünsche frei hatte, der wußte sich zu helfen,
der wünschte sich zuerst recht viel Bier, und zweitens so
viel Bier, als er trinken könnte, und drittens noch ein
Faß Bier dazu." Manchmal meinte er, jetzt hätte er es
gefunden, aber hernach schien's ihm doch zu wenig. Da
kam ihm so in die Gedanken, was es seine Frau jetzt gut
hätte, die säße daheim in einer kühlen Stube und ließe
sich's wohlschmecken. Das ärgerte ihn ordentlich, und
ohne daß er's wußte, sprach er so hin: „Ich wollte, die
säße daheim auf dem Sattel und könnte nicht herunter,
statt daß ich ihn da auf meinem Rücken schleppe." Und
wie das letzte Wort aus seinem Munde kam, so war der
Sattel von seinem Rücken verschwunden, und er merkte,
daß sein zweiter Wunsch auch in Erfüllung gegangen
war. Da ward ihm erst recht heiß, er fing an zu laufen
und wollte sich daheim ganz einsam in seine Kammer
hinsetzen und auf etwas Großes für den letzten Wunsch
sinnen. Wie er aber ankommt und die Stubentür aufmacht, sitzt da seine Frau mittendrin auf dem Sattel und
kann nicht herunter, jammert und schreit. Da sprach er:
„Gib dich zufrieden, ich will dir alle Reichtümer der Welt

herbeiwünschen, nur bleib da sitzen." Sie schalt ihn aber
einen Schafskopf und sprach: „Was helfen mir alle Reichtümer der Welt, wenn ich auf dem Sattel sitze; du hast
mich darauf gewünscht, du mußt mir auch. wieder her-
unterhelfen." Er mochte wollen oder nicht, er mußte den
dritten Wunsch tun, daß sie vom Sattel ledig wäre und
heruntersteigen könnte; und der Wunsch ward alsbald
erfüllt. Also hatte er nichts davon als Ärger, Mühe,
Scheltworte und ein verlorenes Pferd; die Armen aber
lebten vergnügt, still und fromm bis an ihr seliges Ende.

Die Gänsemagd

Es lebte einmal eine alte Königin, der war ihr Gemahl
schon lange Jahre gestorben, und sie hatte eine schöne
Tochter. Wie die erwuchs, wurde sie weit über Feld an
einen Königssohn versprochen. Als nun die Zeit kam, wo
sie vermählt werden sollten und das Kind in das fremde
Reich abreisen mußte, packte ihr die Alte gar viel köst-
liches Gerät und Geschmeide ein, Gold und Silber, Becher
und Kleinode, kurz alles, was nur zu einem königlichen
Brautschatz gehörte, denn sie hatte ihr Kind von Herzen
lieb. Auch gab sie ihr eine Kammerjungfer bei, welche
mitreiten und die Braut in die Hände des Bräutigams
überliefern sollte, und jede bekam ein Pferd zur Reise,
aber das Pferd der Königstochter hieß *Falada* und konnte
sprechen. Wie nun die Abschiedsstunde da war, begab
sich die alte Mutter in ihre Schlafkammer, nahm ein
Messerlein und schnitt damit in ihre Finger, daß sie
bluteten; darauf hielt sie ein weißes Läppchen unter und
ließ drei Tropfen Blut hineinfallen, gab sie der Tochter
und sprach: „Liebes Kind, verwahre sie wohl, sie werden
dir unterwegs not tun."

Also nahmen sie beide voneinander betrübten Abschied; das Läppchen steckte die Königstochter in ihren Busen vor sich, setzte sich aufs Pferd und zog nun fort zu ihrem Bräutigam. Da sie eine Stunde geritten waren, empfand sie heißen Durst und sprach zu ihrer Kammerjungfer: „Steig ab und schöpfe mir mit meinem Becher, den du für mich mitgenommen hast, Wasser aus dem Bache, ich möchte gern einmal trinken.“ — „Wenn Ihr Durst habt“, sprach die Kammerjungfer, „so steigt selber ab, legt Euch ans Wasser und trinkt, ich mag Eure Magd nicht sein.“ Da stieg die Königstochter vor großem Durst herunter, neigte sich über das Wasser im Bach und trank, und durfte nicht aus dem goldenen Becher trinken. Da sprach sie: „Ach Gott!“ da antworteten die drei Blutstropfen: „Wenn das deine Mutter wüßte, das Herz im Leibe tät ihr zerspringen.“ Aber die Königsbraut war demütig, sagte nichts und stieg wieder zu Pferde. So ritten sie etliche Meilen weiter fort, aber der Tag war warm, die Sonne stach, und sie durstete bald von neuem. Da sie nun an einen Wasserfluß kamen, rief sie noch einmal ihrer Kammerjungfer: „Steig ab und gib mir aus meinem Goldbecher zu trinken“, denn sie hatte aller bösen Worte längst vergessen. Die Kammerjungfer sprach aber noch hochmütiger: „Wollt Ihr trinken, so trinkt allein, ich mag nicht Eure Magd sein.“ Da stieg die Königstochter hernieder vor großem Durst, legte sich über das fließende Wasser, weinte und sprach: „Ach Gott!“ und die Blutstropfen antworteten wiederum: „Wenn das deine Mutter wüßte, das Herz im Leib tät ihr zerspringen.“ Und wie sie so trank und sich recht überlehnte, fiel ihr das Läppchen, worin die drei Tropfen waren, aus dem Busen und floß mit dem Wasser fort, ohne daß sie es in ihrer großen Angst merkte. Die Kammerjungfer hatte aber zugesehen und freute sich, daß sie Gewalt über die Braut bekäme; denn damit, daß diese die Blutstropfen verloren hatte,

war sie schwach und machtlos geworden. Als sie nun wieder auf ihr Pferd steigen wollte, das da hieß Falada,
sagte die Kammerfrau: „Auf Falada gehör' ich, und auf
meinen Gaul gehörst du"; und das mußte sie sich gefallen
lassen. Dann befahl ihr die Kammerfrau mit harten Worten, die königlichen Kleider auszuziehen und ihre schlech-
ten anzulegen, und endlich mußte sie sich unter freiem
Himmel verschwören, daß sie am königlichen Hof keinem Menschen etwas davon sprechen wollte; und wenn
sie diesen Eid nicht abgelegt hätte, wäre sie auf der Stelle
umgebracht worden. Aber Falada sah das alles an und
nahm's wohl in acht.

Die Kammerfrau stieg nun auf Falada und die wahre
Braut auf das schlechte Roß, und so zogen sie weiter, bis
sie endlich in dem königlichen Schloß eintrafen. Da war
große Freude über ihre Ankunft, und der Königssohn
sprang ihnen entgegen, hob die Kammerfrau vom
Pferde und meinte, sie wäre seine Gemahlin; sie ward die
Treppe hinaufgeführt, die wahre Königstochter aber
mußte unten stehenbleiben. Da schaute der alte König
am Fenster und sah sie im Hof halten und sah, wie sie
fein war, zart und gar schön; ging alsbald hin ins königliche Gemach und fragte die Braut nach der, die bei
sich hätte und da unten im Hofe stände, und wer sie
wäre? „Die hab' ich mir unterwegs mitgenommen zur
Gesellschaft; gebt der Magd was zu arbeiten, daß sie
nicht müßig steht." Aber der alte König hatte keine Arbeit für sie und wußte nichts, als daß er sagte: „Da hab'
ich so einen kleinen Jungen, der hütet die Gänse, dem
mag sie helfen." Der Junge hieß *Kürdchen* (Konräd-
chen), dem mußte die wahre Braut helfen Gänse hüten.

Bald aber sprach die falsche Braut zu dem jungen König: „Liebster Gemahl, ich bitte Euch, tut mir einen Gefallen." Er antwortete: „Das will ich gerne tun." —
„Nun, so laßt den Schinder rufen und da dem Pferde,

worauf ich geritten bin, den Hals abhauen, weil es mich unterwegs geärgert hat." Eigentlich aber fürchtete sie, daß das Pferd sprechen möchte, wie sie mit der Königstochter umgegangen war. Nun war das so weit geraten, daß es geschehen und der treue Falada sterben sollte, da kam es auch der rechten Königstochter zu Ohr, und sie versprach dem Schinder heimlich ein Stück Geld, das sie ihm bezahlen wollte, wenn er ihr einen kleinen Dienst erwiese. In der Stadt war ein großes finsteres Tor, wo sie abends und morgens mit den Gänsen durch mußte, „unter das finstere Tor möchte er dem Falada seinen Kopf hinnageln, daß sie ihn doch noch mehr als einmal sehen könnte." Also versprach das der Schindersknecht zu tun, hieb den Kopf ab und nagelte ihn unter das finstere Tor fest.

Des Morgens früh, da sie und Kürdchen unterm Tor hinaustrieben, sprach sie im Vorbeigehen:

„O du Falada, der du hangest",

da antwortete der Kopf:

„O du Jungfer Königin, da du gangest,
Wenn das deine Mutter wüßte,
Ihr Herz tät ihr zerspringen."

Da zog sie still weiter zur Stadt hinaus, und sie trieben die Gänse aufs Feld. Und wenn sie auf der Wiese angekommen war, saß sie nieder und machte ihre Haare auf, die waren eitel Gold, und Kürdchen sah sie und freute sich, wie sie glänzten, und wollte ihr ein paar ausraufen. Da sprach sie:

„Weh, weh, Windchen,
Nimm Kürdchen sein Hütchen,

> Und lass'n sich mit jagen,
> Bis ich mich geflochten und geschnatzt,
> Und wieder aufgesatzt."

Und da kam ein so starker Wind, daß er dem Kürdchen sein Hütchen wegwehte über alle Lande, und es mußte ihm nachlaufen. Bis es wiederkam, war sie mit dem Kämmen und Aufsetzen fertig, und er konnte keine Haare kriegen. Da war Kürdchen bös und sprach nicht mit ihr; und so hüteten sie die Gänse, bis daß es Abend ward, dann gingen sie nach Haus.

Den andern Morgen, wie sie unter dem finstern Tor hinaustrieben, sprach die Jungfrau:

> „O du Falada, da du hangest",

Falada antwortete:

> „O du Jungfer Königin, da du gangest,
> Wenn das deine Mutter wüßte,
> Das Herz tät ihr zerspringen."

Und in dem Feld setzte sie sich wieder auf die Wiese und fing an ihr Haar auszukämmen, und Kürdchen lief und wollte danach greifen, da sprach sie schnell:

> „Weh, weh, Windchen,
> Nimm Kürdchen sein Hütchen,
> Und lass'n sich mit jagen,
> Bis ich mich geflochten und geschnatzt,
> Und wieder aufgesatzt."

Da wehte der Wind und wehte ihm das Hütchen vom Kopf weit weg, daß Kürdchen nachlaufen mußte; und als es wiederkam, hatte sie längst ihr Haar zurecht, und es konnte keins davon erwischen; und so hüteten sie die Gänse, bis es Abend ward.

Abends aber, nachdem sie heimgekommen waren, ging Kürdchen vor den alten König und sagte: „Mit dem Mädchen will ich nicht länger Gänse hüten." — „Warum denn?" fragte der alte König. „Ei, das ärgert mich den ganzen Tag." Da befahl ihm der alte König zu erzählen, wie's ihm denn mit ihr ginge. Da sagte Kürdchen: „Morgens, wenn wir unter dem finstern Tor mit der Herde durchkommen, so ist da der Gaulskopf an der Wand, zu dem redet sie:

> ,Falada, da du hangest',

da antwortet der Kopf:

> ,O du Königsjungfer, da du gangest,
> Wenn das deine Mutter wüßte,
> Das Herz tät ihr zerspringen.'"

Und so erzählte Kürdchen weiter, was auf der Gänse-wiese geschähe, und wie es da dem Hute im Winde nach-laufen müßte.

Der alte König befahl ihm, den nächsten Tag wieder hinauszutreiben, und er selbst, wie es Morgen war, setzte sich hinter das finstere Tor und hörte da, wie sie mit dem Haupt des Falada sprach; und dann ging er ihr auch nach in das Feld und barg sich in einem Busch auf der Wiese. Da sah er nun bald mit seinen eigenen Augen, wie die Gänsemagd und der Gänsejunge die Herde getrieben brachten, und wie nach einer Weile sie sich setzte und ihre Haare losflocht, die strahlten von Glanz. Gleich sprach sie wieder:

> „Weh, weh, Windchen,
> Faß Kürdchen sein Hütchen,

Und lass'n sich mit jagen,
Bıs ich mich geflochten und geschnatzt,
Und wieder aufgesatzt."

Da kam ein Windstoß und fuhr mit Kürdchens Hut weg,
daß es weit zu laufen hatte, und die Magd kämmte und
flocht ihre Locken still fort, welches der alte König alles
beobachtete. Darauf ging er unbemerkt zurück, und als
abends die Gänsemagd heimkam, rief er sie beiseite und
fragte, warum sie dem allem so täte? „Das darf ich Euch
nicht sagen, und darf auch keinem Menschen mein Leid
klagen, denn so hab' ich mich unter freiem Himmel ver-
schworen, weil ich sonst um mein Leben gekommen
wäre." Er drang in sie und ließ ihr keinen Frieden, aber
er konnte nichts aus ihr herausbringen. Da sprach er:
„Wenn du mir nichts sagen willst, so klag dem Eisenofen
da dein Leid", und ging fort. Da kroch sie in den Eisenofen, fing an zu jammern und zu weinen, schüttete ihr
Herz aus und sprach: „Da sitze ich nun von aller Welt
verlassen, und bin doch eine Königstochter, und eine
falsche Kammerjungfer hat mich mit Gewalt dahin gebracht, daß ich meine königlichen Kleider habe ablegen
müssen, und hat meinen Platz bei meinem Bräutigam ein-
genommen, und ich muß als Gänsemagd gemeine Dienste
tun. Wenn das meine Mutter wüßte, das Herz im Leib
tät ihr zerspringen." Der alte König stand aber außen an
der Ofenröhre, lauerte ihr zu und hörte, was sie sprach.
Da kam er wieder herein und hieß sie aus dem Ofen
gehen. Da wurden ihr königliche Kleider angetan, und
es schien ein Wunder, wie sie so schön war. Der alte König
rief seinen Sohn und offenbarte ihm, daß er die falsche
Braut hätte: die wäre bloß ein Kammermädchen, die
wahre aber stände hier, als die gewesene Gänsemagd.
Der junge König war herzensfroh, als er ihre Schönheit
und Tugend erblickte und ein großes Mahl wurde ange-

stellt, zu dem alle Leute und guten Freunde gebeten wurden. Obenan saß der Bräutigam, die Königstochter zur einen Seite und die Kammerjungfer zur andern, aber die Kammerjungfer war verblendet und erkannte jene nicht mehr in dem glänzenden Schmuck. Als sie nun gegessen und getrunken hatten und guten Muts waren, gab der alte König der Kammerfrau ein Rätsel auf, was eine solche wert wäre, die den Herrn so und so betrogen hätte, erzählte damit den ganzen Verlauf und fragte: „Welches Urteils ist diese würdig?" Da sprach die falsche Braut: „Die ist nichts Besseres wert, als daß sie splitternackt ausgezogen und in ein Faß gesteckt wird, das inwendig mit spitzen Nägeln beschlagen ist; und zwei weiße Pferde müssen vorgespannt werden, die sie Gasse auf Gasse ab zu Tode schleifen." — „Das bist du", sprach der alte König, „und hast dein eigen Urteil gefunden, und danach soll dir widerfahren." Und als das Urteil vollzogen war, vermählte sich der junge König mit seiner rechten Gemahlin, und beide beherrschten ihr Reich in Frieden und Seligkeit.

Die kluge Bauerntochter

Es war einmal ein armer Bauer, der hatte kein Land, nur ein kleines Häuschen und eine alleinige Tochter, da sprach die Tochter: „Wir sollten den Herrn König um ein Stückchen Rottland bitten." Da der König ihre Armut hörte, schenkte er ihnen auch ein Eckchen Rasen, den hackte sie und ihr Vater um und wollte ein wenig Korn und derart Frucht darauf säen. Als sie den Acker beinah herum hatten, so fanden sie in der Erde einen Mörsel von purem Gold. „Hör", sagte der Vater zu dem Mädchen, „weil unser Herr König ist so gnädig gewesen und hat uns diesen Acker geschenkt, so müssen wir ihm den Mör-

sel dafür geben." Die Tochter aber wollt' es nicht bewilli-
gen und sagte: „Vater, wenn wir den Mörsel haben und
haben den Stößer nicht, dann müssen wir auch den Stößer
herbeischaffen, darum schweigt lieber still." Er wollte ihr
aber nicht gehorchen, nahm den Mörsel, trug ihn zum
Herrn König und sagte, den hätte er gefunden in der
Heide, ob er ihn als eine Verehrung annehmen wollte.
Der König nahm den Mörsel und fragte, ob er nichts
mehr gefunden hätte? „Nein", antwortete der Bauer. Da
sagte der König, er solle nun auch den Stößer herbeischaffen. Der Bauer sprach, den hätten sie nicht gefunden; aber das half ihm so viel, als hätt' er's in den
Wind gesagt, er ward ins Gefängnis gesetzt, und sollte so
lange da sitzen, bis er den Stößer herbeigeschafft hätte.
Die Bedienten mußten ihm täglich Wasser und Brot bringen, was man so in dem Gefängnis kriegt, da hörten sie,
wie der Mann als fort schrie: „Ach hätt' ich meiner Tochter gehört! Ach, ach, hätt' ich meiner Tochter gehört!" Da
gingen die Bedienten zum König und sprachen das, wie
der Gefangene als fort schrie: „Ach, hätt' ich doch meiner
Tochter gehört!" und wollte nicht essen und nicht trinken. Da befahl er den Bedienten, sie sollten den Gefangenen vor ihn bringen, und da fragte ihn der Herr König,
warum er als fort schreie: „Ach, hätt' ich meiner Tochter
gehört!" — „Was hat Eure Tochter denn gesagt?" — „Ja,
sie hat gesprochen, ich sollte den Mörsel nicht bringen,
sonst müßt' ich auch den Stößer schaffen." — „Habt Ihr so
eine kluge Tochter, so laßt sie einmal herkommen." Also
mußte sie vor den König kommen, der fragte sie, ob sie
denn so klug wäre, und sagte, er wollte ihr ein Rätsel
aufgeben, wenn sie das treffen könnte, dann wollte er
sie heiraten. Da sprach sie gleich ja, sie wollt's erraten.
Da sagte der König: „Komm zu mir, nicht gekleidet,
nicht nackend, nicht geritten, nicht gefahren, nicht in dem
Weg, nicht außer dem Weg, und wenn du das kannst, will

ich dich heiraten." Da ging sie hin und zog sich aus
splitternackend, da war sie nicht gekleidet, und nahm ein
großes Fischgarn und setzte sich hinein und wickelte es
ganz um sich herum, da war sie nicht nackend; und borgte
einen Esel fürs Geld und band dem Esel das Fischgarn an
den Schwanz, darin er sie fortschleppen mußte, und war
das nicht geritten und nicht gefahren; der Esel mußte sie
aber in der Fahrgleise schleppen, so daß sie nur mit der
großen Zehe auf die Erde kam, und war das nicht in dem
Wege und nicht außer dem Wege. Und wie sie so daherkam, sagte der König, sie hätte das Rätsel getroffen, und
es wäre alles erfüllt. Da ließ er ihren Vater los aus dem
Gefängnis, und nahm sie zu sich als seine Gemahlin und
befahl ihr das ganze königliche Gut an.

Nun waren etliche Jahre herum, als der Herr König
einmal auf die Parade zog, da trug es sich zu, daß Bauern
mit ihren Wagen vor dem Schloß hielten, die hatten Holz
verkauft; etliche hatten Ochsen vorgespannt und etliche
Pferde. Da war ein Bauer, der hatte drei Pferde, davon
kriegte eins ein junges Füllchen, das lief weg und legte
sich mitten zwischen zwei Ochsen, die vor dem Wagen
waren. Als nun die Bauern zusammenkamen, fingen sie
an sich zu zanken, zu schmeißen und zu lärmen, und der
Ochsenbauer wollte das Füllchen behalten und sagte, die
Ochsen hätten's gehabt; und der andere sagte nein, seine
Pferde hätten's gehabt, und es wäre sein. Der Zank kam
vor den König, und er tat den Ausspruch, wo das Füllen
gelegen hätte, da sollt' es bleiben; und also bekam's der
Ochsenbauer, dem's doch nicht gehörte. Da ging der andere weg, weinte und lamentierte über sein Füllchen.
Nun hatte er gehört, daß die Frau Königin so gnädig
wäre, weil sie auch von armen Bauersleuten gekommen
wäre; ging er zu ihr und bat sie, ob sie ihm nicht helfen
könnte, daß er sein Füllchen wiederbekäme. Sagte sie:
»Ja, wenn Ihr mir versprecht, daß Ihr mich nicht ver-

raten wollt, so will ich's Euch sagen. Morgen früh, wenn
der König auf der großen Wachtparade ist, so stellt Euch
hin mitten in die Straße, wo er vorbeikommen muß,
nehmt ein großes Fischgarn und tut, als fischtet Ihr, und
fischt also fort und schüttet das Garn aus, als wenn Ihr's
voll hättet", und sagte ihm auch, was er antworten
sollte, wenn er vom König gefragt würde. Also stand der
Bauer am andern Tag da und fischte auf einem trockenen
Platz. Wie der König vorbeikam und das sah, schickte er
seinen Laufer hin, der sollte fragen, was der närrische
Mann vorhätte. Da gab er zur Antwort: „Ich fische."
Fragte der Laufer, wie er fischen könnte, es wäre ja kein
Wasser da. Sagte der Bauer: „So gut als zwei Ochsen können ein Füllen kriegen, so gut kann ich auch auf dem trok-
kenen Platz fischen." Der Laufer ging hin und brachte
dem König die Antwort, da ließ er den Bauer vor sich
kommen und sagte ihm, das hätte er nicht von sich, von
wem er das hätte; und sollt's gleich bekennen. Der Bauer
aber wollt's nicht tun und sagte immer Gott bewahr'! er
hätt' es von sich. Sie legten ihn aber auf ein Gebund
Stroh und schlugen und drangsalten ihn so lange, bis er's
bekannte, daß er's von der Frau Königin hätte. Als der
König nach Haus kam, sagte er zu seiner Frau: „Warum
bist du so falsch mit mir, ich will dich nicht mehr zur Gemahlin: deine Zeit ist um, geh wieder hin, woher du gekommen bist, in dein Bauernhäuschen." Doch erlaubte er
ihr eins, sie sollte sich das Liebste und Beste mitnehmen,
was sie wüßte, und das sollte ihr Abschied sein. Sie sagte:
„Ja, lieber Mann, wenn du's so befiehlst, will ich es auch
tun", und fiel über ihn her und küßte ihn und sprach, sie
wollte Abschied von ihm nehmen. Dann ließ sie einen
starken Schlaftrunk kommen, Abschied mit ihm zu trinken: der König tat einen großen Zug, sie aber trank nur
ein wenig. Da geriet er bald in einen tiefen Schlaf, und
als sie das sah, rief sie einen Bedienten und nahm ein

schönes weißes Linnentuch und schlug ihn da hinein, und die Bedienten mußten ihn in einen Wagen vor die Türe tragen, und fuhr sie ihn heim in ihr Häuschen. Da legte sie ihn in ihr Bettchen, und er schlief Tag und Nacht in einem fort und als er aufwachte, sah er sich um und sagte: „Ach Gott, wo bin ich denn?", rief seinen Bedienten, aber es war keiner da. Endlich kam seine Frau vors Bett und sagte: „Lieber Herr König, Ihr habt mir befohlen, ich sollte das Liebste und Beste aus dem Schloß mitnehmen, nun hab' ich nichts Besseres und Lieberes als dich, da hab' ich dich mitgenommen." Dem König stiegen die Tränen in die Augen, und er sagte: „Liebe Frau, du sollst mein sein und ich dein", und nahm sie wieder mit ins königliche Schloß und ließ sich aufs neue mit ihr vermählen; und werden sie ja wohl noch auf den heutigen Tag leben.

Doktor Allwissend

Es war einmal ein armer Bauer namens Krebs, der fuhr mit zwei Ochsen ein Fuder Holz in die Stadt und verkaufte es für zwei Taler an einen Doktor. Wie ihm nun das Geld ausbezahlt wurde, saß der Doktor gerade zu Tisch; da sah der Bauer, wie er schön aß und trank, und das Herz ging ihm danach auf und er wäre auch gern ein Doktor gewesen. Also blieb er noch ein Weilchen stehen und fragte endlich, ob er nicht auch könnte ein Doktor werden. „O ja", sagte der Doktor, „das ist bald geschehen." — „Was muß ich tun?" fragte der Bauer. „Erstlich kauf dir ein Abc-Buch, so eins, wo vorn ein Göckelhahn drin ist; zweitens mache deinen Wagen und deine zwei Ochsen zu Geld und schaff dir damit Kleider an, und was sonst zur Doktorei gehört; drittens laß dir ein Schild malen mit den Worten: ‚Ich bin der Doktor

Allwissend', und laß das oben über deine Haustür na-
geln." Der Bauer tat alles, wie's ihm geheißen war. Als
er nun ein wenig gedoktert hatte, aber noch nicht viel,
ward einem reichen großen Herrn Geld gestohlen. Da
ward ihm von dem Doktor Allwissend gesagt, der in dem
und dem Dorfe wohnte und auch wissen müßte, wo das
Geld hingekommen wäre. Also ließ der Herr seinen Wagen anspannen, fuhr hinaus ins Dorf und fragte bei ihm
an, ob er der Doktor Allwissend wäre? „Ja, der wäre
er." — „So sollte er mitgehen und das gestohlene Geld
wiederschaffen." — „O ja, aber die Grete, seine Frau,
müßte auch mit." Der Herr war das zufrieden, und ließ
sie beide in den Wagen sitzen, und sie fuhren zusammen
fort. Als sie auf den adligen Hof kamen, war der Tisch
gedeckt, da sollte er erst mitessen. „Ja, aber seine Frau,
die Grete, auch", sagte er und setzte sich mit ihr hinter
den Tisch. Wie nun der erste Bediente mit einer Schüssel
schönem Essen kam, stieß der Bauer seine Frau an und
sagte: „Grete, das war der erste", und meinte, es wäre
derjenige, welcher das erste Essen brächte. Der Bediente
aber meinte, er hätte damit sagen wollen, „das ist der
erste Dieb", und weil er's nun wirklich war, ward ihm
angst, und er sagte draußen zu seinen Kameraden: „Der
Doktor weiß alles, wir kommen übel an: er hat gesagt,
ich wäre der erste." Der zweite wollte gar nicht herein,
er mußte aber doch. Wie er nun mit seiner Schüssel hereinkam, stieß der Bauer seine Frau an: „Grete, das ist
der zweite." Dem Bedienten ward ebenfalls angst, und
er machte, daß er hinauskam. Dem dritten ging's nicht
besser, der Bauer sagte wieder: „Grete, das ist der
dritte." Der vierte mußte eine verdeckte Schüssel herein-
tragen, und der Herr sprach zum Doktor, er sollte seine
Kunst zeigen und raten, was darunterläge; es waren
aber Krebse. Der Bauer sah die Schüssel an, wußte nicht,
wie er sich helfen sollte, und sprach: „Ach, ich armer

Krebs!" Wie der Herr das hörte, rief er: „Da, er weiß es, nun weiß er auch, wer das Geld hat."

Dem Bedienten aber ward gewaltig angst und er blinzelte den Doktor an, er möchte einmal herauskommen. Wie er nun hinauskam, gestanden sie ihm alle viere, sie hätten das Geld gestohlen: sie wollten's ja gerne herausgeben und ihm eine schwere Summe dazu, wenn er sie nicht verraten wollte; es ginge ihnen sonst an den Hals. Sie führten ihn auch hin, wo das Geld versteckt lag. Damit war der Doktor zufrieden, ging wieder hinein, setzte sich an den Tisch und sprach: „Herr, nun will ich in meinem Buch suchen, wo das Geld steckt." Der fünfte Bediente aber kroch in den Ofen und wollte hören, ob der Doktor noch mehr wüßte. Der saß aber und schlug sein Abc-Buch auf, blätterte hin und her und suchte den Göckelhahn. Weil er ihn nicht sogleich finden konnte, sprach er: „Du bist doch darin und mußt auch heraus." Da glaubte der im Ofen, er wäre gemeint, sprang voller Schrecken heraus und rief: „Der Mann weiß alles." Nun zeigte der Doktor Allwissend dem Herrn, wo das Geld lag, sagte aber nicht, wer's gestohlen hatte, bekam von beiden Seiten viel Geld zur Belohnung und ward ein berühmter Mann.

Der Zaunkönig und der Bär

Zur Sommerszeit gingen einmal der Bär und der Wolf im Wald spazieren, da hörte der Bär so schönen Gesang von einem Vogel und sprach: „Bruder Wolf, was ist das für ein Vogel, der so schön singt?" — „Das ist der König der Vögel", sagte der Wolf, „vor dem müssen wir uns neigen"; es war aber der Zaunkönig. „Wenn das ist", sagte der Bär, „so möcht' ich auch gerne seinen königlichen Pa-

last sehen, komm und führe mich hin." — „Das geht nicht
so, wie du meinst", sprach der Wolf, „du mußt warten,
bis die Frau Königin kommt." Bald darauf kam die Frau
Königin und hatte Futter im Schnabel, und der Herr König auch, und wollten ihre Jungen ätzen. Der Bär wäre
gerne nun gleich hinterdreingegangen, aber der Wolf
hielt ihn am Ärmel und sagte: „Nein, du mußt warten,
bis Herr und Frau Königin wieder fort sind." Also nahmen sie das Loch in acht, wo das Nest stand, und trabten
wieder ab. Der Bär aber hatte keine Ruhe, wollte den
königlichen Palast sehen und ging nach einer kurzen
Weile wieder vor. Da waren König und Königin richtig
ausgeflogen: er guckte hinein und sah fünf oder sechs
Junge, die darin lagen. „Ist das der königliche Palast?"
rief der Bär, „das ist ein erbärmlicher Palast! Ihr seid
auch keine Königskinder, ihr seid unehrliche Kinder."
Wie das die jungen Zaunkönige hörten, wurden sie gewaltig bös und schrien: „Nein, das sind wir nicht, unsere
Eltern sind ehrliche Leute; Bär, das soll ausgemacht werden mit dir." Dem Bär und dem Wolf ward angst, sie
kehrten um und setzten sich in ihre Höhlen. Die jungen
Zaunkönige aber schrien und lärmten fort, und als ihre
Eltern wieder Futter brachten, sagten sie: „Wir rühren
kein Fliegenbeinchen an, und sollten wir verhungern, bis
ihr erst ausgemacht habt, ob wir ehrliche Kinder sind
oder nicht: der Bär ist dagewesen und hat uns gescholten." Da sagte der alte König: „Seid nur ruhig, das soll
ausgemacht werden." Flog darauf mit der Frau Königin
dem Bären vor seine Höhle und rief hinein: „Alter
Brummbär, warum hast du meine Kinder gescholten? Das
soll dir übel bekommen, das wollen wir in einem blutigen
Krieg ausmachen." Also war dem Bären der Krieg an-
gekündigt, und ward alles vierfüßige Getier berufen,
Ochs, Esel, Rind, Hirsch, Reh, und was die Erde sonst alles trägt. Der Zaunkönig aber berief alles, was in der

Luft fliegt; nicht allein die Vögel groß und klein, sondern auch die Mücken, Hornissen, Bienen und Fliegen mußten herbei.

Als nun die Zeit kam, wo der Krieg angehen sollte, da schickte der Zaunkönig Kundschafter aus, wer der kommandierende General des Feindes wäre. Die Mücke war die listigste von allen, schwärmte im Wald, wo der Feind sich versammelte, und setzte sich endlich unter ein Blatt auf den Baum, wo die Parole ausgegeben wurde. Da stand der Bär, rief den Fuchs vor sich und sprach: „Fuchs, du bist der schlauste unter allem Getier, du sollst General sein und uns anführen." — „Gut", sagte der Fuchs, „aber was für Zeichen wollen wir verabreden?" Niemand wußte es. Da sprach der Fuchs: „Ich habe einen schönen langen buschigen Schwanz, der sieht aus fast wie ein roter Federbusch; wenn ich den Schwanz in die Höhe halte, so geht die Sache gut, und ihr müßt darauf losmarschieren; laß ich ihn aber herunterhängen, so lauft, was ihr könnt." Als die Mücke das gehört hatte, flog sie wieder heim und verriet dem Zaunkönig alles haarklein.

Als der Tag anbrach, wo die Schlacht sollte geliefert werden, hu, da kam das vierfüßige Getier dahergerennt mit Gebraus, daß die Erde zitterte; Zaunkönig mit seiner Armee kam auch durch die Luft daher, die schnurrte, schrie und schwärmte, daß einem angst und bange ward; und gingen sie da von beiden Seiten aneinander. Der Zaunkönig aber schickte die Hornisse hinab, sie sollte sich dem Fuchs unter den Schwanz setzen und aus Leibeskräften stechen. Wie nun der Fuchs den ersten Stich bekam, zuckte er, daß er das eine Bein aufhob, doch ertrug er's und hielt den Schwanz noch in der Höhe; beim zweiten Stich mußt' er ihn einen Augenblick herunterlassen; beim dritten aber konnte er sich nicht mehr halten, schrie und nahm den Schwanz zwischen die Beine. Wie das die Tiere sahen, meinten sie, alles wäre verloren, und fingen

an zu laufen, jeder in seine Höhle: und hatten die Vögel
die Schlacht gewonnen.

Da flog der Herr König und die Frau Königin heim zu
ihren Kindern und riefen: „Kinder, seid fröhlich, eßt und
trinkt nach Herzenslust, wir haben den Krieg gewonnen." Die jungen Zaunkönige aber sagten: „Noch essen
wir nicht, der Bär soll erst vors Nest kommen und Abbitte tun und soll sagen, daß wir ehrliche Kinder sind."
Da flog der Zaunkönig vor das Loch des Bären und rief:
„Brummbär, du sollst vor das Nest zu meinen Kindern
gehen und Abbitte tun und sagen, daß sie ehrliche Kinder sind, sonst sollen dir die Rippen im Leib zertreten
werden." Da kroch der Bär in der größten Angst hin und
tat Abbitte. Jetzt waren die jungen Zaunkönige erst zufrieden, setzten sich zusammen, aßen und tranken und
machten sich lustig bis in die späte Nacht hinein.

Die klugen Leute

Eines Tages holte ein Bauer seinen hagebüchenen Stock
aus der Ecke und sprach zu seiner Frau: „Trine, ich gehe
jetzt über Land und komme erst in drei Tagen wieder
zurück. Wenn der Viehhändler in der Zeit bei uns ein-
spricht und will unsere drei Kühe kaufen, so kannst du
sie losschlagen, aber nicht anders als für zweihundert Taler, geringer nicht, hörst du?" — „Geh nur in Gottes Namen", antwortete die Frau, „ich will das schon machen."
— „Ja du!" sprach der Mann, „du bist als ein kleines
Kind einmal auf den Kopf gefallen, das hängt dir bis auf
diese Stunde nach. Aber das sage ich dir, machst du dummes Zeug, so streiche ich dir den Rücken blau an, und das
ohne Farbe, bloß mit dem Stock, den ich da in der Hand
habe, und der Anstrich soll ein ganzes Jahr halten, dar-

auf kannst du dich verlassen." Damit ging der Mann seiner Wege.

Am andern Morgen kam der Viehhändler, und die Frau brauchte ihm nicht viel Worte zu machen. Als er die Kühe besehen hatte und den Preis vernahm, sagte er: „Das gebe ich gerne, so viel sind sie unter Brüdern wert. Ich will die Tiere gleich mitnehmen." Er machte sie von der Kette los und trieb sie aus dem Stall. Als er eben zum Hoftor hinaus wollte, faßte ihn die Frau am Ärmel und sprach: „Ihr müßt mir erst die zweihundert Taler geben, sonst kann ich Euch nicht gehen lassen." — „Richtig", antwortete der Mann, „ich habe nur vergessen, meine Geldkatze umzuschnallen. Aber macht Euch keine Sorge, Ihr sollt Sicherheit haben, bis ich zahle. Zwei Kühe nehme ich mit und die dritte lasse ich Euch zurück, so habt Ihr ein gutes Pfand." Der Frau leuchtete das ein, sie ließ den Mann mit seinen Kühen abziehen und dachte, „wie wird sich der Hans freuen, wenn er sieht, daß ich es so klug gemacht habe". Der Bauer kam den dritten Tag, wie er gesagt hatte, nach Haus und fragte gleich, ob die Kühe verkauft wären. „Freilich, lieber Hans", antwortete die Frau, „und wie du gesagt hast, für zweihundert Taler. So viel sind sie kaum wert, aber der Mann nahm sie ohne Widerrede." — „Wo ist das Geld?" fragte der Bauer. „Das Geld, das habe ich nicht", antwortete die Frau, „er hatte gerade seine Geldkatze vergessen, wird's aber bald bringen; er hat mir ein gutes Pfand zurückgelassen." — „Was für ein Pfand?" fragte der Mann. „Eine von den drei Kühen, die kriegt er nicht eher, als bis er die andern bezahlt hat. Ich habe es klug gemacht, ich habe die kleinste zurückbehalten, die frißt am wenigsten." Der Mann ward zornig, hob seinen Stock in die Höhe und wollte ihr damit den verheißenen Anstrich geben. Plötzlich ließ er ihn sinken und sagte: „Du bist die dümmste Gans, die auf Gottes Erdboden herumwackelt, aber du dauerst mich. Ich will auf die Landstraße gehen und drei Tage lang warten, ob ich jemand finde, der noch einfältiger ist, als du bist. Glückt mir's, so sollst du frei sein, finde ich ihn aber nicht, so sollst du deinen wohlverdienten Lohn ohne Abzug erhalten."

Er ging hinaus auf die große Straße, setzte sich auf einen Stein und wartete auf die Dinge, die da kommen sollten. Da sah er einen Leiterwagen heranfahren, und eine Frau stand mitten darauf, statt auf dem Gebund Stroh zu sitzen, das dabeilag, oder neben den Ochsen zu gehen und sie zu leiten. Der Mann dachte: „Das ist wohl eine, wie du sie suchst", sprang auf und lief vor dem Wagen hin und her, wie einer, der nicht recht gescheit ist. „Was wollt Ihr, Gevatter", sagte die Frau zu ihm, ich kenne Euch nicht, von wo kommt Ihr her?" — „Ich bin von dem Himmel gefallen", antwortete der Mann, „und weiß nicht, wie ich wieder hinkommen soll; könnt Ihr mich nicht hinauffahren?" — „Nein", sagte die Frau, „ich weiß den Weg nicht. Aber wenn Ihr aus dem Himmel kommt, so könnt Ihr mir wohl sagen, wie es meinem Mann geht, der schon seit drei Jahren dort ist: Ihr habt ihn gewiß gesehen?" — „Ich habe ihn wohl gesehen, aber es kann nicht allen Menschen gut gehen. Er hütet die Schafe, und das liebe Vieh macht ihm viel zu schaffen, das springt auf die Berge und verirrt sich in der Wildnis, und da muß er hinterherlaufen und es wieder zusammentreiben. Abgerissen ist er auch, und die Kleider werden ihm bald vom Leib fallen. Schneider gibt es dort nicht, der heilige Petrus läßt keinen hinein, wie Ihr aus dem Märchen wißt." — „Wer hätte sich das gedacht!" rief die Frau, „wißt Ihr was? ich will seinen Sonntagsrock holen, der noch daheim im Schrank hängt, den kann er dort mit Ehren tragen. Ihr seid so gut und nehmt ihn mit." — „Das geht nicht wohl", antwortete der Bauer, „Kleider darf man nicht in den Himmel bringen, die werden

einem vor dem Tor abgenommen." — „Hört mich an",
sprach die Frau, „ich habe gestern meinen schönen Weizen verkauft und ein hübsches Geld dafür bekommen,
das will ich ihm schicken. Wenn Ihr den Beutel in die
Tasche steckt, so wird's kein Mensch gewahr." — „Kann's
nicht anders sein", erwiderte der Bauer, „so will ich Euch
wohl den Gefallen tun." — „Bleibt nur da sitzen", sagte
sie, „ich will heimfahren und den Beutel holen; ich bin
bald wieder hier. Ich setze mich nicht auf das Bund
Stroh, sondern stehe auf dem Wagen, so hat's das Vieh
leichter." Sie trieb ihre Ochsen an, und der Bauer dachte:
„Die hat Anlage zur Narrheit, bringt sie das Geld wirklich, so kann meine Frau von Glück sagen, denn sie
kriegt keine Schläge." Es dauerte nicht lange, so kam sie
gelaufen, brachte das Geld und steckte es ihm selbst in
die Tasche. Eh sie wegging, dankte sie ihm noch tausendmal für seine Gefälligkeit.

Als die Frau wieder heimkam, so fand sie ihren Sohn,
der aus dem Feld zurückgekehrt war. Sie erzählte ihm,
was sie für unerwartete Dinge erfahren hätte, und setzte
dann hinzu: „Ich freue mich recht, daß ich Gelegenheit
gefunden habe, meinem armen Mann etwas zu schicken,
wer hätte sich vorgestellt, daß er im Himmel an etwas
Mangel leiden würde?" Der Sohn war in der größten
Verwunderung. „Mutter", sagte er, „so einer aus dem
Himmel kommt nicht alle Tage, ich will gleich hinaus
und sehen, daß ich den Mann noch finde: der muß mir
erzählen, wie's dort aussieht und wie's mit der Arbeit
geht." Er sattelte das Pferd und ritt in aller Hast fort.
Er fand den Bauer, der unter einem Weidenbaum saß
und das Geld, das im Beutel war, zählen wollte. „Habt
Ihr nicht den Mann gesehen", rief ihm der Junge zu,
„der aus dem Himmel gekommen ist?" — „Ja", antwortete der Bauer, „der hat sich wieder auf den Rückweg
gemacht und ist den Berg dort hinaufgegangen, von wo

er's etwas näher hat. Ihr könnt ihn noch einholen, wenn
Ihr scharf reitet." — „Ach", sagte der Junge, „ich habe
mich den ganzen Tag abgeäschert und der Ritt hierher
hat mich vollends müde gemacht; Ihr kennt den Mann,
seid so gut und setzt Euch auf mein Pferd und überredet
ihn, daß er hierherkommt." — „Aha", meinte der Bauer,
„das ist auch einer, der keinen Docht in seiner Lampe
hat." — „Warum sollte ich Euch den Gefallen nicht tun?"
sprach er, stieg auf und ritt im stärksten Trab fort. Der
Junge blieb sitzen, bis die Nacht einbrach, aber der
Bauer kam nicht zurück. „Gewiß", dachte er, „hat der
Mann aus dem Himmel große Eile gehabt und nicht
umkehren wollen und der Bauer hat ihm das Pferd mit-
gegeben, um es meinem Vater zu bringen." Er ging heim
und erzählte seiner Mutter, was geschehen war: das
Pferd habe er dem Vater geschickt, damit er nicht immer
herumzulaufen brauche. „Du hast wohlgetan", antwortete sie, „du hast noch junge Beine und kannst zu Fuß
gehen."

Als der Bauer nach Haus gekommen war, stellte er das
Pferd in den Stall neben die verpfändete Kuh, ging
dann zu seiner Frau und sagte: „Trine, das war dein
Glück, ich habe zwei gefunden, die noch einfältigere
Narren sind als du; diesmal kommst du ohne Schläge
davon, ich will sie für eine andere Gelegenheit auf-
sparen." Dann zündete er seine Pfeife an, setzte sich in
den Großvaterstuhl und sprach: „Das war ein gutes
Geschäft, für zwei magere Kühe ein glattes Pferd und
dazu einen großen Beutel voll Geld. Wenn die Dumm-
heit immer so viel einbrächte, so wollte ich sie gerne in
Ehren halten." So dachte der Bauer, aber dir sind gewiß
die Einfältigen lieber.

Der arme Müllerbursch und das Kätzchen

In einer Mühle lebte ein alter Müller, der hatte weder
Frau noch Kinder, und drei Müllerburschen dienten bei
ihm. Wie sie nun etliche Jahre bei ihm gewesen waren,
sagte er eines Tages zu ihnen: „Ich bin alt und will mich
hinter den Ofen setzen: zieht aus und wer mir das beste
Pferd nach Haus bringt, dem will ich die Mühle geben
und er soll mich dafür bis an meinen Tod verpflegen."
Der dritte von den Burschen war aber der Kleinknecht,
der ward von den andern für albern gehalten, dem
gönnten sie die Mühle nicht; und er wollte sie hernach
nicht einmal. Da zogen sie alle drei miteinander aus,
und wie sie vor das Dorf kamen, sagten die zwei zu dem
albernen Hans: „Du kannst nur hierbleiben, du kriegst
dein Lebtag keinen Gaul." Hans aber ging doch mit,
und als es Nacht war, kamen sie an eine Höhle, dahinein
legten sie sich schlafen. Die zwei Klugen warteten, bis
Hans eingeschlafen war, dann stiegen sie auf, machten
sich fort und ließen Hänschen liegen, und meinten's recht
fein gemacht zu haben; ja, es wird euch doch nicht gut
gehn! Wie nun die Sonne kam und Hans aufwachte,
lag er in einer tiefen Höhle: er guckte sich überall
um und rief: „Ach Gott, wo bin ich!" Da erhob er sich und
krabbelte die Höhle hinauf, ging in den Wald und
dachte: „Ich bin hier ganz allein und verlassen, wie soll
ich nun zu einem Pferd kommen!" Indem er so in Gedanken dahinging, begegnete ihm ein kleines buntes
Kätzchen, das sprach ganz freundlich: „Hans, wo willst
du hin?" — „Ach, du kannst mir doch nicht helfen." —
„Was dein Begehren ist, weiß ich wohl", sprach das
Kätzchen, „du willst einen hübschen Gaul haben. Komm
mit mir und sei sieben Jahre lang mein treuer Knecht,
so will ich dir einen geben, schöner als du dein Lebtag
einen gesehen hast." — „Nun, das ist eine wunderliche

Katze", dachte Hans, „aber sehen will ich doch, ob das wahr ist, was sie sagt." Da nahm sie ihn mit in ihr verwünschtes Schlößchen und hatte da lauter Kätzchen, die ihr dienten: die sprangen flink die Treppe auf und ab, waren lustig und guter Dinge. Abends, als sie sich zu Tisch setzten, mußten drei Musik machen: eins strich den Baß, das andere die Geige, das dritte setzte die Trompete an und blies die Backen auf, so sehr es nur konnte. Als sie gegessen hatten, wurde der Tisch weggetragen, und die Katze sagte: „Nun komm, Hans, und tanze mit mir." — „Nein", antwortete er, „mit einer Miezekatze tanze ich nicht, das habe ich noch niemals getan." — „So bringt ihn ins Bett", sagte sie zu den Kätzchen. Da leuchtete ihm eins in seine Schlafkammer, eins zog ihm die Schuhe aus, eins die Strümpfe, und zuletzt blies eins das Licht aus. Am andern Morgen kamen sie wieder und halfen ihm aus dem Bett: eins zog ihm die Strümpfe an, eins band ihm die Strumpfbänder, eins holte die Schuhe, eins wusch ihn, und eins trocknete ihm mit dem Schwanz das Gesicht ab. „Das tut recht sanft", sagte Hans. Er mußte aber auch der Katze dienen und alle Tage Holz kleinmachen; dazu kriegte er eine Axt von Silber und die Keile und Säge von Silber, und der Schläger war von Kupfer. Nun, da machte er's klein, blieb da im Haus, hatte sein gutes Essen und Trinken, sah aber niemand als die bunte Katze und ihr Gesinde. Einmal sagte sie zu ihm: „Geh hin und mähe meine Wiese und mache das Gras trocken", und gab ihm von Silber eine Sense und von Gold einen Wetzstein, hieß ihn aber auch alles wieder richtig abliefern. Da ging Hans hin und tat, was ihm geheißen war; nach vollbrachter Arbeit trug er Sense, Wetzstein und Heu nach Haus und fragte, ob sie ihm noch nicht seinen Lohn geben wollte. „Nein", sagte die Katze, „du sollst mir erst noch einerlei tun, da ist Bauholz von Silber, Zimmer-

axt, Winkeleisen und was nötig ist, alles von Silber,
daraus baue mir erst ein kleines Häuschen." Da baute
Hans das Häuschen fertig und sagte, er hätte nun alles
getan und hätte noch kein Pferd. Doch waren ihm die
sieben Jahre herumgegangen wie ein halbes. Fragte die
Katze, ob er ihre Pferde sehen wollte? „Ja", sagte Hans.
Da machte sie ihm das Häuschen auf, und weil sie die
Türe so aufmacht, da stehen zwölf Pferde, ach, die
waren gewesen ganz stolz, die hatten geblänkt und ge-
spiegelt, daß sich sein Herz im Leibe darüber freute.
Nun gab sie ihm zu essen und zu trinken und sprach:
„Geh heim, dein Pferd geb' ich dir nicht mit: in drei
Tagen aber komm' ich und bringe dir's nach." Also
machte Hans sich auf, und sie zeigte ihm den Weg zur
Mühle. Sie hatte ihm aber nicht einmal ein neues Kleid
gegeben, sondern er mußte sein altes lumpiges Kittelchen
behalten, das er mitgebracht hatte, und das ihm in den
sieben Jahren überall zu kurz geworden war. Wie er
nun heimkam, so waren die beiden andern Müllerburschen auch wieder da: jeder hatte zwar sein Pferd
mitgebracht, aber des einen seins war blind, des andern
seins lahm. Sie fragten: „Hans, wo hast du dein Pferd?"
— „In drei Tagen wird's nachkommen." Da lachten sie
und sagten: „Ja, du Hans, wo willst du ein Pferd her-
kriegen, das wird was Rechtes sein!" Hans ging in die
Stube, der Müller sagte aber, er sollte nicht an den Tisch
kommen, er wäre so zerrissen und zerlumpt, man müßte
sich schämen, wenn jemand hereinkäme. Da gaben sie
ihm ein bißchen Essen hinaus, und wie sie abends schlafen gingen, wollten ihm die zwei andern kein Bett
geben, und er mußte endlich ins Gänseställchen kriechen
und sich auf ein wenig hartes Stroh legen. Am Morgen, wie er aufwacht, sind schon die drei Tage herr-
um, und es kommt eine Kutsche mit sechs Pferden, ei,
die glänzten, daß es schön war, und ein Bedienter, der

brachte noch ein siebentes, das war für den armen
Müllerbursch. Aus der Kutsche aber stieg eine prächtige
Königstochter und ging in die Mühle hinein, und die
Königstochter war das kleine bunte Kätzchen, dem der
arme Hans sieben Jahr gedient hatte. Sie fragte den
Müller, wo der Mahlbursch, der Kleinknecht, wäre? Da
sagte der Müller: „Den können wir nicht in die Mühle
nehmen, der ist so verrissen und liegt im Gänsestall."
Da sagte die Königstochter, sie sollten ihn gleich holen.
Also holten sie ihn heraus und er mußte sein Kittelchen
zusammenpacken, um sich zu bedecken. Da schnallte der
Bediente prächtige Kleider aus und mußte ihn waschen
und anziehen, und wie er fertig war, konnte kein König
schöner aussehen. Danach verlangte die Jungfrau die
Pferde zu sehen, welche die andern Mahlburschen mitgebracht hatten, eins war blind, das andere lahm. Da
ließ sie den Bedienten das siebente Pferd bringen: wie
der Müller das sah, sprach er, so eins wär' ihm noch nicht
auf den Hof gekommen; „und das ist für den dritten
Mahlbursch", sagte sie. „Da muß er die Mühle haben",
sagte der Müller, die Königstochter aber sprach, da wäre
das Pferd, er sollte seine Mühle auch behalten; und
nimmt ihren treuen Hans und setzt ihn in die Kutsche
und fährt mit ihm fort. Sie fahren zuerst nach dem
kleinen Häuschen, das er mit dem silbernen Werkzeug
gebaut hat, da ist es ein großes Schloß, und ist alles darin
von Silber und Gold; und da hat sie ihn geheiratet, und
war er reich, so reich, daß er für sein Lebtag genug hatte.
Darum sollte keiner sagen, daß, wer albern ist, deshalb
nichts Rechtes werden könne.

Tischlein deck dich, Goldesel und Knüppel
aus dem Sack

Vor Zeiten war ein Schneider, der drei Söhne hatte und
nur eine einzige Ziege. Aber die Ziege, weil sie alle zusammen mit ihrer Milch ernährte, mußte ihr gutes Futter
haben und täglich hinaus auf die Weide geführt werden.
Die Söhne taten das auch nach der Reihe. Einmal brachte
sie der älteste auf den Kirchhof, wo die schönsten Kräuter standen, ließ sie da fressen und herumspringen.
Abends, als es Zeit war heimzugehen, fragte er: „Ziege,
bist du satt?" Die Ziege antwortete:

> „Ich bin so satt,
> Ich mag kein Blatt: meh, meh!"

„So komm nach Haus", sprach der Junge, faßte sie am
Strickchen, führte sie in den Stall und band sie fest.
„Nun", sagte der alte Schneider, „hat die Ziege ihr gehöriges Futter?" — „Oh", antwortete der Sohn, „die ist
so satt, sie mag kein Blatt." Der Vater aber wollte sich
selbst überzeugen, ging hinab in den Stall, streichelte das
liebe Tier und fragte: „Ziege, bist du auch satt?" Die
Ziege antwortete:

> „Wovon sollt ich satt sein?
> Ich sprang nur über Gräbelein
> Und fand kein einzig Blättlein: meh, meh!"

„Was muß ich hören!" rief der Schneider, lief hinauf und
sprach zu dem Jungen: „Ei, du Lügner, sagst, die Ziege
wäre satt, und hast sie hungern lassen?" und in seinem
Zorne nahm er die Elle von der Wand und jagte ihn mit
Schlägen hinaus.

Am andern Tag war die Reihe am zweiten Sohn, der
suchte an der Gartenhecke einen Platz aus, wo lauter
gute Kräuter standen, und die Ziege fraß sie rein ab.
Abends, als er heim wollte, fragte er: „Ziege, bist du
satt?" Die Ziege antwortete:

> „Ich bin so satt,
> Ich mag kein Blatt: meh, meh!"

„So komm nach Haus", sprach der Junge, zog sie heim
und band sie im Stall fest. „Nun", sagte der alte Schneider, „hat die Ziege ihr gehöriges Futter?" — „Oh", antwortete der Sohn, „die ist so satt, sie mag kein Blatt."
Der Schneider wollte sich darauf nicht verlassen, ging
hinab in den Stall und fragte: „Ziege, bist du auch satt?"
Die Ziege antwortete:

> „Wovon sollt ich satt sein?
> Ich sprang nur über Gräbelein
> Und fand kein einzig Blättelein: meh, meh!"

„Der gottlose Bösewicht!" schrie der Schneider, „so ein
frommes Tier hungern zu lassen!", lief hinauf und schlug
mit der Elle den Jungen zur Haustüre hinaus.

Die Reihe kam jetzt an den dritten Sohn, der wollte
seine Sache gut machen, suchte Buschwerk mit dem schönsten Laube aus und ließ die Ziege daran fressen. Abends,
als er heim wollte, fragte er: „Ziege, bist du auch satt?"
Die Ziege antwortete:

> „Ich bin so satt,
> Ich mag kein Blatt: meh, meh!"

„So komm nach Haus", sagte der Junge, führte sie in
den Stall und band sie fest. „Nun", sagte der alte Schnei-

der, „hat die Ziege ihr gehöriges Futter?" — „Oh", ant-
wortete der Sohn, „die ist so satt, sie mag kein Blatt."
Der Schneider traute nicht, ging hinab und fragte:
„Ziege, bist du auch satt?" Das boshafte Tier antwortete:

> „Wovon sollt ich satt sein?
> Ich sprang nur über Gräbelein
> Und fand kein einzig Blättelein: meh, meh!"

„O die Lügenbrut!" rief der Schneider, „einer so gottlos
und pflichtvergessen wie der andere! Ihr sollt mich nicht
länger zum Narren haben!", und vor Zorn ganz außer
sich sprang er hinauf und gerbte dem armen Jungen mit
der Elle den Rücken so gewaltig, daß er zum Haus hinaus sprang.

Der alte Schneider war nun mit seiner Ziege allein.
Am andern Morgen ging er hinab in den Stall, liebkoste
die Ziege und sprach: „Komm, mein liebes Tierchen, ich
will dich selbst zur Weide führen." Er nahm sie am Strick
und brachte sie zu grünen Hecken und unter Schafrippe
und was sonst die Ziegen gerne fressen. „Da kannst du
dich einmal nach Herzenslust sättigen", sprach er zu ihr
und ließ sie weiden bis zum Abend. Da fragte er: „Ziege,
bist du satt?" Sie antwortete:

> „Ich bin so satt,
> Ich mag kein Blatt: meh, meh!"

„So komm nach Haus", sagte der Schneider, führte sie in
den Stall und band sie fest. Als er wegging, kehrte er sich
noch einmal um und sagte: „Nun bist du doch einmal
satt." Aber die Ziege machte es ihm nicht besser und rief:

> „Wovon sollt ich satt sein?
> Ich sprang nur über Gräbelein
> Und fand kein einzig Blättelein: meh, meh!"

Als der Schneider das hörte, stutzte er und sah wohl,
daß er seine drei Söhne ohne Ursache verstoßen hatte.
„Wart", rief er, „du undankbares Geschöpf, dich fort-
zujagen ist noch zu wenig, ich will dich zeichnen, daß du
dich unter ehrbaren Schneidern nicht mehr darfst sehen
lassen." In einer Hast sprang er hinauf, holte sein Bart-
messer, seifte der Ziege den Kopf ein, und schor sie so
glatt wie seine flache Hand. Und weil die Elle zu ehrenvoll gewesen wäre, holte er die Peitsche und versetzte ihr
solche Hiebe, daß sie in gewaltigen Sprüngen davonlief.

Der Schneider, als er so ganz einsam in seinem Hause
saß, verfiel in große Traurigkeit und hätte seine Söhne
gerne wiedergehabt, aber niemand wußte, wo sie hin-
geraten waren. Der älteste war zu einem Schreiner in die
Lehre gegangen, da lernte er fleißig und unverdrossen,
und als seine Zeit herum war, daß er wandern sollte,
schenkte ihm der Meister ein Tischchen, das gar kein
besonderes Ansehen hatte und von gewöhnlichem Holz
war: aber es hatte eine gute Eigenschaft. Wenn man es
hinstellte und sprach „Tischchen, deck dich", so war das
gute Tischchen auf einmal mit einem saubern Tüchlein
bedeckt, und stand da ein Teller, und Messer und Gabel
daneben, und Schüsseln mit Gesottenem und Gebratenem,
so viel Platz hatten, und ein großes Glas mit rotem Wein
leuchtete, daß einem das Herz lachte. Der junge Gesell
dachte: „Damit hast du genug für dein Lebtag", zog guter
Dinge in der Welt umher und bekümmerte sich gar nicht
darum, ob ein Wirtshaus gut oder schlecht und ob etwas
darin zu finden war oder nicht. Wenn es ihm gefiel, so
kehrte er gar nicht ein, sondern im Felde, im Walde, auf
einer Wiese, wo er Lust hatte, nahm er sein Tischchen
vom Rücken, stellte es vor sich und sprach: „Deck dich",
so war alles da, was sein Herz begehrte. Endlich kam es
ihm in den Sinn, er wollte zu seinem Vater zurück-
kehren, sein Zorn würde sich gelegt haben und mit dem

Tischchen deck dich würde er ihn gerne wieder aufnehmen. Es trug sich zu, daß er auf dem Heimweg abends
in ein Wirtshaus kam, das mit Gästen angefüllt war: sie
hießen ihn willkommen und luden ihn ein, sich zu ihnen
zu setzen und mit ihnen zu essen, sonst würde er schwer-
lich noch etwas bekommen. „Nein", antwortete der
Schreiner, „die paar Bissen will ich euch nicht vor dem
Munde nehmen, lieber sollt ihr meine Gäste sein." Sie
lachten und meinten, er triebe seinen Spaß mit ihnen. Er
aber stellte sein hölzernes Tischchen mitten in die Stube
und sprach „Tischchen, deck dich". Augenblicklich war
es mit Speisen besetzt, so gut wie sie der Wirt nicht hätte
herbeischaffen können, und wovon der Geruch den Gästen lieblich in die Nase stieg. „Zugegriffen, liebe
Freunde", sprach der Schreiner, und die Gäste, als sie
sahen, wie es gemeint war, ließen sich nicht zweimal bitten, rückten heran, zogen ihre Messer und griffen tapfer
zu. Und was sie am meisten verwunderte, wenn ein Schüssel leer geworden war, so stellte sich gleich von selbst eine
volle an ihren Platz. Der Wirt stand in einer Ecke und
sah dem Dinge zu: er wußte gar nicht, was er sagen sollte,
dachte aber: „Einen solchen Koch könntest du in deiner
Wirtschaft wohl brauchen." Der Schreiner und seine
Gesellschaft waren lustig bis in die späte Nacht, endlich
legten sie sich schlafen, und der junge Geselle ging auch
zu Bett und stellte sein Wünschtischchen an die Wand.
Dem Wirte aber ließen seine Gedanken keine Ruhe, es
fiel ihm ein, daß in seiner Rumpelkammer ein altes Tischchen stände, das gerade so aussähe: das holte er ganz
sachte herbei und vertauschte es mit dem Wünschtischchen. Am andern Morgen zahlte der Schreiner sein Schlaf-
geld, packte sein Tischchen auf, dachte gar nicht daran,
daß er ein falsches hätte, und ging seiner Wege. Zu Mittag kam er bei seinem Vater an, der ihn mit großer
Freude empfing. „Nun, mein lieber Sohn, was hast du

gelernt?" sagte er zu ihm. „Vater, ich bin ein Schreiner
geworden." — „Ein gutes Handwerk", erwiderte der
Alte, „aber was hast du von deiner Wanderschaft mitgebracht?" — „Vater, das Beste, was ich mitgebracht habe,
ist das Tischchen." Der Schneider betrachtete es von allen
Seiten und sagte: „Daran hast du kein Meisterstück gemacht, das ist ein altes und schlechtes Tischchen." —
„Aber es ist ein Tischchen deck dich", antwortete der
Sohn, „wenn ich es hinstelle, und sage ihm, es solle sich
decken, so stehen gleich die schönsten Gerichte darauf
und ein Wein dabei, der das Herz erfreut. Ladet nur alle
Verwandte und Freunde ein, die sollen sich einmal laben und erquicken, denn das Tischchen macht sie alle
satt." Als die Gesellschaft beisammen war, stellte er sein
Tischchen mitten in die Stube und sprach „Tischchen deck
dich!" Aber das Tischchen regte sich nicht und blieb so
leer wie ein anderer Tisch, der die Sprache nicht ver-
steht. Da merkte der arme Geselle, daß ihm das Tischchen vertauscht war, und schämte sich, daß er wie ein
Lügner dastand. Die Verwandten aber lachten ihn aus,
und mußten ungetrunken und ungegessen wieder heim-
wandern. Der Vater holte seine Lappen wieder herbei
und schneiderte fort, der Sohn aber ging bei einem Meister in die Arbeit.

Der zweite Sohn war zu einem Müller gekommen und
bei ihm in die Lehre gegangen. Als er seine Jahre herum
hatte, sprach der Meister: „Weil du dich so wohl gehalten
hast, so schenke ich dir einen Esel von einer besonderen
Art, er zieht nicht am Wagen und trägt auch keine
Säcke." — „Wozu ist er denn nütze?" fragte der junge
Geselle. „Er speit Gold", antwortete der Müller, „wenn
du ihn auf ein Tuch stellst und sprichst ‚Bricklebrit‘, so
speit dir das gute Tier Goldstücke aus, hinten und vorn."
— „Das ist eine schöne Sache" sprach der Geselle, dankte
dem Meister und zog in die weite Welt. Wenn er Gold

nötig hatte, brauchte er nur zu seinem Esel ‚Bricklebrit‘ zu sagen, so regnete es Goldstücke, und er hatte weiter keine Mühe, als sie von der Erde aufzuheben. Wo er hinkam, war ihm das Beste gut genug, und je teurer, je lieber, denn er hatte immer einen vollen Beutel. Als er sich eine Zeitlang in der Welt umgesehen hatte, dachte er: „Du mußt deinen Vater aufsuchen, wenn du mit dem Goldesel kommst, so wird er seinen Zorn vergessen und dich gut aufnehmen." Es trug sich zu, daß er in dasselbe Wirtshaus geriet, in welchem seinem Bruder das Tischchen vertauscht war. Er führte seinen Esel an der Hand, und der Wirt wollte ihm das Tier abnehmen und anbinden, der junge Geselle aber sprach: „Gebt Euch keine Mühe, meinen Grauschimmel führe ich selbst in den Stall und binde ihn auch selbst an, denn ich muß wissen, wo er steht." Dem Wirt kam das wunderlich vor, und er meinte, einer, der seinen Esel selbst besorgen müßte, hätte nicht viel zu verzehren; als aber der Fremde in die Tasche griff, zwei Goldstücke herausholte und sagte, er sollte nur etwas Gutes für ihn einkaufen, so machte er große Augen, lief und suchte das Beste, das er auftreiben konnte. Nach der Mahlzeit fragte der Gast, was er schuldig wäre, der Wirt wollte die doppelte Kreide nicht sparen und sagte, noch ein paar Goldstücke müßte er zulegen. Der Geselle griff in die Tasche, aber sein Gold war eben zu Ende. „Wartet einen Augenblick, Herr Wirt", sprach er, „ich will nur gehen und Gold holen", nahm aber das Tischtuch mit. Der Wirt wußte nicht, was das heißen sollte, war neugierig, schlich ihm nach, und da der Gast die Stalltüre zuriegelte, so guckte er durch ein Astloch. Der Fremde breitete unter dem Esel das Tuch aus, rief „Bricklebrit", und augenblicklich fing das Tier an Gold zu speien von hinten und vorn, daß es ordentlich auf die Erde herabregnete. „Ei der tausend", sagte der Wirt, „da sind die Dukaten bald geprägt! So ein Geld-

beutel ist nicht übel!" Der Gast bezahlte seine Zeche und
legte sich schlafen, der Wirt aber schlich in der Nacht
herab in den Stall, führte den Münzmeister weg und
band einen andern Esel an seine Stelle. Den folgenden
Morgen in der Frühe zog der Geselle mit seinem Esel ab
und meinte, er hätte seinen Goldesel. Mittags kam er bei
seinem Vater an, der sich freute, als er ihn wiedersah und
ihn gerne aufnahm. „Was ist aus dir geworden, mein
Sohn?" fragte der Alte. „Ein Müller, lieber Vater", antwortete er. „Was hast du von deiner Wanderschaft mitgebracht?" — „Weiter nichts als einen Esel." — „Esel
gibt's hier genug", sagte der Vater, „da wäre mir doch
eine gute Ziege lieber gewesen." — „Ja", antwortete der
Sohn, „aber es ist kein gemeiner Esel, sondern ein Goldesel: wenn ich sage ,Bricklebrit', so speit Euch das gute
Tier ein ganzes Tuch voll Goldstücke. Laßt nur alle Verwandte herbeirufen, ich mache sie alle zu reichen Leuten." — „Das laß ich mir gefallen", sagte der Schneider,
„dann brauch ich mich mit der Nadel nicht weiter zu
quälen", sprang selbst fort und rief die Verwandten herbei. Sobald sie beisammen waren, hieß sie der Müller
Platz machen, breitete sein Tuch aus und brachte den
Esel in die Stube. „Jetzt gebt acht", sagte er und rief
„Bricklebrit", aber es waren keine Goldstücke was herabfiel, und es zeigte sich, daß das Tier nichts von der Kunst
verstand, denn es bringt's nicht jeder Esel so weit. Da
machte der arme Müller ein langes Gesicht, sah, daß er
betrogen war, und bat die Verwandten um Verzeihung,
die so arm heimgingen, als sie gekommen waren. Es blieb
nichts übrig, der Alte mußte wieder nach der Nadel greifen und der Junge sich bei einem Müller verdingen.

Der dritte Bruder war zu einem Drechsler in die Lehre
gegangen, und weil es ein kunstreiches Handwerk ist,
mußte er am längsten lernen. Seine Brüder aber meldeten
ihm in einem Briefe, wie schlimm es ihnen ergangen

wäre, und wie sie der Wirt noch am letzten Abend um
ihre schönen Wünschdinge gebracht hätte. Als der Drechsler nun ausgelernt hatte und wandern sollte, so schenkte
ihm sein Meister, weil er sich so wohl gehalten, einen
Sack und sagte: „Es liegt ein Knüppel darin." — „Den
Sack kann ich umhängen, und er kann mir gute Dienste
leisten, aber was soll der Knüppel darin? der macht ihn
nur schwer." — „Das will ich dir sagen", antwortete der
Meister, „hat dir jemand etwas zuleid getan, so sprich
nur ‚Knüppel, aus dem Sack', so springt dir der Knüppel
heraus unter die Leute und tanzt ihnen so lustig auf dem
Rücken herum, daß sie sich acht Tage lang nicht regen
und bewegen können, und eher läßt er nicht ab, als bis du
gesagt hast ‚Knüppel, in den Sack'." Der Gesell dankte
ihm, hing den Sack um, und wenn ihm jemand zu nahe
kam und auf den Leib wollte, so sprach er „Knüppel, aus
dem Sack", alsbald sprang der Knüppel heraus und
klopfte einem nach dem andern den Rock oder Wams
gleich auf dem Rücken aus und wartete nicht erst, bis er
ihn ausgezogen hatte, und das ging so geschwind, daß, eh
sich's einer versah, die Reihe schon an ihm war. Der
junge Drechsler langte zur Abendzeit in dem Wirtshaus
an, wo seine Brüder waren betrogen worden. Er legte
seinen Ranzen vor sich auf den Tisch und fing an zu erzählen, was er alles Merkwürdiges in der Welt gesehen
habe. „Ja", sagte er, „man findet wohl ein Tischchen
deck dich, einen Goldesel und dergleichen: lauter gute
Dinge, die ich nicht verachte, aber das ist alles nichts gegen den Schatz, den ich mir erworben habe und mit mir
da in meinem Sack führe." Der Wirt spitzte die Ohren:
„Was in aller Welt mag das sein?" dachte er, „der Sack ist
wohl mit lauter Edelsteinen angefüllt, den sollte ich bil-
lig auch noch haben, denn aller guten Dinge sind drei."
Als Schlafenszeit war, streckte sich der Gast auf die
Bank und legte seinen Sack als Kopfkissen unter. Der

Wirt, als er meinte, der Gast läge in tiefem Schlaf, ging
herbei, rückte und zog ganz sachte und vorsichtig an dem
Sack, ob er ihn vielleicht wegziehen und einen anderen
unterlegen könnte. Der Drechsler aber hatte schon lange
darauf gewartet, wie nun der Wirt eben einen herzhaften
Ruck tun wollte, rief er: „Knüppel, aus dem Sack!" Alsbald fuhr das Knüppelchen heraus, dem Wirt auf den
Leib und rieb ihm die Nähte, daß es eine Art hatte. Der
Wirt schrie zum Erbarmen, aber je lauter er schrie, desto
kräftiger schlug der Knüppel ihm den Takt dazu auf den
Rücken, bis er endlich erschöpft zur Erde fiel. Da sprach
der Drechsler: „Wo du das Tischchen deck dich und den
Goldesel nicht wieder herausgibst, so soll der Tanz von
neuem angehen." — „Ach nein", rief der Wirt ganz klein-
laut, „ich gebe alles gerne wieder heraus, laßt nur den
verwünschten Kobold wieder in den Sack kriechen." Da
sprach der Geselle: „Ich will Gnade für Recht ergehen
lassen, aber hüte dich vor Schaden!" dann rief er „Knüppel, in den Sack!" und ließ ihn ruhen.

Der Drechsler zog am anderen Morgen mit dem Tischchen deck dich und dem Goldesel heim zu seinem Vater.
Der Schneider freute sich, als er ihn wiedersah, und fragte
auch ihn, was er in der Fremde gelernt hätte. „Lieber
Vater", antwortete er, „ich bin ein Drechsler geworden."
— „Ein kunstreiches Handwerk", sagte der Vater, „was
hast du von der Wanderschaft mitgebracht?" — „Ein
kostbares Stück, lieber Vater", antwortete der Sohn,
„einen Knüppel in dem Sack." — „Was!" rief der Vater,
„einen Knüppel! Das ist der Mühe wert! Den kannst du
dir von jedem Baum abhauen." — „Aber einen solchen
nicht, lieber Vater: sage ich ‚Knüppel, aus dem Sack', so
springt der Knüppel heraus und macht mit dem, der es
nicht gut mit mir meint, einen schlimmen Tanz, und
läßt nicht eher nach, als bis er auf der Erde liegt und um
gut Wetter bittet. Seht ihr, mit diesem Knüppel habe ich

das Tischchen deck dich und den Goldesel wieder herbeigeschafft, die der diebische Wirt meinen Brüdern abge-
nommen hatte. Jetzt laßt sie beide rufen und ladet alle
Verwandten ein, ich will sie speisen und tränken und
will ihnen die Taschen noch mit Gold füllen." Der alte
Schneider wollte nicht recht trauen, brachte aber doch die
Verwandten zusammen. Da deckte der Drechsler ein
Tuch in die Stube, führte den Goldesel herein und sagte
zu seinem Bruder: „Nun, lieber Bruder, sprich mit ihm."
Der Müller sagte „Bricklebrit", und augenblicklich sprangen die Goldstücke auf das Tuch herab, als käme ein
Platzregen, und der Esel hörte nicht eher auf, als bis alle
so viel hätten, daß sie nicht mehr tragen konnten. (Ich
sehe dir's an, du wärst auch gerne dabeigewesen.) Dann
holte der Drechsler das Tischchen und sagte: „Lieber Bruder, nun sprich mit ihm." Und kaum hatte der Schreiner
„Tischchen deck dich" gesagt, so war es gedeckt und mit
den schönsten Schüsseln reichlich besetzt. Da ward eine
Mahlzeit gehalten, wie der gute Schneider noch keine in
seinem Hause erlebt hatte, und die ganze Verwandtschaft
blieb beisammen bis in die Nacht, und waren alle lustig
und vergnügt. Der Schneider verschloß Nadel und
Zwirn, Elle und Bügeleisen in einen Schrank, und lebte
mit seinen drei Söhnen in Freude und Herrlichkeit.

Wo ist aber die Ziege hingekommen, die schuld war,
daß der Schneider seine drei Söhne fortjagte? Das will
ich dir sagen. Sie schämte sich, daß sie einen kahlen Kopf
hatte, lief in eine Fuchshöhle und verkroch sich hinein.
Als der Fuchs nach Haus kam, funkelten ihm ein paar
große Augen aus der Dunkelheit entgegen, daß er erschrak und wieder zurücklief. Der Bär begegnete ihm,
und da der Fuchs ganz verstört aussah, so sprach er: „Was
ist dir, Bruder Fuchs, was machst du für ein Gesicht?" —
„Ach", antwortete der Rote, „ein grimmig Tier sitzt in
meiner Höhle und hat mich mit feurigen Augen ange-

glotzt." — „Das wollen wir bald austreiben", sprach der
Bär, ging mit zu der Höhle und schaute hinein, als er
aber die feurigen Augen erblickte, wandelte ihn ebenfalls
Furcht an: er wollte mit dem grimmigen Tier nichts zu
tun haben und nahm Reißaus. Die Biene begegnete ihm,
und da sie merkte, daß es ihm in seiner Haut nicht wohl
zumute war, sprach sie: „Bär, du machst ja ein gewaltig
verdrießlich Gesicht, wo ist deine Lustigkeit geblieben?"
— „Du hast gut reden", antwortete der Bär, „es sitzt ein
grimmiges Tier mit Glotzaugen in dem Hause des Roten, und wir können es nicht herausjagen." Die Biene
sprach: „Du dauerst mich, Bär, ich bin ein armes schwa-
ches Geschöpf, das ihr im Wege nicht anguckt, aber ich
glaube doch, daß ich euch helfen kann." Sie flog in die
Fuchshöhle, setzte sich der Ziege auf den glatten ge-
schorenen Kopf und stach sie so gewaltig, daß sie auf-
sprang, „meh! meh!" schrie und wie toll in die Welt
hineinlief, und weiß niemand auf diese Stunde, wo sie
hingelaufen ist.

Vom klugen Schneiderlein

Es war einmal eine Prinzessin gewaltig stolz; kam ein
Freier, so gab sie ihm etwas zu raten auf, und wenn er's
nicht erraten konnte, so ward er mit Spott fortgeschickt.
Sie ließ auch bekanntmachen, wer ihr Rätsel löste, sollte
sich mit ihr vermählen, und möchte kommen, wer da
wollte. Endlich fanden sich auch drei Schneider zusammen, davon meinten die zwei ältesten, sie hätten so man-
chen feinen Stich getan und hätten's getroffen, da könnt's
ihnen nicht fehlen, sie müßten's auch hier treffen; der
dritte war ein kleiner unnützer Springinsfeld, der nicht
einmal sein Handwerk verstand, aber meinte, er müßte

Glück dabei haben, denn woher sollt's ihm sonst kommen. Da sprachen die zwei andern zu ihm: „Bleib nur zu Haus, du wirst mit deinem bißchen Verstande nicht weit kommen." Das Schneiderlein ließ sich aber nicht irremachen und sagte, es hätte einmal seinen Kopf darauf gesetzt und wollte sich schon helfen, und ging dahin, als wäre die ganze Welt sein.

Da meldeten sich alle drei bei der Prinzessin und sagten, sie sollte ihnen ihr Rätsel vorlegen: es wären die rechten Leute angekommen, die hätten einen feinen Verstand, daß man ihn wohl in eine Nadel fädeln könnte. Da sprach die Prinzessin: „Ich habe zweierlei Haar auf dem Kopf, von was für Farben ist das?" — „Wenn's weiter nichts ist", sagte der erste, „es wird schwarz und weiß sein wie Tuch, das man Kümmel und Salz nennt." Die Prinzessin sprach: „Falsch geraten, antworte der zweite." Da sagte der zweite: „Ist's nicht schwarz und weiß, so ist's braun und rot wie meines Herrn Vaters Bratenrock." — „Falsch geraten", sagte die Prinzessin, „antworte der dritte, dem seh' ich's an, der weiß es sicherlich." Da trat das Schneiderlein keck hervor und sprach: „Die Prinzessin hat ein silbernes und ein goldenes Haar auf dem Kopf, und das sind die zweierlei Farben." Wie die Prinzessin das hörte, ward sie blaß und wäre vor Schrecken beinah hingefallen, denn das Schneiderlein hatte es getroffen, und sie hatte fest geglaubt, das würde kein Mensch auf der Welt herausbringen. Als ihr das Herz wiederkam, sprach sie: „Damit hast du mich noch nicht gewonnen, du mußt noch eins tun, unten im Stall liegt ein Bär, bei dem sollst du die Nacht zubringen: wenn ich dann morgen aufstehe, und du bist noch lebendig, so sollst du mich heiraten." Sie dachte aber, damit wollte sie das Schneiderlein los werden, denn der Bär hatte noch keinen Menschen lebendig gelassen, der ihm unter die Tatzen gekommen war. Das Schneiderlein ließ sich nicht

abschrecken, war ganz vergnügt und sprach: „Frisch ge-
wagt ist halb gewonnen."

Als nun der Abend kam, ward mein Schneiderlein hinunter zum Bären gebracht. Der Bär wollt' auch gleich auf
den kleinen Kerl los und ihm mit seiner Tatze einen guten Willkommen geben. „Sachte, sachte", sprach das
Schneiderlein, „ich will dich schon zur Ruhe bringen." Da
holte es ganz gemächlich, als hätt' es keine Sorgen, wel-
sche Nüsse aus der Tasche, biß sie auf und aß die Kerne.
Wie der Bär das sah, kriegte er Lust und wollte auch
Nüsse haben. Das Schneiderlein griff in die Tasche und
reichte ihm eine Handvoll: es waren aber keine Nüsse,
sondern Wackersteine. Der Bär steckte sie ins Maul,
konnte aber nichts aufbringen, er mochte beißen, wie er
wollte. „Ei", dachte er, „was bist du für ein dummer
Klotz! kannst nicht einmal die Nüsse aufbeißen", und
sprach zum Schneiderlein: „Mein, beiß mir die Nüsse
auf." — „Da siehst du, was du für ein Kerl bist", sprach
das Schneiderlein, „hast so ein großes Maul und kannst
die kleine Nuß nicht aufbeißen." Da nahm es die Steine,
war hurtig, steckte dafür eine Nuß in den Mund und
knack, war sie entzwei. „Ich muß das Ding noch einmal
probieren", sprach der Bär, „wenn ich's so ansehe, ich
mein', ich müßt's auch können." Da gab ihm das Schneiderlein abermals Wackersteine, und der Bär arbeitete
und biß aus allen Leibeskräften hinein. Aber du glaubst
auch nicht, daß er sie aufgebracht hat. Wie das vorbei
war, holte das Schneiderlein eine Violine unter dem Rock
hervor und spielte sich ein Stückchen darauf. Als der Bär
die Musik vernahm, konnte er es nicht lassen und fing an
zu tanzen, und als er ein Weilchen getanzt hatte, gefiel
ihm das Ding so wohl, daß er zum Schneiderlein sprach:
„Hör, ist das Geigen schwer?" — „Kinderleicht, siehst
du, mit der Linken leg' ich die Finger auf und mit der
Rechten streich ich mit dem Bogen drauflos, da geht's lu-

stig, hopsasa, vivallalera!" — „So geigen", sprach der
Bär, „das möcht' ich auch verstehen, damit ich tanzen
könnte, sooft ich Lust hätte. Was meinst du dazu? Willst
du mir Unterricht darin geben?" — „Von Herzen gern",
sagte das Schneiderlein, „wenn du Geschick dazu hast.
Aber weis einmal deine Tatzen her, die sind gewaltig
lang, ich muß dir die Nägel ein wenig abschneiden." Da
ward ein Schraubstock herbeigeholt, und der Bär legte
seine Tatzen darauf, das Schneiderlein aber schraubte sie
fest und sprach: „Nun warte, bis ich mit der Schere
komme", ließ den Bären brummen, soviel er wollte,
legte sich in die Ecke auf ein Bund Stroh und schlief ein.

Die Prinzessin, als sie am Abend den Bären so gewaltig brummen hörte, glaubte nicht anders, als er brummte
vor Freuden und hätte dem Schneider den Garaus gemacht. Am Morgen stand sie ganz unbesorgt und vergnügt auf, wie sie aber nach dem Stall guckt, so steht
das Schneiderlein ganz munter davor und ist gesund wie
ein Fisch im Wasser. Da konnte sie nun kein Wort mehr
dagegen sagen, weil sie's öffentlich versprochen hatte,
und der König ließ einen Wagen kommen, darin mußte
sie mit dem Schneiderlein zur Kirche fahren, und sollte
sie da vermählt werden. Wie sie eingestiegen waren, gingen die beiden andern Schneider, die ein falsches Herz
hatten und ihm sein Glück nicht gönnten, in den Stall
und schraubten den Bären los. Der Bär in voller Wut
rannte hinter dem Wagen her. Die Prinzessin hörte ihn
schnauben und brummen; es ward ihr angst, und sie rief:
„Ach, der Bär ist hinter uns und will dich holen." Das
Schneiderlein war fix, stellte sich auf den Kopf, steckte
die Beine zum Fenster hinaus und rief: „Siehst du den
Schraubstock? Wann du nicht gehst, so sollst du wieder
hinein." Wie der Bär das sah, drehte er um und lief fort.
Mein Schneiderlein fuhr da ruhig in die Kirche, und die
Prinzessin ward ihm an die Hand getraut, und lebte er

mit ihr vergnügt wie eine Heidlerche. Wer's nicht glaubt,
bezahlt einen Taler.

Schneeweißchen und Rosenrot

Eine arme Witwe, die lebte einsam in einem Hüttchen,
und vor dem Hüttchen war ein Garten, darin standen
zwei Rosenbäumchen, davon trug das eine weiße, das andere rote Rosen: und sie hatte zwei Kinder, die glichen
den beiden Rosenbäumchen, und das eine hieß Schneeweißchen, das andere Rosenrot. Sie waren aber so fromm
und gut, so arbeitsam und unverdrossen, als je zwei
Kinder auf der Welt gewesen sind: Schneeweißchen war
nur stiller und sanfter als Rosenrot. Rosenrot sprang lieber in den Wiesen und Feldern umher, suchte Blumen
und fing Sommervögel; Schneeweißchen aber saß daheim
bei der Mutter, half ihr im Hauswesen oder las ihr vor,
wenn nichts zu tun war. Die beiden Kinder hatten einander so lieb, daß sie sich immer an den Händen faßten,
sooft sie zusammen ausgingen; und wenn Schneeweißchen sagte: „Wir wollen uns nicht verlassen", so antwortete Rosenrot: „Solange wir leben, nicht", und die Mutter setzte hinzu: „Was das eine hat, soll's mit dem andern teilen." Oft liefen sie im Walde allein umher und
sammelten rote Beeren, aber kein Tier tat ihnen etwas
zuleid, sondern sie kamen vertraulich herbei: das Häs-
chen fraß ein Kohlblatt aus ihren Händen, das Reh
graste an ihrer Seite, der Hirsch sprang ganz lustig vorbei und die Vögel blieben auf den Ästen sitzen und san-
gen, was sie nur wußten. Kein Unfall traf sie: wenn sie
sich im Walde verspätet hatten und die Nacht sie überfiel, so legten sie sich nebeneinander auf das Moos und
schliefen, bis der Morgen kam, und die Mutter wußte das

und hatte ihretwegen keine Sorge. Einmal, als sie im Walde übernachtet hatten und das Morgenrot sie aufweckte, da sahen sie ein schönes Kind in einem weißen glänzenden Kleidchen neben ihrem Lager sitzen. Es stand auf und blickte sie ganz freundlich an, sprach aber nichts und ging in den Wald hinein. Und als sie sich umsahen, so hatten sie ganz nahe bei einem Abgrunde geschlafen und wären gewiß hineingefallen, wenn sie in der Dunkelheit noch ein paar Schritte weitergegangen wären. Die Mutter aber sagte ihnen, das müßte der Engel gewesen sein, der gute Kinder bewache.

Schneeweißchen und Rosenrot hielten das Hüttchen der Mutter so reinlich, daß es eine Freude war, hineinzuschauen. Im Sommer besorgte Rosenrot das Haus und stellte der Mutter jeden Morgen, ehe sie aufwachte, einen Blumenstrauß vors Bett, darin war von jedem Bäumchen eine Rose. Im Winter zündete Schneeweißchen das Feuer an und hing den Kessel an den Feuerhaken, und der Kessel war von Messing, glänzte aber wie Gold, so rein war er gescheuert. Abends, wenn die Flocken fielen, sagte die Mutter: „Geh, Schneeweißchen, und schieb den Riegel vor", und dann setzten sie sich an den Herd, und die Mutter nahm die Brille und las aus einem großen Buche vor, und die beiden Mädchen hörten zu, saßen und spannen; neben ihnen lag ein Lämmchen auf dem Boden, und hinter ihnen auf einer Stange saß ein weißes Täubchen und hatte seinen Kopf unter den Flügel gesteckt.

Eines Abends, als sie so vertraulich beisammensaßen, klopfte jemand an die Türe, als wollte er eingelassen sein. Die Mutter sprach: „Geschwind, Rosenrot, mach auf, es wird ein Wanderer sein, der Obdach sucht." Rosenrot ging und schob den Riegel weg und dachte, es wäre ein armer Mann, aber der war es nicht, es war ein Bär, der seinen dicken schwarzen Kopf zur Türe hereinstreckte. Rosenrot schrie laut und sprang zurück: das Lämmchen blökte, das Täubchen flatterte auf und Schneeweißchen versteckte sich hinter der Mutter Bett. Der Bär aber fing an zu sprechen und sagte: „Fürchtet euch nicht, ich tue euch nichts zuleid, ich bin halb erfroren und will mich nur ein wenig bei euch wärmen." — „Du armer Bär", sprach die Mutter, „leg dich ans Feuer und gib nur acht, daß dir dein Pelz nicht brennt." Dann rief sie: „Schneeweißchen, Rosenrot, kommt hervor, der Bär tut euch nichts, er meint's ehrlich." Da kamen sie beide heran, und nach und nach näherten sich auch das Lämmchen und Täubchen und hatten keine Furcht vor ihm. Der Bär sprach: „Ihr Kinder, klopft mir den Schnee ein wenig aus dem Pelzwerk", und sie holten den Besen und kehrten dem Bär das Fell rein: er aber streckte sich ans Feuer und brummte ganz vergnügt und behaglich. Nicht lange, so wurden sie ganz vertraut und trieben Mutwillen mit dem unbeholfenen Gast. Sie zausten ihm das Fell mit den Händen, setzten ihre Füßchen auf seinen Rücken und walgerten ihn hin und her, oder sie nahmen eine Haselrute und schlugen auf ihn los, und wenn er brummte, so lachten sie. Der Bär ließ sich's aber gerne gefallen, nur wenn sie's gar zu arg machten, rief er: „Laßt mich am Leben, ihr Kinder:

> Schneeweißchen, Rosenrot,
> Schlägst dir den Freier tot."

Als Schlafenszeit war und die andern zu Bett gingen, sagte die Mutter zu dem Bär: „Du kannst in Gottes Namen da am Herde liegenbleiben, so bist du vor der Kälte und dem bösen Wetter geschützt." Sobald der Tag graute, ließen ihn die beiden Kinder hinaus, und er trabte über den Schnee in den Wald hinein. Von nun an kam der Bär jeden Abend zu der bestimmten Stunde, legte sich an den Herd und erlaubte den Kindern, Kurzweil mit ihm zu treiben, soviel sie wollten; und sie waren so gewöhnt an ihn, daß die Türe nicht eher zugeriegelt ward, als bis der schwarze Gesell angelangt war.

Als das Frühjahr herangekommen und draußen alles grün war, sagte der Bär eines Morgens zu Schneeweißchen: „Nun muß ich fort und darf den ganzen Sommer nicht wiederkommen.“ — „Wo gehst du denn hin, lieber Bär?“ fragte Schneeweißchen. „Ich muß in den Wald und meine Schätze vor den bösen Zwergen hüten: im Winter, wenn die Erde hart gefroren ist, müssen sie wohl unten bleiben und können sich nicht durcharbeiten, aber jetzt, wenn die Sonne die Erde aufgetaut und erwärmt hat, da brechen sie durch, steigen herauf, suchen und stehlen; was einmal in ihren Händen ist und in ihren Höhlen liegt, das kommt so leicht nicht wieder an des Tages Licht.“ Schneeweißchen war ganz traurig über den Abschied, und als es ihm die Türe aufriegelte, und der Bär sich hinausdrängte, blieb er an einem Türhaken hängen, und ein Stück seiner Haut riß auf, und da war es Schneeweißchen, als hätte es Gold durchschimmern gesehen: aber es war seiner Sache nicht gewiß. Der Bär lief eilig fort und war bald hinter den Bäumen verschwunden.

Nach einiger Zeit schickte die Mutter die Kinder in den Wald, Reisig zu sammeln. Da fanden sie draußen einen großen Baum, der lag gefällt auf dem Boden, und an dem Stamme sprang zwischen dem Gras etwas auf und ab, sie konnten aber nicht unterscheiden, was es war. Als sie näherkamen, sahen sie einen Zwerg mit einem alten verwelkten Gesicht und einem ellenlangen schneeweißen Bart. Das Ende des Bartes war in eine Spalte des Baumes eingeklemmt, und der Kleine sprang hin und her wie ein Hündchen an einem Seil und wußte nicht, wie er sich helfen sollte. Er glotzte die Mädchen mit seinen roten feurigen Augen an und schrie: „Was steht ihr da! könnt ihr nicht herbeigehen und mir Beistand leisten?“

— „Was hast du angefangen, kleines Männchen?“ fragte Rosenrot. „Dumme, neugierige Gans“, antwortete der Zwerg, „den Baum habe ich mir spalten wollen, um kleines Holz in der Küche zu haben; bei den dicken Klötzen verbrennt gleich das bißchen Speise, das unsereiner braucht, der nicht so viel hinunterschlingt als ihr grobes, gieriges Volk. Ich hatte den Keil schon glücklich hineingetrieben, und es wäre alles nach Wunsch gegangen, aber das verwünschte Holz war zu glatt und sprang unversehens heraus, und der Baum fuhr so geschwind zusammen, daß ich meinen schönen weißen Bart nicht mehr herausziehen konnte; nun steckt er drin, und ich kann nicht fort. Da lachen die albernen glatten Milchgesichter! Pfui, was seid ihr garstig!“ Die Kinder gaben sich alle Mühe, aber sie konnten den Bart nicht herausziehen, er steckte zu fest. „Ich will laufen und Leute herbeiholen“, sagte Rosenrot. „Wahnsinnige Schafsköpfe“, schnarrte der Zwerg, „wer wird gleich Leute herbeirufen, ihr seid mir schon um zwei zu viel; fällt euch nichts Besseres ein?“ — „Sei nur nicht ungeduldig“, sagte Schneeweißchen, „ich will schon Rat schaffen“, holte sein Scherchen aus der Tasche und schnitt das Ende des Bartes ab. Sobald der Zwerg sich frei fühlte, griff er nach einem Sack, der zwischen den Wurzeln des Baumes steckte und mit Gold gefüllt war, hob ihn heraus und brummte vor sich hin: „Ungehobeltes Volk, schneidet mir ein Stück von meinem stolzen Barte ab! Lohn's euch der Kuckuck!“ Damit schwang er seinen Sack auf den Rücken und ging fort, ohne die Kinder nur noch einmal anzusehen.

Einige Zeit danach wollten Schneeweißchen und Rosenrot ein Gericht Fische angeln. Als sie nahe bei dem Bach waren, sahen sie, daß etwas wie eine große Heuschrecke nach dem Wasser zu hüpfte, als wollte es hineinspringen. Sie liefen heran und erkannten den Zwerg. „Wo willst du hin?“ fragte Rosenrot, „du willst doch nicht ins Wasser?" — „Solch ein Narr bin ich nicht", schrie der Zwerg, „seht ihr nicht, der verwünschte Fisch will mich hineinziehen?" Der Kleine hatte dagesessen und geangelt, und unglücklicherweise hatte der Wind seinen Bart mit der Angelschnur verflochten: als gleich darauf ein großer Fisch anbiß, fehlten dem schwachen Geschöpf die Kräfte, ihn herauszuziehen; der Fisch behielt die Oberhand und riß den Zwerg zu sich hin. Zwar hielt er sich an allen Halmen und Binsen, aber das half nicht viel, er mußte den Bewegungen des Fisches folgen, und war in beständiger Gefahr, ins Wasser gezogen zu werden. Die Mädchen kamen zu rechter Zeit, hielten ihn fest und versuchten den Bart von der Schnur loszumachen, aber vergebens, Bart und Schnur waren fest ineinander verwirrt. Es blieb nichts übrig, als das Scherchen hervorzuholen und den Bart abzuschneiden, wobei ein kleiner Teil desselben verlorenging. Als der Zwerg das sah, schrie er sie an: „Ist das Manier, ihr Lorche, einem das Gesicht zu schänden? nicht genug, daß ihr mir den Bart unten abgestutzt habt, jetzt schneidet ihr mir den besten Teil davon ab: ich darf mich vor den Meinigen gar nicht sehen lassen. Daß ihr laufen müßtet und die Schuhsohlen verloren hättet!" Dann holte er einen Sack Perlen, der im Schilfe lag, und ohne ein Wort weiter zu sagen, schleppte er ihn fort und verschwand hinter einem Stein.

Es trug sich zu, daß bald hernach die Mutter die beiden Mädchen nach der Stadt schickte, Zwirn, Nadeln, Schnüre und Bänder einzukaufen. Der Weg führte sie über eine Heide, auf der hier und da mächtige Felsstücke zerstreut lagen. Da sahen sie einen großen Vogel in der Luft schweben, der langsam über ihnen kreiste, sich immer tiefer herabsenkte und endlich nicht weit bei einem Felsen niederstieß. Gleich darauf hörten sie einen durchdringenden jämmerlichen Schrei. Sie liefen herzu und sahen mit Schrecken, daß der Adler ihren alten Bekann-

ten, den Zwerg, gepackt hatte und ihn forttragen wollte.
Die mitleidigen Kinder hielten gleich das Männchen fest
und zerrten sich so lange mit dem Adler herum, bis er
seine Beute fahren ließ. Als der Zwerg sich von dem ersten Schrecken erholt hatte, schrie er mit seiner kreischen-
den Stimme: „Konntet ihr nicht säuberlicher mit mir um-
gehen? Gerissen habt ihr an meinem dünnen Röckchen,
daß es überall zerfetzt und durchlöchert ist, unbeholfenes
und täppisches Gesindel, das ihr seid!" Dann nahm er
einen Sack mit Edelsteinen und schlüpfte wieder unter
den Felsen in seine Höhle. Die Mädchen waren an seinen
Undank schon gewöhnt, setzten ihren Weg fort und ver-
richteten ihre Geschäfte in der Stadt. Als sie beim Heimweg wieder auf die Heide kamen, überraschten sie den
Zwerg, der auf einem reinlichen Plätzchen seinen Sack
mit Edelsteinen ausgeschüttet und nicht gedacht hatte,
daß so spät noch jemand daherkommen würde. Die
Abendsonne schien über die glänzenden Steine, sie schimmerten und leuchteten so prächtig in allen Farben, daß
die Kinder stehenblieben und sie betrachteten. „Was steht
ihr da und habt Maulaffen feil!" schrie der Zwerg, und
sein aschgraues Gesicht ward zinnoberrot vor Zorn. Er
wollte mit seinen Scheltworten fortfahren, als sich ein
lautes Brummen hören ließ und ein schwarzer Bär aus
dem Walde herbeitrabte. Erschrocken sprang der Zwerg
auf, aber er konnte nicht mehr zu seinem Schlupfwinkel
gelangen, der Bär war schon in seiner Nähe. Da rief er in
Herzensangst: „Lieber Herr Bär, verschont mich, ich will
Euch alle meine Schätze geben, sehet, die schönen Edelsteine, die da liegen. Schenkt mir das Leben, was habt Ihr
an mir kleinem schmächtigem Kerl? Ihr spürt mich nicht
zwischen den Zähnen: da, die beiden gottlosen Mädchen
packt, das sind für Euch zarte Bissen, fett wie junge
Wachteln, die freßt in Gottes Namen." Der Bär küm-
merte sich um seine Worte nicht, gab dem boshaften Ge-

schöpf einen einzigen Schlag mit der Tatze, und es regte
sich nicht mehr.

Die Mädchen waren fortgesprungen, aber der Bär rief
ihnen nach: „Schneeweißchen und Rosenrot, fürchtet euch
nicht, wartet, ich will mit euch gehen." Da erkannten sie
seine Stimme und blieben stehen, und als der Bär bei ihnen war, fiel plötzlich die Bärenhaut ab, und er stand da
als ein schöner Mann und war ganz in Gold gekleidet.
„Ich bin eines Königs Sohn", sprach er, „und war von
dem gottlosen Zwerg, der mir meine Schätze gestohlen
hatte, verwünscht, als ein wilder Bär in dem Walde zu
laufen, bis ich durch seinen Tod erlöst würde. Jetzt hat
er seine wohlverdiente Strafe empfangen."

Schneeweißchen ward mit ihm vermählt und Rosenrot
mit seinem Bruder, und sie teilten die großen Schätze
miteinander, die der Zwerg in seine Höhle zusammengetragen hatte. Die alte Mutter lebte noch lange Jahre
ruhig und glücklich bei ihren Kindern. Die zwei Rosenbäumchen aber nahm sie mit, und sie standen vor ihrem
Fenster und trugen jedes Jahr die schönsten Rosen, weiß
und rot.

Die vier kunstreichen Brüder

Es war ein armer Mann, der hatte vier Söhne, wie die
herangewachsen waren, sprach er zu ihnen: „Liebe Kinder, ihr müßt jetzt hinaus in die Welt, ich habe nichts,
das ich euch geben könnte; macht euch auf und geht in die
Fremde, lernt ein Handwerk und seht, wie ihr euch
durchschlagt." Da ergriffen die vier Brüder den Wander-
stab, nahmen Abschied von ihrem Vater und zogen zusammen zum Tor hinaus. Als sie eine Zeitlang gewandert
waren, kamen sie an einen Kreuzweg, der nach vier ver-
schiedenen Gegenden führte. Da sprach der älteste: „Hier

müssen wir uns trennen, aber heut über vier Jahre wollen
wir an dieser Stelle wieder zusammentreffen und in der
Zeit unser Glück versuchen."

Nun ging jeder seinen Weg, und dem ältesten begegnete ein Mann, der fragte ihn, wo er hinaus wollte und
was er vorhätte. „Ich will ein Handwerk lernen", antwortete er. Da sprach der Mann: „Geh mit mir und
werde ein Dieb." — „Nein", antwortete er, „das gilt für
kein ehrliches Handwerk mehr, und das Ende vom Lied
ist, daß einer als Schwengel in der Feldglocke gebraucht
wird." — „Oh", sprach der Mann, „vor dem Galgen
brauchst du dich nicht zu fürchten: ich will dich bloß lehren, wie du holst, was sonst kein Mensch kriegen kann,
und wo dir niemand auf die Spur kommt." Da ließ er
sich überreden, ward bei dem Manne ein gelernter Dieb
und ward so geschickt, daß vor ihm nichts sicher war,
was er einmal haben wollte. Der zweite Bruder begegnete einem Mann, der dieselbe Frage an ihn tat, was
er in der Welt lernen wollte. „Ich weiß es noch nicht",
antwortete er. „So geh mit mir und werde ein Sterngucker: nichts besser als das, es bleibt einem nichts verborgen." Er ließ sich das gefallen und ward ein so geschickter Sterngucker, daß sein Meister, als er ausgelernt
hatte und weiterziehen wollte, ihm ein Fernrohr gab und
zu ihm sprach: „Damit kannst du sehen, was auf Erden
und am Himmel vorgeht, und kann dir nichts verborgen bleiben." Den dritten Bruder nahm ein Jäger in die
Lehre und gab ihm in allem, was zur Jägerei gehört, so
guten Unterricht, daß er ein ausgelernter Jäger ward.
Der Meister schenkte ihm beim Abschiede eine Büchse
und sprach: „Die fehlt nicht, was du damit aufs Korn
nimmst, das triffst du sicher." Der jüngste Bruder begegnete gleichfalls einem Manne, der ihn anredete und nach
seinem Vorhaben fragte: „Hast du nicht Lust, ein Schneider zu werden?" — „Daß ich nicht wüßte", sprach der

Junge, „das Krummsitzen von morgens bis abends, das
Hin- und Herfegen mit der Nadel und das Bügeleisen
will mir nicht in den Sinn." — „Ei was", antwortete der
Mann, „du sprichst, wie du's verstehst: bei mir lernst du
eine ganz andere Schneiderkunst, die ist anständig und
ziemlich, zum Teil sehr ehrenvoll." Da ließ er sich überreden, ging mit und lernte die Kunst des Mannes aus
dem Fundament. Beim Abschied gab ihm dieser eine Nadel und sprach: „Damit kannst du zusammennähen, was
dir vorkommt, es sei so weich wie ein Ei oder so hart als
Stahl; und es wird ganz zu einem Stück, daß keine Naht
mehr zu sehen ist."

Als die bestimmten vier Jahre herum waren, kamen
die vier Brüder zu gleicher Zeit an dem Kreuzwege zusammen, herzten und küßten sich und kehrten heim zu
ihrem Vater. „Nun", sprach dieser ganz vergnügt, „hat
euch der Wind wieder zu mir geweht?" Sie erzählten, wie
es ihnen ergangen war, und daß jeder das Seinige gelernt hätte. Nun saßen sie gerade vor dem Haus unter
einem großen Baum, da sprach der Vater: „Jetzt will ich
euch auf die Probe stellen und sehen, was ihr könnt."
Danach schaute er auf und sagte zu dem zweiten Sohne:
„Oben im Gipfel dieses Baumes sitzt zwischen zwei
Ästen ein Buchfinkennest, sag mir, wieviel Eier liegen
darin?" Der Sterngucker nahm sein Glas, schaute hinauf
und sagte: „Fünfe sind's." Sprach der Vater zum ältesten: „Hol du die Eier herunter, ohne daß der Vogel,
der darauf sitzt und brütet, gestört wird." Der kunst-
reiche Dieb stieg hinauf und nahm dem Vöglein, das gar
nichts davon merkte und ruhig sitzenblieb, die fünf Eier
unter dem Leib weg und brachte sie dem Vater herab.
Der Vater nahm sie, legte an jede Ecke des Tisches eins
und das fünfte in die Mitte, und sprach zum Jäger: „Du
schießest mir mit einem Schuß die fünf Eier in der Mitte
entzwei." Der Jäger legte seine Büchse an und schoß die

Eier, wie es der Vater verlangt hatte, alle fünfe, und
zwar in einem Schuß. Der hatte gewiß von dem Pulver,
das um die Ecke schießt. „Nun kommt die Reihe an dich",
sprach der Vater zu dem vierten Sohn, „du nähst die
Eier wieder zusammen und auch die jungen Vöglein, die
darin sind, und zwar so, daß ihnen der Schuß nichts scha-
det." Der Schneider holte seine Nadel und nähte, wie's
der Vater verlangt hatte. Als er fertig war, mußte der
Dieb die Eier wieder auf den Baum ins Nest tragen und
dem Vogel, ohne daß er etwas merkte, wieder unterlegen. Das Tierchen brütete sie vollends aus, und nach
ein paar Tagen krochen die Jungen hervor und hatten
da, wo sie vom Schneider zusammengenäht waren, ein
rotes Streifchen um den Hals.

„Ja", sprach der Alte zu seinen Söhnen, „ich muß euch
über den grünen Klee loben, ihr habt eure Zeit wohl be-
nutzt und was Rechtschaffenes gelernt: ich kann nicht
sagen, wem von euch der Vorzug gebührt. Wenn ihr nur
bald Gelegenheit habt, eure Kunst anzuwenden, da wird
sich's ausweisen. Nicht lange danach kam großer Lärm
ins Land, die Königstochter wäre von einem Drachen
entführt worden. Der König war Tag und Nacht darüber in Sorgen und ließ bekanntmachen, wer sie zurück-
brächte, sollte sie zur Gemahlin haben. Die vier Brüder
sprachen untereinander: „Das wäre eine Gelegenheit, wo
wir uns könnten sehen lassen", wollten zusammen ausziehen und die Königstochter befreien. „Wo sie ist, will
ich bald wissen", sprach der Sterngucker, schaute durch
sein Fernrohr und sprach: „Ich sehe sie schon, sie sitzt
weit von hier auf einem Felsen im Meer und neben ihr
der Drache, der sie bewacht." Da ging er zu dem König
und bat um ein Schiff für sich und seine Brüder und fuhr
mit ihnen über das Meer, bis sie zu dem Felsen hin-
kamen. Die Königstochter saß da, aber der Drache lag in
ihrem Schoß und schlief. Der Jäger sprach: „Ich darf

nicht schießen, ich würde die schöne Jungfrau zugleich
töten." — „So will ich mein Heil versuchen", sagte der
Dieb, schlich sich heran und stahl sie unter dem Drachen
weg, aber so leis und behend, daß das Untier nichts
merkte, sondern fortschnarchte. Sie eilten voll Freude
mit ihr aufs Schiff und steuerten in die offene See; aber
der Drache, der bei seinem Erwachen die Königstochter
nicht mehr gefunden hatte, kam hinter ihnen her und
schnaubte wütend durch die Luft. Als er gerade über dem
Schiff schwebte und sich herablassen wollte, legte der Jäger seine Büchse an und schoß ihm mitten ins Herz. Das
Untier fiel tot herab, war aber so groß und gewaltig, daß
es im Herabfallen das ganze Schiff zertrümmerte. Sie er-
haschten glücklich noch ein paar Bretter und schwammen
auf dem weiten Meer umher. Da war wieder große Not,
aber der Schneider, nicht faul, nahm seine wunderbare
Nadel, nähte die Bretter mit ein paar großen Stichen in
der Eile zusammen, setzte sich darauf, und sammelte alle
Stücke des Schiffs. Dann nähte er auch diese so geschickt
zusammen, daß in kurzer Zeit das Schiff wieder segel-
fertig war und sie glücklich heimfahren konnten.

Als der König seine Tochter wieder erblickte, war
große Freude. Er sprach zu den vier Brüdern: „Einer
von euch soll sie zur Gemahlin haben, aber welcher das
ist, macht unter euch aus." Da entstand ein heftiger Streit
unter ihnen, denn jeder machte Ansprüche: Der Sterngucker sprach: „Hätt' ich nicht die Königstochter gesehen, so wären alle eure Künste umsonst gewesen: darum ist sie mein." Der Dieb sprach: „Was hätte das Sehen
geholfen, wenn ich sie nicht unter dem Drachen weggeholt hätte: darum ist sie mein." Der Jäger sprach: „Ihr
wärt doch samt der Königstochter von dem Untier zerrissen worden, hätte es meine Kugel nicht getroffen: darum ist sie mein." Der Schneider sprach: „Und hätte ich
euch mit meiner Kunst nicht das Schiff wieder zusam-

mengeflickt, ihr wärt alle jämmerlich ertrunken: darum
ist sie mein." Da tat der König den Ausspruch: „Jeder
von euch hat ein gleiches Recht, und weil ein jeder die
Jungfrau nicht haben kann, so soll sie keiner von euch
haben, aber ich will jedem zur Belohnung ein halbes Königreich geben." Den Brüdern gefiel diese Entscheidung,
und sie sprachen: „Es ist besser so, als daß wir uneins
werden." Da erhielt jeder ein halbes Königreich, und sie
lebten mit ihrem Vater in aller Glückseligkeit, solange
es Gott gefiel.

Einäuglein, Zweiäuglein und Dreiäuglein

Es war eine Frau, die hatte drei Töchter, davon hieß die
älteste *Einäuglein*, weil sie nur ein einziges Auge mitten
auf der Stirn hatte, und die mittelste *Zweiäuglein*, weil
sie zwei Augen hatte wie andere Menschen, und die
jüngste *Dreiäuglein*, weil sie drei Augen hatte, und das
dritte stand bei ihr gleichfalls mitten auf der Stirne.
Darum aber, daß Zweiäuglein nicht anders aussah als andere Menschenkinder, konnten es die Schwestern und die
Mutter nicht leiden. Sie sprachen zu ihm: „Du mit deinen
zwei Augen bist nicht besser als das gemeine Volk, du
gehörst nicht zu uns." Sie stießen es herum und warfen
ihm schlechte Kleider hin und gaben ihm nicht mehr zu
essen, als was sie übrigließen, und taten ihm Herzeleid
an, wo sie nur konnten.

Es trug sich zu, daß Zweiäuglein hinaus ins Feld gehen
und die Ziege hüten mußte, aber noch ganz hungrig war,
weil ihm seine Schwestern so wenig zu essen gegeben hatten. Da setzte es sich auf einen Rain und fing an zu weinen und so zu weinen, daß zwei Bächlein aus seinen
Augen herabflossen. Und wie es in seinem Jammer ein-

mal aufblickte, stand eine Frau neben ihm, die fragte:
„Zweiäuglein, was weinst du?" Zweiäuglein antwortete:
„Soll ich nicht weinen? Weil ich zwei Augen habe wie
andre Menschen, so können mich meine Schwestern und
meine Mutter nicht leiden, stoßen mich aus einer Ecke in
die andere, werfen mir alte Kleider hin und geben mir
nichts zu essen, als was sie übriglassen. Heute haben sie
mir so wenig gegeben, daß ich noch ganz hungrig bin."
Sprach die weise Frau: „Zweiäuglein, trockne dir dein
Angesicht, ich will dir etwas sagen, daß du nicht mehr
hungern sollst. Sprich nur zu deiner Ziege:

> ‚Zicklein, meck,
> Tischlein, deck‘,

so wird ein sauber gedecktes Tischlein vor dir stehen und
das schönste Essen darauf, daß du essen kannst, soviel du
Lust hast. Und wenn du satt bist und das Tischlein nicht
mehr brauchst, so sprich nur:

> ‚Zicklein, meck,
> Tischlein, weg‘,

so wird's vor deinen Augen wieder verschwinden." Darauf ging die weise Frau fort. Zweiäuglein aber dachte:
„Ich muß gleich einmal versuchen, ob es wahr ist, was sie
gesagt hat, denn mich hungert gar zu sehr", und sprach:

> „Zicklein, meck,
> Tischlein, deck",

und kaum hatte sie die Worte ausgesprochen, so stand da
ein Tischlein mit einem weißen Tüchlein gedeckt, darauf
ein Teller mit Messer und Gabel und silbernem Löffel,
die schönsten Speisen standen rundherum, rauchten und

waren noch warm, als wären sie eben aus der Küche gekommen. Da sagte Zweiäuglein das kürzeste Gebet her,
das es wußte: „Herr Gott, sei unser Gast zu aller Zeit,
Amen", langte zu und ließ sich's wohlschmecken. Und als
es satt war, sprach es, wie die weise Frau gelehrt hatte:

> „Zicklein, meck,
> Tischlein, weg."

Alsbald war das Tischchen und alles, was darauf stand,
wieder verschwunden. „Das ist ein schöner Haushalt",
dachte Zweiäuglein und war ganz vergnügt und guter
Dinge.

Abends, als es mit seiner Ziege heimkam, fand es ein
irdenes Schüsselchen mit Essen, das ihm die Schwestern
hingestellt hatten, aber es rührte nichts an. Am andern
Tag zog es mit seiner Ziege wieder hinaus und ließ die
paar Brocken, die ihm gereicht wurden, liegen. Das erstemal und das zweitemal beachteten es die Schwestern gar
nicht, wie es aber jedesmal geschah, merkten sie auf und
sprachen: „Es ist nicht richtig mit dem Zweiäuglein, das
läßt jedesmal das Essen stehen und hat doch sonst alles
aufgezehrt, was ihm gereicht wurde: das muß andere
Wege gefunden haben." Damit sie aber hinter die Wahrheit kämen, sollte Einäuglein mitgehen, wenn Zweiäuglein die Ziege auf die Weide trieb, und sollte achten,
was es da vorhätte, und ob ihm jemand etwas Essen und
Trinken brächte.

Als nun Zweiäuglein sich wieder aufmachte, trat Einäuglein zu ihm und sprach: „Ich will mit ins Feld und
sehen, daß die Ziege auch recht gehütet und ins Futter
getrieben wird." Aber Zweiäuglein merkte, was Einäuglein im Sinne hatte, und trieb die Ziege hinaus in hohes
Gras und sprach: „Komm, Einäuglein, wir wollen uns
hinsetzen, ich will dir was vorsingen." Einäuglein setzte

sich hin und war von dem ungewohnten Weg und von der Sonnenhitze müde, und Zweiäuglein sang immer:

> „Einäuglein, wachst du?
> Einäuglein, schläfst du?"

Da tat Einäuglein das eine Auge zu und schlief ein. Und als Zweiäuglein sah, daß Einäuglein fest schlief und nichts verraten konnte, sprach es:

> „Zicklein, meck,
> Tischlein, deck",

und setzte sich an sein Tischlein und aß und trank, bis es satt war, dann rief es wieder:

> „Zicklein, meck,
> Tischlein, weg",

und alles war augenblicklich verschwunden. Zweiäuglein weckte nun Einäuglein und sprach: „Einäuglein, du willst hüten und schläfst dabei ein, derweil hätte die Ziege in alle Welt laufen können; komm, wir wollen nach Haus gehen." Da gingen sie nach Haus, und Zweiäuglein ließ wieder sein Schüsselchen unangerührt stehen, und Einäuglein konnte der Mutter nicht verraten, warum es nicht essen wollte, und sagte zu seiner Entschuldigung: „Ich war draußen eingeschlafen."

Am andern Tag sprach die Mutter zu Dreiäuglein: „Diesmal sollst du mitgehen und achthaben, ob Zweiäuglein draußen ißt und ob ihm jemand Essen und Trinken bringt, denn essen und trinken muß es heimlich." Da trat Dreiäuglein zu Zweiäuglein und sprach: „Ich will mitgehen und sehen, ob auch die Ziege recht gehütet und ins Futter getrieben wird." Aber Zweiäuglein merkte, was

Dreiäuglein im Sinne hatte, und trieb die Ziege hinaus ins hohe Gras und sprach: „Wir wollen uns dahin setzen, Dreiäuglein, ich will dir was vorsingen." Dreiäuglein setzte sich und war müde von dem Weg und der Sonnenhitze, und Zweiäuglein hub wieder das vorige Liedlein an und sang:

> „Dreiäuglein, wachst du?"

Aber statt daß es nun singen mußte:

> „Dreiäuglein, schläfst du?"

sang es aus Unbedachtsamkeit:

> *„Zweiäuglein*, schläfst du?"

und sang immer:

> „Dreiäuglein, wachst du?
> *Zweiäuglein*, schläfst du?"

Da fielen dem Dreiäuglein seine zwei Augen zu und schliefen, aber das dritte, weil es von dem Sprüchlein nicht angeredet war, schlief nicht ein. Zwar tat es Dreiäuglein zu, aber nur aus List, gleich als schlief es auch damit: doch blinzelte es und konnte alles gar wohl sehen. Und als Zweiäuglein meinte, Dreiäuglein schliefe fest, sagte es sein Sprüchlein:

> „Zicklein, meck,
> Tischlein, deck",

aß und trank nach Herzenslust und hieß dann das Tischlein wieder fortgehen:

> „Zicklein, meck,
> Tischlein, weg",

und Dreiäuglein hatte alles mit angesehen. Da kam
Zweiäuglein zu ihm, weckte es und sprach: „Ei, Dreiäuglein, bist du eingeschlafen? du kannst gut hüten'
komm, wir wollen heimgehen." Und als sie nach Haus
kamen, aß Zweiäuglein wieder nicht, und Dreiäuglein
sprach zur Mutter: „Ich weiß nun, warum das hoch-
mütige Ding nicht ißt: wenn sie draußen zur Ziege
spricht:

> ,Zicklein, meck,
> Tischlein, deck',

so steht ein Tischlein vor ihr, das ist mit dem besten Essen besetzt, viel besser, als wir's hier haben: und wenn sie
satt ist, so spricht sie:

> ,Zicklein, meck,
> Tischlein, weg',

und alles ist wieder verschwunden; ich habe alles genau
mit angesehen. Zwei Augen hatte sie mir mit einem
Sprüchlein eingeschläfert, aber das eine auf der Stirne,
das war zum Glück wach geblieben." Da rief die nei-
dische Mutter: „Willst du's besser haben als wir? die Lust
soll dir vergehen!" Sie holte ein Schlachtmesser und stieß
es der Ziege ins Herz, daß sie tot hinfiel.

Als Zweiäuglein das sah, ging es voll Trauer hinaus,
setzte sich auf den Feldrain und weinte seine bitteren
Tränen. Da stand auf einmal die weise Frau wieder neben ihm und sprach: „Zweiäuglein, was weinst du?" —
„Soll ich nicht weinen!" antwortete es, „die Ziege, die
mir jeden Tag, wenn ich Euer Sprüchlein hersagte, den
Tisch so schön deckte, ist von meiner Mutter totgesto-
chen; nun muß ich wieder Hunger und Kummer leiden."
Die weise Frau sprach: „Zweiäuglein, ich will dir einen
guten Rat erteilen, bitt deine Schwestern, daß sie dir das

Eingeweide von der geschlachteten Ziege geben, und ver-
grab es vor der Haustür in die Erde, so wird's dein
Glück sein." Da verschwand sie, und Zweiäuglein ging
heim und sprach zu den Schwestern: „Liebe Schwestern,
gebt mir doch etwas von meiner Ziege, ich verlange nichts
Gutes, gebt mir nur das Eingeweide." Da lachten sie und
sprachen: „Kannst du haben, wenn du weiter nichts
willst." Und Zweiäuglein nahm das Eingeweide und
vergrub's abends in aller Stille nach dem Rate der weisen
Frau vor die Haustüre.

Am andern Morgen, als sie insgesamt erwachten und
vor die Haustüre traten, so stand da ein wunderbarer
prächtiger Baum, der hatte Blätter von Silber, und
Früchte von Gold hingen dazwischen, daß wohl nichts
Schöneres und Köstlicheres auf der weiten Welt war. Sie
wußten aber nicht, wie der Baum in der Nacht dahinge-
kommen war, nur Zweiäuglein merkte, daß er aus den
Eingeweiden der Ziege aufgewachsen war, denn er stand
gerade da, wo es sie in die Erde begraben hatte. Da
sprach die Mutter zu Einäuglein: „Steig hinauf, mein
Kind, und brich uns die Früchte von dem Baume ab."
Einäuglein stieg hinauf, aber wie es einen von den goldenen Äpfeln greifen wollte, so fuhr ihm der Zweig aus
den Händen: und das geschah jedesmal, so daß es keinen
einzigen Apfel brechen konnte, es mochte sich anstellen,
wie es wollte. Da sprach die Mutter: „Dreiäuglein, steig
du hinauf, du kannst mit deinen drei Augen besser um
dich schauen als Einäuglein." Einäuglein rutschte herunter und Dreiäuglein stieg hinauf. Aber Dreiäuglein
war nicht geschickter und mochte schauen wie es wollte,
die goldenen Äpfel wichen immer zurück. Endlich ward
die Mutter ungeduldig und stieg selbst hinauf, konnte
aber so wenig wie Einäuglein und Dreiäuglein die Frucht
fassen und griff immer in die leere Luft. Da sprach Zweiäuglein: „Ich will mich einmal hinaufmachen, vielleicht

gelingt mir's eher." Die Schwestern riefen zwar: „Du mit
deinen zwei Augen, was willst du wohl!" Aber Zweiäuglein stieg hinauf, und die goldenen Äpfel zogen sich
nicht vor ihm zurück, sondern ließen sich von selbst in
seine Hand herab, also daß es einen nach dem andern ab-
pflücken konnte und ein ganzes Schürzchen voll mit her-
unterbrachte. Die Mutter nahm sie ihm ab, und statt daß
sie, Einäuglein und Dreiäuglein dafür das arme Zweiäuglein hätten besser behandeln sollen, so wurden sie
nur neidisch, daß es allein die Früchte holen konnte, und
gingen noch härter mit ihm um.

Es trug sich zu, als sie einmal beisammen an dem Baum
standen, daß ein junger Ritter daherkam. „Geschwind,
Zweiäuglein", riefen die zwei Schwestern, „kriech unter,
daß wir uns deiner nicht schämen müssen", und stürzten
über das arme Zweiäuglein in aller Eil' ein leeres Faß, das
gerade neben dem Baume stand, und schoben die goldenen Äpfel, die es abgebrochen hatte, auch darunter. Als
nun der Ritter näher kam, war es ein schöner Herr, der
hielt still, bewunderte den prächtigen Baum von Gold
und Silber und sprach zu den beiden Schwestern: „Wem
gehört dieser schöne Baum? wer mir einen Zweig davon
gäbe, könnte dafür verlangen, was er wollte." Da antworteten Einäuglein und Dreiäuglein, der Baum gehörte
ihnen zu, und sie wollten ihm einen Zweig wohl abbrechen. Sie gaben sich auch beide große Mühe, aber sie
waren es nicht imstande, denn die Zweige und Früchte
wichen jedesmal vor ihnen zurück. Da sprach der Ritter:
„Das ist ja wunderlich, daß der Baum euch zugehört und
ihr doch nicht Macht habt, etwas davon abzubrechen."
Sie blieben dabei, der Baum wäre ihr Eigentum. Indem
sie aber so sprachen, rollte Zweiäuglein unter dem Fasse
ein paar goldene Äpfel heraus, so daß sie zu den Füßen
des Ritters liefen, denn Zweiäuglein war bös, daß Einäuglein und Dreiäuglein nicht die Wahrheit sagten. Wie

der Ritter die Äpfel sah, erstaunte er und fragte, wo sie
herkämen. Einäuglein und Dreiäuglein antworteten, sie
hätten noch eine Schwester, die dürfte sich aber nicht sehen lassen, weil sie nur zwei Augen hätte wie andere gemeine Menschen. Der Ritter aber verlangte sie zu sehen
und rief: „Zweiäuglein, komm hervor." Da kam Zweiäuglein ganz getrost unter dem Faß hervor, und der Ritter war verwundert über seine große Schönheit und
sprach: „Du, Zweiäuglein, kannst mir gewiß einen Zweig
von dem Baum abbrechen." — „Ja", antwortete Zweiäuglein, „das will ich wohl können, denn der Baum gehört mir." Und stieg hinauf und brach mit leichter Mühe
einen Zweig mit feinen silbernen Blättern und goldenen
Früchten ab und reichte ihn dem Ritter hin. Da sprach
der Ritter: „Zweiäuglein, was soll ich dir dafür geben?"
— „Ach", antwortete Zweiäuglein, „ich leide Hunger und
Durst, Kummer und Not vom frühen Morgen bis zum
späten Abend: wenn Ihr mich mitnehmen und erlösen
wollt, so wäre ich glücklich." Da hob der Ritter das
Zweiäuglein auf sein Pferd und brachte es heim auf sein
väterliches Schloß: dort gab er ihm schöne Kleider, Essen
und Trinken nach Herzenslust, und weil er es so lieb
hatte, ließ er sich mit ihm einsegnen, und ward die Hochzeit in großer Freude gehalten.

Wie nun Zweiäuglein so von dem schönen Rittersmann
fortgeführt ward, da beneideten die zwei Schwestern ihm
erst recht sein Glück. „Der wunderbare Baum bleibt uns
doch", dachten sie, „können wir auch keine Früchte davon brechen, so wird doch jedermann davor stehenbleiben, zu uns kommen und ihn rühmen; wer weiß, wo unser Weizen noch blüht!" Aber am andern Morgen war
ihr Baum verschwunden und ihre Hoffnung dahin. Und
wie Zweiäuglein zu seinem Kämmerlein hinaussah, so
stand er zu seiner großen Freude davor und war ihm
also nachgefolgt.

Zweiäuglein lebte lange Zeit vergnügt. Einmal kamen zwei arme Frauen zu ihm auf das Schloß und baten um ein Almosen. Da sah ihnen Zweiäuglein ins Gesicht und erkannte ihre Schwestern Einäuglein und Dreiäuglein, die so in Armut geraten waren, daß sie umherziehen und vor den Türen ihr Brot suchen mußten. Zweiäuglein aber hieß sie willkommen und tat ihnen Gutes und pflegte sie, also daß die beiden von Herzen bereuten, was sie ihrer Schwester in der Jugend Böses angetan hatten.

Von dem Tode des Hühnchens

Auf eine Zeit ging das Hühnchen mit dem Hähnchen in den Nußberg, und sie machten miteinander aus, wer einen Nußkern fände, sollte ihn mit dem andern teilen. Nun fand das Hühnchen eine große, große Nuß, sagte aber nichts davon und wollte den Kern allein essen. Der Kern war aber so dick, daß es ihn nicht hinunterschlucken konnte, und er ihm im Hals steckenblieb, daß ihm angst wurde, es müßte ersticken. Da schrie das Hühnchen: „Hähnchen, ich bitte dich, lauf, was du kannst, und hol mir Wasser, sonst erstick' ich." Das Hähnchen lief, was es konnte, zum Brunnen, und sprach: „Born, du sollst mir Wasser geben; das Hühnchen liegt auf dem Nußberg, hat einen großen Nußkern geschluckt und will ersticken." Der Brunnen antwortete: „Lauf erst hin zur Braut, und laß dir rote Seide geben." Das Hähnchen lief zur Braut: „Braut, du sollst mir rote Seide geben: rote Seide will ich dem Brunnen geben, der Brunnen soll mir Wasser geben, das Wasser will ich dem Hühnchen bringen, das liegt auf dem Nußberg, hat einen großen Nußkern geschluckt und will daran ersticken." Die Braut antwortete: „Lauf erst und hol mir mein Kränzlein, das blieb an einer Weide hängen." Da lief das Hähnchen zur Weide und zog das Kränzlein von dem Ast und brachte es der Braut, und die Braut gab ihm die rote Seide dafür, die brachte es dem Brunnen, der gab ihm Wasser dafür. Da brachte das Hähnchen das Wasser zum Hühnchen, wie es aber hinkam, war dieweil das Hühnchen erstickt, und lag da tot und regte sich nicht. Da war das Hähnchen so traurig, daß es laut schrie, und kamen alle Tiere und beklagten das Hühnchen; und sechs Mäuse bauten einen kleinen Wagen, das Hühnchen darin zum Grabe zu fahren; und als der Wagen fertig war, spannten sie sich davor, und das Hähnchen fuhr. Auf dem Wege aber kam der Fuchs: „Wo willst du hin, Hähnchen?" — „Ich will mein Hühnchen begraben." — „Darf ich mitfahren?"

> „Ja, aber setz dich hinten auf den Wagen,
> Vorn können's meine Pferdchen nicht vertragen."

Da setzte sich der Fuchs hinten auf, dann der Wolf, der Bär, der Hirsch, der Löwe und alle Tiere in dem Wald. So ging die Fahrt fort, da kamen sie an einen Bach. „Wie sollen wir nun hinüber?" sagte das Hähnchen. Da lag ein Strohhalm am Bach, der sagte: „Ich will mich quer drüber legen, so könnt ihr über mich fahren." Wie aber die sechs Mäuse über die Brücke kamen, rutschte der Strohhalm und fiel ins Wasser, und die sechs Mäuse fielen alle hinein und ertranken. Da ging die Not von neuem an, und kam eine Kohle und sagte: „Ich bin groß genug, ich will mich darüberlegen und ihr sollt über mich fahren." Die Kohle legte sich auch an das Wasser, aber sie berührte es unglücklicherweise ein wenig, da zischte sie, verlöschte und war tot. Wie das ein Stein sah, erbarmte er sich und wollte dem Hähnchen helfen, und legte sich über das Wasser. Da zog nun das Hähnchen den Wagen selber, wie es ihn aber bald drüben hatte, und war mit dem toten Hühnchen auf dem Land und wollte die andern, die hinten aufsaßen, auch heranziehen, da waren ihrer zu viel geworden, und der Wagen fiel zurück, und alles fiel miteinander in das Wasser und ertrank. Da war das Hähnchen noch allein mit dem toten Hühnchen, und grub ihm ein Grab und legte es hinein und machte einen Hügel darüber, auf den setzte es sich und grämte sich so lang, bis es auch starb; und da war alles tot.

Die Sterntaler

Es war einmal ein kleines Mädchen, dem war Vater und Mutter gestorben, und es war so arm, daß es kein Kämmerchen mehr hatte, darin zu wohnen, und kein Bettchen mehr, darin zu schlafen, und endlich gar nichts mehr als die Kleider auf dem Leib und ein Stückchen Brot in der Hand, das ihm ein mitleidiges Herz geschenkt hatte. Es war aber gut und fromm. Und weil es so von aller Welt verlassen war, ging es im Vertrauen auf den lieben Gott hinaus ins Feld. Da begegnete ihm ein armer Mann, der sprach: „Ach, gib mir etwas zu essen, ich bin so hungrig." Es reichte ihm das ganze Stückchen Brot und sagte: „Gott segne dir's!" und ging weiter. Da kam ein Kind, das jammerte und sprach: „Es friert mich so an meinem Kopfe, schenk mir etwas, womit ich ihn bedecken kann." Da tat es seine Mütze ab und gab sie ihm. Und als es noch eine Weile gegangen war, kam wieder ein Kind und hatte kein Leibchen an und fror: da gab es ihm seins; und noch weiter, da bat eins um ein Röcklein, das gab es auch von sich hin. Endlich gelangte es in einen Wald, und es war schon dunkel geworden, da kam noch eins und bat um ein Hemdlein, und das fromme Mädchen dachte, „es ist dunkle Nacht, da sieht dich niemand, du kannst wohl dein Hemd weggeben", und zog das Hemd ab und gab es auch noch hin. Und wie es so stand und gar nichts mehr hatte, fielen auf einmal die Sterne vom Himmel und waren lauter harte, blanke Taler: und ob es gleich sein Hemdlein weggegeben, so hatte es ein neues an und das war vom allerfeinsten Linnen. Da sammelte es sich die Taler hinein und war reich für sein Lebtag.

Das tapfere Schneiderlein

An einem Sommermorgen saß ein Schneiderlein auf seinem Tisch am Fenster, war guter Dinge und nähte aus Leibeskräften. Da kam eine Bauersfrau die Straße herab und rief: „Gut Mus feil! gut Mus feil!" Das klang dem Schneiderlein lieblich in die Ohren, er steckte sein zartes Haupt zum Fenster hinaus und rief: „Hier herauf, liebe Frau, hier wird sie ihre Ware los." Die Frau stieg die drei Treppen mit ihrem schweren Korbe zu dem Schneider herauf und mußte die Töpfe sämtlich vor ihm auspacken. Er besah sie alle, hob sie in die Höhe, hielt die Nase dran und sagte endlich: „Das Mus scheint mir gut, wieg sie mir doch vier Lot ab, liebe Frau, wenn's auch ein Viertelpfund ist, kommt es mir nicht darauf an." Die Frau, welche gehofft hatte, einen guten Absatz zu finden, gab ihm, was er verlangte, ging aber ganz ärgerlich und brummig fort. „Nun, das Mus soll mir Gott gesegnen", rief das Schneiderlein, „und soll mir Kraft und Stärke geben", holte das Brot aus dem Schrank, schnitt sich ein Stück über den ganzen Laib und strich das Mus darüber. „Das wird nicht bitter schmecken", sprach er, „aber erst will ich den Wams fertigmachen, ehe ich anbeiße." Er legte das Brot neben sich, nähte weiter und machte vor Freude immer größere Stiche. Indes stieg der Geruch von

dem süßen Mus hinauf an die Wand, wo die Fliegen in
großer Menge saßen, so daß sie herangelockt wurden und
sich scharenweis darauf niederließen. „Ei, wer hat euch
eingeladen?" sprach das Schneiderlein und jagte die un-
gebetenen Gäste fort. Die Fliegen aber, die kein Deutsch
verstanden, ließen sich nicht abweisen, sondern kamen in
immer größerer Gesellschaft wieder. Da lief dem Schneiderlein endlich, wie man sagt, die Laus über die Leber, es
langte aus seiner Hölle nach einem Tuchlappen und:
„Wart, ich will euch geben!" schlug es unbarmherzig
drauf. Als es abzog und zählte, so lagen nicht weniger
als sieben vor ihm tot und streckten die Beine. „Bist du
so ein Kerl?" sprach er und mußte selbst seine Tapferkeit bewundern, „das soll die ganze Stadt erfahren."
Und in der Hast schnitt sich das Schneiderlein einen
Gürtel, nähte ihn und stickte mit großen Buchstaben darauf: „Siebene auf einen Streich!" „Ei was Stadt!" sprach er
weiter, „die ganze Welt soll's erfahren!", und sein Herz
wackelte ihm vor Freude wie ein Lämmerschwänzchen.

Der Schneider band sich den Gürtel um den Leib und
wollte in die Welt hinaus, weil er meinte, die Werkstätte
sei zu klein für seine Tapferkeit. Eh er abzog, suchte er
im Haus herum, ob nichts da wäre, was er mitnehmen
könnte, er fand aber nichts als einen alten Käs, den steckte
er ein. Vor dem Tore bemerkte er einen Vogel, der sich
im Gesträuch gefangen hatte, der mußte zu dem Käse in
die Tasche. Nun nahm er den Weg tapfer zwischen die
Beine, und weil er leicht und behend war, fühlte er keine
Müdigkeit. Der Weg führte ihn auf einen Berg, und als
er den höchsten Gipfel erreicht hatte, so saß da ein gewaltiger Riese und schaute sich ganz gemächlich um. Das
Schneiderlein ging beherzt auf ihn zu, redete ihn an und
sprach: „Guten Tag, Kamerad, gelt, du sitzest da und
besiehst dir die weitläufige Welt? Ich bin eben auf dem
Wege dahin und will mich versuchen. Hast du Lust mit-

zugehen?" Der Riese sah den Schneider verächtlich an und sprach: „Du Lump! du miserabler Kerl!" „Das wäre!" antwortete das Schneiderlein, knöpfte den Rock auf und zeigte dem Riesen den Gürtel, „da kannst du lesen, was ich für ein Mann bin." Der Riese las: „Siebene auf einen Streich", meinte, das wären Menschen gewesen, die der Schneider erschlagen hätte, und kriegte ein wenig Respekt vor dem kleinen Kerl. Doch wollte er ihn erst prüfen, nahm einen Stein in die Hand und drückte ihn zusammen, daß das Wasser heraustropfte. „Das mach mir nach", sprach der Riese, „wenn du Stärke hast." „Ist's weiter nichts?" sagte das Schneiderlein, „das ist bei unsereinem Spielwerk", griff in die Tasche, holte den weichen Käs und drückte ihn, daß der Saft herauslief. „Gelt", sprach er, „das war ein wenig besser?" Der Riese wußte nicht, was er sagen sollte, und konnte es von dem Männlein nicht glauben. Da hob der Riese einen Stein auf und warf ihn so hoch, daß man ihn mit Augen kaum noch sehen konnte: „Nun, du Erpelmännchen, das tu mir nach." „Gut geworfen", sagte der Schneider, „aber der Stein hat doch wieder zur Erde herabfallen müssen, ich will dir einen werfen, der soll gar nicht wiederkommen", griff in die Tasche, nahm den Vogel und warf ihn in die Luft. Der Vogel, froh über seine Freiheit, stieg auf, flog fort und kam nicht wieder. „Wie gefällt dir das Stückchen, Kamerad?" fragte der Schneider. „Werfen kannst du wohl", sagte der Riese, „aber nun wollen wir sehen, ob du imstande bist, etwas Ordentliches zu tragen." Er führte das Schneiderlein zu einem mächtigen Eichbaum, der da gefällt auf dem Boden lag, und sagte: „Wenn du stark genug bist, so hilf mir den Baum aus dem Walde heraustragen." „Gerne", antwortete der kleine Mann, „nimm du nur den Stamm auf deine Schulter, ich will die Äste mit dem Gezweig aufheben und tragen, das ist doch das schwerste." Der Riese nahm den Stamm auf die Schulter, der Schneider aber setzte sich auf einen Ast, und der Riese, der sich nicht umsehen konnte, mußte den ganzen Baum und das Schneiderlein noch obendrein forttragen. Es war da hinten ganz lustig und guter Dinge, pfiff das Liedchen: „Es ritten drei Schneider zum Tore hinaus", als wäre das Baumtragen ein Kinderspiel. Der Riese, nachdem er ein Stück Wegs die schwere Last fortgeschleppt hatte, konnte nicht weiter und rief: „Hör, ich muß den Baum fallen lassen." Der Schneider sprang behendiglich herab, faßte den Baum mit beiden Armen, als wenn er ihn getragen hätte, und sprach zum Riesen: „Du bist ein so großer Kerl und kannst den Baum nicht einmal tragen."

Sie gingen zusammen weiter, und als sie an einem Kirschbaum vorbeikamen, faßte der Riese die Krone des Baums, wo die zeitigsten Früchte hingen, bog sie herab, gab sie dem Schneider in die Hand und hieß ihn essen. Das Schneiderlein aber war viel zu schwach, um den Baum zu halten, und als der Riese losließ, fuhr der Baum in die Höhe, und der Schneider ward mit in die Luft geschnellt. Als er wieder ohne Schaden herabgefallen war, sprach der Riese: „Was ist das, hast du nicht Kraft, die schwache Gerte zu halten?" „An der Kraft fehlt es nicht", antwortete das Schneiderlein, „meinst du, das wäre etwas für einen, der siebene mit einem Streich getroffen hat? Ich bin über den Baum gesprungen, weil die Jäger da unten in das Gebüsch schießen. Spring nach, wenn du's vermagst." Der Riese machte den Versuch, konnte aber nicht über den Baum kommen, sondern blieb in den Ästen hängen, also daß das Schneiderlein auch hier die Oberhand behielt.

Der Riese sprach: „Wenn du ein so tapferer Kerl bist, so komm mit in unsere Höhle und übernachte bei uns." Das Schneiderlein war bereit und folgte ihm. Als sie in der Höhle anlangten, saßen da noch andere Riesen beim

Feuer, und jeder hatte ein gebratenes Schaf in der Hand und aß davon. Das Schneiderlein sah sich um und dachte: „Es ist doch hier viel weitläufiger als in meiner Werkstatt." Der Riese wies ihm ein Bett an und sagte, er solle sich hineinlegen und ausschlafen. Dem Schneiderlein war aber das Bett zu groß, er legte sich nicht hinein, sondern kroch in eine Ecke. Als es Mitternacht war, und der Riese meinte, das Schneiderlein läge in tiefem Schlafe, so stand er auf, nahm eine große Eisenstange und schlug das Bett mit einem Schlag durch und meinte, er hätte dem Grashüpfer den Garaus gemacht. Mit dem frühesten Morgen gingen die Riesen in den Wald und hatten das Schneiderlein ganz vergessen, da kam es auf einmal ganz lustig und verwegen dahergeschritten. Die Riesen erschraken, fürchteten, es schlüge sie alle tot, und liefen in einer Hast fort.

Das Schneiderlein zog weiter, immer seiner spitzen Nase nach. Nachdem es lange gewandert war, kam es in den Hof eines königlichen Palastes, und da es Müdigkeit empfand, so legte es sich ins Gras und schlief ein. Während es da lag, kamen die Leute, betrachteten es von allen Seiten und lasen auf dem Gürtel: „Siebene auf einen Streich." „Ach", sprachen sie, „was will der große Kriegsheld hier mitten im Frieden? Das muß ein mächtiger Herr sein." Sie gingen und meldeten es dem König und meinten, wenn Krieg ausbrechen sollte, wäre das ein wichtiger und nützlicher Mann, den man um keinen Preis fortlassen dürfte. Dem König gefiel der Rat, und er schickte einen von seinen Hofleuten an das Schneiderlein ab, der sollte ihm, wenn es aufgewacht wäre, Kriegsdienste anbieten. Der Abgesandte blieb bei dem Schläfer stehen, wartete, bis er seine Glieder streckte und die Augen aufschlug, und brachte dann seinen Antrag vor. „Ebendeshalb bin ich hierher gekommen", antwortete er, „ich bin bereit, in des Königs Dienste zu treten." Also ward er ehrenvoll empfangen und ihm eine besondere Wohnung angewiesen.

Die Kriegsleute aber waren dem Schneiderlein aufgesessen und wünschten, es wäre tausend Meilen weit weg. „Was soll daraus werden?" sprachen sie untereinander, „wenn wir Zank mit ihm kriegen und er haut zu, so fallen auf jeden Streich siebene. Da kann unsereiner nicht bestehen." Also faßten sie einen Entschluß, begaben sich allesamt zum König und baten um ihren Abschied. „Wir sind nicht gemacht", sprachen sie, „neben einem Mann auszuhalten, der siebene auf einen Streich schlägt." Der König war traurig, daß er um des einen willen alle seine treuen Diener verlieren sollte, wünschte, daß seine Augen ihn nie gesehen hätten, und wäre ihn gerne wieder losgewesen. Aber er getraute sich nicht, ihm den Abschied zu geben, weil er fürchtete, er möchte ihn samt seinem Volke totschlagen und sich auf den königlichen Thron setzen. Er sann lange hin und her, endlich fand er einen Rat. Er schickte zu dem Schneiderlein und ließ ihm sagen, weil er ein so großer Kriegsheld wäre, so wollte er ihm ein Anerbieten machen. In einem Walde seines Landes hausten zwei Riesen, die mit Rauben, Morden, Sengen und Brennen großen Schaden stifteten: niemand dürfte sich ihnen nahen, ohne sich in Lebensgefahr zu setzen. Wenn er diese beiden Riesen überwände und tötete, so wollte er ihm seine einzige Tochter zur Gemahlin geben und das halbe Königreich zur Ehesteuer; auch sollten hundert Reiter mitziehen und ihm Beistand leisten. „Das wäre so etwas für einen Mann, wie du bist", dachte das Schneiderlein, „eine schöne Königstochter und ein halbes Königreich wird einem nicht alle Tage angeboten." „O ja", gab er zur Antwort, „die Riesen will ich schon bändigen und habe die hundert Reiter dabei nicht nötig: wer siebene auf einen Streich trifft, braucht sich vor zweien nicht zu fürchten."

Das Schneiderlein zog aus, und die hundert Reiter
folgten ihm. Als er zu dem Rand des Waldes kam, sprach
er zu seinen Begleitern: „Bleibt hier nur halten, ich will
schon allein mit den Riesen fertig werden.“ Dann sprang
er in den Wald hinein und schaute sich rechts und links
um. Über ein Weilchen erblickte er beide Riesen: sie
lagen unter einem Baume und schliefen und schnarchten
dabei, daß sich die Äste auf und nieder bogen. Das
Schneiderlein, nicht faul, las beide Taschen voll Steine
und stieg damit auf den Baum. Als es in der Mitte war,
rutschte es auf einen Ast, bis es gerade über die Schläfer
zu sitzen kam, und ließ dem einen Riesen einen Stein
nach dem andern auf die Brust fallen. Der Riese spürte
lange nichts, doch endlich wachte er auf, stieß seinen Gesellen an und sprach: „Was schlägst du mich?“ „Du
träumst“, sagte der andere, „ich schlage dich nicht.“ Sie
legten sich wieder zum Schlaf, da warf der Schneider auf
den zweiten einen Stein herab. „Was soll das?“ rief der
andere, „warum wirfst du mich?“ „Ich werfe dich nicht“,
antwortete der erste und brummte. Sie zankten sich eine
Weile herum, doch weil sie müde waren, ließen sie's gut
sein, und die Augen fielen ihnen wieder zu. Das Schneiderlein fing sein Spiel von neuem an, suchte den dicksten
Stein aus und warf ihn dem ersten Riesen mit aller
Gewalt auf die Brust. „Das ist zu arg!“ schrie er, sprang
wie ein Unsinniger auf und stieß seinen Gesellen wider
den Baum, daß dieser zitterte. Der andere zahlte mit
gleicher Münze, und sie gerieten in solche Wut, daß sie
Bäume ausrissen, aufeinander losschlugen, so lang, bis sie
endlich beide zugleich tot auf die Erde fielen. Nun sprang
das Schneiderlein herab. „Ein Glück nur“, sprach es, „daß
sie den Baum, auf dem ich saß, nicht ausgerissen haben,
sonst hätte ich wie ein Eichhörnchen auf einen andern
springen müssen: doch unsereiner ist flüchtig.“ Es zog
sein Schwert und versetzte jedem ein paar tüchtige Hiebe

in die Brust, dann ging es hinaus zu den Reitern und sprach: „Die Arbeit ist getan, ich habe beiden den Garaus gemacht: aber hart ist es hergegangen, sie haben in der Not Bäume ausgerissen und sich gewehrt, doch das hilft alles nichts, wenn einer kommt wie ich, der siebene auf einen Streich schlägt." „Seid Ihr denn nicht verwundet?" fragten die Reiter. „Das hat gute Wege", antwortete der Schneider, „kein Haar haben sie mir gekrümmt." Die Reiter wollten ihm keinen Glauben beimessen und ritten in den Wald hinein: da fanden sie die Riesen in ihrem Blute schwimmend, und ringsherum lagen die ausgerissenen Bäume.

Das Schneiderlein verlangte von dem König die versprochene Belohnung, den aber reute sein Versprechen, und er sann aufs neue, wie er sich den Helden vom Halse schaffen könnte. „Ehe du meine Tochter und das halbe Reich erhältst", sprach er zu ihm, „mußt du noch eine Heldentat vollbringen. In dem Walde läuft ein Einhorn, das großen Schaden anrichtet, das mußt du erst einfangen." „Vor einem Einhorne fürchte ich mich noch weniger als vor zwei Riesen; siebene auf einen Streich, das ist meine Sache." Er nahm sich einen Strick und eine Axt mit, ging hinaus in den Wald und hieß abermals die, welche ihm zugeordnet waren, außen warten. Er brauchte nicht lange zu suchen, das Einhorn kam bald daher und sprang geradezu auf den Schneider los, als wollte es ihn ohne Umstände aufspießen. „Sachte, sachte", sprach er, „so geschwind geht das nicht", blieb stehen und wartete, bis das Tier ganz nahe war, dann sprang er behendiglich hinter den Baum. Das Einhorn rannte mit aller Kraft gegen den Baum und spießte sein Horn so fest in den Stamm, daß es nicht Kraft genug hatte, es wieder herauszuziehen, und so war es gefangen. „Jetzt habe ich das Vöglein", sagte der Schneider, kam hinter dem Baum hervor, legte dem Einhorn den Strick erst um den Hals, dann hieb er mit der Axt das Horn aus dem Baum, und als alles in Ordnung war, führte er das Tier ab und brachte es dem König.

Der König wollte ihm den verheißenen Lohn noch nicht gewähren und machte eine dritte Forderung. Der Schneider sollte ihm vor der Hochzeit erst ein Wildschwein fangen, das in dem Wald großen Schaden tat; die Jäger sollten ihm Beistand leisten. „Gerne", sprach der Schneider, „das ist ein Kinderspiel." Die Jäger nahm er nicht mit in den Wald, und sie waren's wohl zufrieden, denn das Wildschwein hatte sie schon mehrmals so empfangen, daß sie keine Lust hatten, ihm nachzustellen. Als das Schwein den Schneider erblickte, lief es mit schäumendem Munde und wetzenden Zähnen auf ihn zu und wollte ihn zur Erde werfen: der flüchtige Held aber sprang in eine Kapelle, die in der Nähe war, und gleich oben zum Fenster in einem Satze wieder hinaus. Das Schwein war hinter ihm hergelaufen, er aber hüpfte außen herum und schlug die Türe hinter ihm zu; da war das wütende Tier gefangen, das viel zu schwer und unbehilflich war, um zu dem Fenster hinauszuspringen. Das Schneiderlein rief die Jäger herbei, die mußten den Gefangenen mit eigenen Augen sehen: der Held aber begab sich zum Könige, der nun, er mochte wollen oder nicht, sein Versprechen halten mußte und ihm seine Tochter und das halbe Königreich übergab. Hätte er gewußt, daß kein Kriegsheld, sondern ein Schneiderlein vor ihm stand, es wäre ihm noch mehr zu Herzen gegangen. Die Hochzeit ward also mit großer Pracht und kleiner Freude gehalten und aus einem Schneider ein König gemacht.

Nach einiger Zeit hörte die junge Königin in der Nacht, wie ihr Gemahl im Traume sprach: „Junge, mach mir den Wams und flick mir die Hosen, oder ich will dir die Elle über die Ohren schlagen." Da merkte sie, in welcher Gasse der junge Herr geboren war, klagte am andern

Morgen ihrem Vater ihr Leid und bat, er möchte ihr von
dem Manne helfen, der nichts anders als ein Schneider
wäre. Der König sprach ihr Trost zu und sagte: „Laß in
der nächsten Nacht deine Schlafkammer offen, meine
Diener sollen außen stehen und, wenn er eingeschlafen
ist, hineingehen, ihn binden und auf ein Schiff tragen,
das ihn in die weite Welt führt." Die Frau war damit
zufrieden, des Königs Waffenträger aber, der alles mit
angehört hatte, war dem jungen Herrn gewogen und
hinterbrachte ihm den ganzen Anschlag. „Dem Ding will
ich einen Riegel vorschieben", sagte das Schneiderlein.
Abends legte es sich zu gewöhnlicher Zeit mit seiner Frau
zu Bett: als sie glaubte, er sei eingeschlafen, stand sie auf,
öffnete die Türe und legte sich wieder. Das Schneiderlein,
das sich nur stellte, als wenn es schlief, fing an mit heller
Stimme zu rufen: „Junge, mach mir den Wams und flick
mir die Hosen, oder ich will dir die Elle über die Ohren
schlagen! Ich habe siebene mit einem Streich getroffen,
zwei Riesen getötet, ein Einhorn fortgeführt und ein
Wildschwein gefangen und sollte mich vor denen fürchten, die draußen vor der Kammer stehen?" Als diese den
Schneider also sprechen hörten, überkam sie eine große
Furcht, sie liefen, als wenn das wilde Heer hinter ihnen
wäre, und keiner wollte sich mehr an ihn wagen. Also
war und blieb das Schneiderlein sein Lebtag ein König.

Nachwort

„Es war einmal" — fängt einer an zu erzählen. Schon
nach den ersten Sätzen sind wir mittendrin in einer der
phantasievollen Geschichten, die wir als „Märchen" be-
zeichnen: Das Wunderbare ereignet sich in dieser Welt,
in der die Naturgesetze nicht zu gelten scheinen und wo
Tiere und leblose Gegenstände wie Steine oder Spiegel
plötzlich sprechen können. Jenseits unseres Alltages tau-
chen Riesen und Zwerge, Drachen und Hexen auf, Wasser
schwellen an, wenn sie von einem kleinen Tropfen berührt werden, Bäume bekommen bedrohliche Arme —
aber auch hilfreiche Magier und freundliche Geister warten an der Straße. Der Märchenheld, sei er Prinz oder
Bettler, Aschenbrödel oder Bauernjunge, sucht zwischen
Traum und Wirklichkeit seinen Weg. Widrige Mächte
dräuen im Zauberwald, aber der Begnadete wird mit
Menschenfressern und Teufeln fertig, ein redender Vogel
singt ihm das Losungswort zu, und so schließt jede dieser Geschichten im Glück der Erfüllung: Der Schlüssel
zum hochgetürmten Schloß wird gefunden, der kranke
König wird durch einen Wundertrank erlöst, die Prinzessin wird gefreit. Überall am Ende der Sieg der Ge-
rechtigkeit, die vollendete Harmonie! Wie in den
Wunschträumen erreichen die Guten ihr Ziel: „Und
wenn sie nicht gestorben sind, so leben sie heute noch."

Wie lange sich die Menschheit schon an solchen Erzäh-
lungen erfreut, wer kann es sagen! Namhafte Forscher
sprechen dieser Dichtungsart das Alter von Jahrtausen-
den zu. Im orientalischen Bazar sammelten gesprächige
Greise bei einer Tasse Mokka die Lauscher um sich, am
Wachtfeuer prahlten Krieger mit ihren bunten Geschichten, auf den Karavellen spannen Matrosen ihr Garn und
in den abendländischen Spinnstuben überboten sich die
Großmütter mit zaubervollen Abenteuern. Neben dieser
uralten mündlichen Überlieferung gibt es auch von alters
her schriftlich niedergelegte Märchen. Schon das babylo-
nische *„Gilgamesch-Epos"* aus der Zeit um 2000 v. Chr.

enthält märchenhafte Züge, ägyptische Papyri bewahren wundersame Geschehnisse, auch im griechischen und römischen Schrifttum sind Märchenmotive bezeugt. An den erfindungsreichen indischen Sammlungen woben ganze Geschlechter und im arabischen Kulturkreis wuchs etwa seit dem 10. Jahrhundert der aus Persien übernommene Zauberring von *„Tausendundeiner Nacht"*. Im mittelalterlichen Abendland gab es märchenhafte Episoden in Dichtungen und Sammelwerken, italienische Autoren verwerteten solche Motive vom 13. Jahrhundert an in ihren Novellen, in Frankreich erschienen dann Ende des 17. Jahrhunderts die berühmten *„Contes"* von Charles Perrault. Das rationalistische 18. Jahrhundert, das die Vernunft als Königin einsetzte, war im Grund dieser phantasievollen Volkskunst mit ihrem Zauberwerk abhold. Seit Herder ahnte man jedoch in der deutschen Geistesgeschichte wieder Wert und Bedeutung der nahezu im verborgenen lebenden volkstümlichen Geschichten — aber erst die Brüder Grimm waren es, die ernsthaft nach dem edlen Märchengold schürften, es von Schlacken reinigten und in kostbarer Fassung glänzend ans Licht hoben.

Jakob und Wilhelm Grimm standen vor wirklichem Neuland, als sie daran gingen, die im Volk lebenden und von Mund zu Mund weiter erzählten Märchen zu sammeln. Ihnen gebührt der Ruhm, diese Aufgabe im vollen Umfang als erste erkannt und bewältigt zu haben. Der Romantiker Ludwig Tieck hatte in ihnen den Funken entzündet, sich mit dem deutschen Altertum zu beschäftigen. Die anderen romantischen Freunde Arnim und Brentano zeigten durch die Volkslieder, die sie für ihr *„Wunderhorn"* zusammentrugen, welche vergessenen Schätze für Literatur und Forschung zu entdecken waren. Dabei wurden die Brüder Grimm so erfolgreiche Schatzgräber, weil ihr eigenes Wesen dem gewählten Thema entsprach. Die beiden hatten ihre empfänglichsten Jugendjahre in der märchenhaften Szenerie des altertümlichen Städtchens Steinau an der Kinzig erlebt, hatten dort die Schauplätze unserer Märchen, die Tore und Türme, die Fachwerkhäuser und Schloßbastionen, die Bienengärten und Waldwege geschaut und mit allen Sinnen aufgenommen. Volksnah erzogen schätzten sie das, was das Volk schuf — von Jugend an erlauschten sie, was sich Schäfer und Hirten, Fuhrleute und Jäger, Soldaten und Mägde erzählten.

Als sie im Jahre 1806, da Napoleons Armeen Deutschland überfluteten, bewußt darangingen, die Märchen im Lande zu suchen, sammelten sie mit Leidenschaft und Ausdauer. Jakob, der ältere, war der strenge Forscher, der den ursprünglichen Sinngehalt der aufgefundenen Geschichten feststellen wollte. Er, der später die Gesetze der deutschen Grammatik entdeckte und damit die Germanistik begründete — ein Bahnbrecher, der mit seinen *„Rechtsaltertümern"* und *„Weistümern"* die Rechtsgeschichte auf die Füße stellen und dem *„Deutschen Wörterbuch"* den hundertjährigen Weg weisen sollte, erweiterte auch die Märchensammlung mit grüblerischem Blick. Wilhelm dagegen, den es auch später mehr zur musischen Betrachtung der älteren Literatur trieb, zu Ausgaben mittelalterlicher Epiker und zur Heldendichtung, suchte weniger das Forschungsergebnis — ihm kam es darauf an, die dichterische und künstlerische Form herauszumeißeln. Gemeinsam gingen die Brüder ans Werk; dabei ergänzte sich ihre verschiedenartige Anlage so ideal, daß daraus das Vollkommene erwuchs.

Überall da, wo die Märchen noch lebendig war, suchten es die Brüder zu erfahren. Ihre unversiegliche Quelle war dabei die mündliche Überlieferung. Verwandte und Freunde, die alte Schaffnerin Marie, die Viehmännin — eine Bäuerin aus dem hessischen Dorf Niederzwehren — dann die sogenannte Marburger Märchenfrau sowie Wilhelms spätere Frau Dortchen, und vor allem der Kreis der Familie von Haxthausen waren neben vielen anderen die Gewährsleute. Im westfälischen Bökendorf, wo Wilhelm bei den Haxthausens die Märchen erlauschte und wo die Schwestern Annette und Jenny von Droste-Hülshoff aus und ein gingen, erklangen untertags noch die Flöten und Posthörner in den Wäldern —

dort erzählte man sich am Abend vor dem flackernden Kaminfeuer die alten Wunschdichtungen. Bei der Aufzeichnung drängte der strenge Wissenschaftler Jakob auf möglichste Genauigkeit, zudem er an den mythischen Grund dieser Volkskunst glaubte und den Kern unversehrt erhalten wissen wollte. Trotzdem ist die Sprache der Märchen nicht sklavisch genau von den Erzählern übernommen. Besonders unter dem Einfluß des dichterisch gestimmten Wilhelm Grimm wurde der Stil so durchgeformt, daß unsere Märchen ihre gültige und gleichsam unabänderliche Gestalt durch diese schlichte und in ihrer Echtheit auch kostbare Sprache erhielten. Bei aller Treue gegenüber der Handlungsführung ist das Sprachkunstwerk, ist dieser deutsche Märchenstil von den Brüdern Grimm geschaffen worden. Die Märchen sind zurecht mit ihrem Namen für immer verbunden.

Der erste Band der *„Kinder- und Hausmärchen"* erschien nach sechsjähriger Sammeltätigkeit im Jahre 1812, der zweite 1815, dazu kamen 1822 als 3. wissenschaftlicher Teil die erklärenden *„Anmerkungen"*. Seit ihrem Erscheinen bis heute sind die Märchen in ungezählten Auflagen und in allen Kultursprachen der Welt millionenfach veröffentlicht worden; nach der Bibel zählt dieses Werk zu den verbreitetsten der Weltliteratur. Es hat nicht nur als deutsches Hausbuch bei uns seinen Ehrenplatz in jedem Bücherschrank, es gehört zugleich der Welt. Die Wirkung des einzigartigen Buches bestand darin, daß die Märchen nun überall bei den verschiedensten Völkern gesammelt wurden. Zugleich wurde man aber auch von den theoretischen Erwägungen der Brüder Grimm bestimmt, dieses weite Feld wissenschaftlich zu ergründen. Die umfassende moderne Märchenforschung geht auf die Brüder Grimm zurück.

Ganze Gelehrtenschulen haben sich in der Nachfolge gebildet, um Alter, Herkunft, Bedeutung und Wanderwege der einzelnen Märchen zu erfassen. Neuere Gelehrte wiesen darauf hin, daß nicht nur verschollene Mythen in den Märchen steckten, man erkannte den anregenden Reichtum der indischen Sammlungen, die

Fülle des keltischen Kulturkreises, den blühenden Kranz des Morgenlandes. Literarhistoriker und Philologen, Volkskundler und Psychologen haben Wesen und Weisheit der Märchen ausgelegt. Man erkannte, daß einzelne gleichartige Motive unter gleichen Bedingungen hier und dort bei verschiedenartigen Völkern entstanden sein können. Von unbekannten Erzählern der Völker meisterhaft geformt und gestaltet, wanderten die Märchen über die Erde hin. Generationen nahmen sie auf und trugen sie weiter. So wurden gewiß viele dieser Geschichten aus fremden Kulturkreisen auch zu uns gebracht und jenen Märchen hinzugefügt, die unsere Vorfahren selbst gefunden haben. Ob einzelne Märchen unser ursprüngliches Eigentum sind, ob andere aus der Fremde zu uns herwehten, ehrwürdig sind sie in jedem Fall. Deutschland, in Europas Mitte gelegen und Durchgangsland vieler Wanderwege, hat in seiner aufnahmebereiten Art von überall her Märchenstoffe empfangen. Trotzdem dürfen wir von einem besonderen deutschen Märchenschatz sprechen. Denn hierzulande wurden all diese Geschichten mit dem Charakter, der Lebensart, dem Gemüt, der Herzenswärme und dem Humor unserer Erzähler erfüllt. Diese Züge haben unseren Märchen ein eigenes Gesicht gegeben: Sie sind in der unverkennbar deutschen Landschaft angesiedelt.

Überblickt man heute die Märchenbücher der Völker, die seit den Tagen der Brüder Grimm zutage gefördert worden sind, überschaut man die Arbeit der Forscher, die seither die Welt der Märchen ausdeuten, so schließt man sich gern den Worten von Jakob Grimm an, als er sagte, daß ihm und seinem Bruder mit der Märchensammlung ein rechter „Wünschelrutenzweig" glücklich in die Hand gefallen sei. Die beiden Brüder haben „damit in den Boden geschlagen und allerorten ist ein reicher Hort der Sage und Überlieferung an Tag gekommen". Der Wünschelrutenzweig der Brüder Grimm hat einen wunderbaren Born erschlossen und zum Strömen gebracht.

Dr. Hermann Gerstner